VOORBEDACHTE DADEN

M. Broens
Groenstraat 99
4841 BC Prinsenbeek

MOSES ISEGAWA

Abessijnse Kronieken (1998)
Slangenkuil (1999)
Twee chimpansees (2001)

DE BEZIGE BIJ

Moses Isegawa

Voorbedachte daden

ROMAN

Vertaling Frans van der Wiel en
Joop van Helmond

2004

DE BEZIGE BIJ

AMSTERDAM

Copyright © 2004 Moses Isegawa
Copyright Nederlandse vertaling © 2004 Frans van der Wiel en
Joop van Helmond
Eerste druk (gebonden) november 2004
Tweede druk (paperback) november 2004
Oorspronkelijke titel *Premeditated Acts*
Omslagontwerp Brigitte Slangen
Omslagillustratie Getty Images
Foto auteur © Patrick Post/Hollandse Hoogte
Vormgeving binnenwerk CeevanWee, Amsterdam
Druk Wöhrmann, Zutphen
ISBN 90 234 1620 1
NUR 302

www.debezigebij.nl

INHOUD

BOEK EEN

Dwerggalago

Op de dag voor Prinsendag werd ik tegen vijven langzaam wakker, alsof iemand me op mijn schouder had getikt en fluisterde: 'Dismas Moesigoela, wakker worden.' Nog voor ik mijn ogen open had, wist ik dat het een prachtige ochtend was. Ik voelde het licht op mijn oogleden prikkelen en frisse lucht in mijn neus kriebelen. Een nieuwe dag deed me altijd denken aan een hoopje smeulend hout overdekt met zachte grijswitte as. Ik stelde me voor dat iemand er gestaag op blies om het te laten opgloeien tot het vuur ontstond dat een hele dag bleef branden.

Ik deed mijn ogen open en zei de volgende woorden op: 'Van bacterie tot bacterie, de moeder van alle leven.' Daar liet ik een stroom schietgebedjes op volgen om me voor te bereiden op de nieuwe dag. Ik bad tot de godin Bacterie, de onvermoeibare schepper en vernietiger van alle leven.

Ik deed mijn oordopjes uit, stopte ze in een rond plastic doosje en vond er een plekje voor op de salontafel, die volgepakt lag met balpennen, tandenstokers, belletjes, beeldjes en heel veel andere prullaria. Ik duwde de slaapzak van me af en genoot van de gladde stof en het feit dat ik hem binnenshuis gebruikte en niet onder de blote hemel. Ik vond hem prettiger dan dekens, omdat hij licht was en warm, en geen neus-irriterende pluisjes kon afgeven.

Ik sliep op een donkerbruine bank, de halve nacht op mijn linker-, de andere helft op mijn rechterzij in een vergeefse poging dromen op te roepen, want in plaats van beelden zag ik in mijn slaap alleen maar bergen rode tropische aarde. Slapen op de bank had zijn voordelen. Zo kon ik slapen met alles waarvan ik hield binnen handbereik. Het bespaarde me ook de kopzorg van bedden opmaken en gaf me bovenal het gevoel dat ik onderweg was.

Ik zette mijn voetzolen zachtjes op het versleten tapijt en luisterde naar de boodschappen die mijn ingewanden vrijgaven in de vorm van getintel, getril en gebons: belangrijke graadmeters voor het soort dag dat me te wachten stond.

Ik deed dat iedere ochtend, al vijf jaar sinds de opstand uitbrak die ik nooit heb en nooit zal weten te onderdrukken en die me een lijfeigene van de Regelaar heeft gemaakt. Leven onder de duim van de Regelaar is niet anders dan leven op zee: niets is vanzelfsprekend.

Sommige ochtenden had ik het gevoel dat mijn maag vol zat met claustrofobe ratten die wanhopig vochten om door mijn keel of mijn rectum naar buiten te komen. Ze woelden, zwiepten en beukten als een zwarte mamba die in een zachte doek gevangen zat. Vandaag waren ze suffig, alsof ze de hele nacht hadden gefuifd en te duf waren om rond te hollen of zelfs maar even te bijten. Zo te zien werd het een goede dag, misschien wel een heel goede dag. Ik duimde ervoor.

Ik stond op, mijn T-shirt en boxer plakten aan mijn lijf en zonder acht te slaan op mijn verslappende erectie liep ik naar de balkondeur. Ik drukte mijn neus en handpalmen tegen het koude glas en bewoog mijn voeten over de geribbelde deurmat om intenser te genieten van het kittelige gevoel dat door mijn voetzolen omhoog trok.

Mijn ogen dwaalden over de woonblokken pal voor het Moesigoela-huis, zoals ik mijn woning noemde, en de tempel van de god Rectum, zoals ik mijn flatgebouw had gedoopt om het uit de drab van de anonimiteit te vissen. Dwars door de massa van flatgebouwen liep een T-vormige klinkerweg, waarvan de bomen aan weerszijden de onmenselijkheid van beton en glas verzachtten.

Langs de T van klinkers stonden auto's dubbel geparkeerd, sommige bestrooid met de bladeren van kastanjebomen, die zich voorbereidden op de komst van de winterse kaalheid. Heel even stelde ik me voor hoe die dwergachtige monsters gehuld in vlammen de lucht in vlogen, salto's maakten en hun ingewanden uitbraakten door de verbrijzelde ramen en deuren van de sidderende kolossen.

Een lange witte doek, zo groot als een badlaken, trok mijn aandacht. Hij was over de volle lengte van een balkon op de derde verdieping gespannen. In het felle licht schoten de letters als pijlen op me af. 'Hoera! We hebben een zoon!' De uitroeptekens bezorgden me de eerste glimlach van de dag, beelden en ideeën tuimelden in mijn hoofd over elkaar heen. Het gevoel van triomf intrigeerde me.

De doek was er 's nachts opgehangen om de buurt te begroeten met het nieuws van de jongste nieuwkomer. Wat eraan ontbrak was de afbeelding van een ooievaar met een baby in een draagdoek die aan zijn snavel bungelde. Het was een onschuldige nalatigheid, die gemakkelijk door de verbeelding van de toeschouwer kon worden bijgesteld.

Het wemelde in de wijk van de oude zielen en de inbreng van nieuw leven plaatste weer een steen op het bouwsel van hoop en vitaliteit. Ik probeerde te zien of het gelukkige echtpaar wakker was, maar de gordijnen waren nog dicht.

Op een paar andere balkons hing de nationale vlag met de oranje wimpel van het Huis van Nassau nogal droevig slap in de windstille lucht, alsof ze op een stevige bries wachtten om zich op te richten en de vaderlandsliefde uit te dragen die ze symboliseerden.

Ik haalde diep adem, deed de deur open en stapte op het lege balkon. Ik hield niet van bloemen of planten of versiering en de leegte van deze rechthoek beviel me prima. Ik mocht daar graag naar de lucht staan turen, 's ochtends vroeg en 's avonds laat, op zoek naar sterren. In het uitspansel boven en om me heen viel niets pinkelends waar te nemen. Het hemelgewelf was prachtig bleekblauw, het midden vormde een grillige oranje fries en onderaan, net boven de daken, de priemende schoorstenen en de boomkruinen, was het donkerblauw als de uniformen van de Grensbewakingsbrigade. Nergens een teken van regen, die al drie maanden verstek liet gaan, waardoor het de heetste zomer en herfst van deze generatie waren.

Ik kwam in de verleiding mijn fiets te pakken en door de koele ochtend te rijden om meer van de frisse vrolijkheid op te snuiven, maar ik deed het idee als een bevlieging af. Ik had een strakke dagindeling, waarin geen plaats was voor spontane fietstochtjes. Ik luisterde naar de vogels en mijn oren pikten de schorre roep van de meeuwen op, die laag over de daken scheerden en verdwenen. Ik sloeg de mensen gade die vroeg op waren en naar de enorme staalfabriek aan de rand van de stad fietsten. Ik was er trots op dat ik in een fabrieksstad woonde, waarvan de rokende schoorstenen het symbool waren en de lelijkheid de weerspiegeling van zijn onverzettelijkheid. Ik keek weer naar de vlaggen, in de hoop dat ik nog iemand er een zag uitsteken. Tevergeefs.

Ik ging naar binnen en liep naar de badkamer om mijn tanden te poetsen en de bittere smaak en de dikke witte aanslag die zich iedere nacht in mijn mond vormden kwijt te raken. Ik werd geplaagd door een hardnekkige schimmel, waarvan bekend was dat hij ook vagina's aantastte. Tijdens het poetsen bekeek ik de dozen pillen waarvan de medicijngeur me naar het hoofd steeg.

Mijn ogen dwaalden af naar mijn troon en de witheid deed me denken aan de dingen die ik in zijn onzichtbare ruim deponeerde. Ik hield hem smetteloos schoon, hij was mijn steun en toeverlaat.

Ik herinnerde me ergens een verhaal gelezen te hebben over een middelbare meisjesschool in Californië, waar de leerlingen zo vaak moesten overgeven dat de toiletpotten, door maagzuur uitgebeten, ieder schooljaar vervangen moesten worden. Het was cosmetisch of, kon je ook zeggen, esthetisch braken, in zwang bij hen die met alle geweld slank wilden blijven maar er geen rib voor wilden opofferen.

Ik keek in de spiegel en bezag met enige tevredenheid de opmars van de ouderdom. Ik had altijd al oud willen zijn, de onervarenheid van de jeugd achter me willen hebben. Dat ik langzaam naar dat stadium toewerkte gaf me een goed gevoel.

Ik spoelde mijn mond, liep de badkamer uit en de slaapkamer in, die voornamelijk diende als opslagplaats van mijn kleren. Op het bed lagen stapels opgevouwen dekens, oude kleren en sporttassen die dateerden uit mijn meer nomadische tijd. Het feit dat ik geen kleren had die het stelen waard waren beviel me wel. Volgens mij moest je de kat niet op het spek binden. Het menselijk dier had al genoeg problemen, zonder te worden opgezadeld met onnodige verleidingen.

Ik deed mijn nachtgoed uit, trok een korte broek aan en liep snel naar de woonkamer om mijn ademhalings- en strekoefeningen te beginnen. Ik deed de zonnegroet en de asana's en werkte langzaam toe naar de sirsjasana, de hoofdstand, die ik op goede dagen een uur volhield, terwijl mijn ogen van de televisie naar de stapels boeken van onderzoeksjournalisten en andere wereldverklaarders dwaalden, wier namen ik op de ruggen kon lezen: Wayne Madsen, John Pilger, William Blum, Christopher Hitchens, Jared Diamond, Camille Paglia, Chris de Stoop. Ik mocht graag mijn geest voeden en mijn wandaden vergelijken met de opzichtige, door regeringen gerechtvaardigde misdaden van de grote jongens in spionagediensten, de bureaucratie, de academische wereld en het leger.

In deze houding nam ik het plan voor de komende dag door. Nu de ratten sliepen, dacht ik aan wat ik nog moest doen voor de komende brandstichting, aan mijn handlanger, het kat-en-muisspelletje met de overheid en aan ons geluk tot nu toe. Ik dacht na over mijn parttime werk als consulent en alles wat ik nog moest lezen. Mijn gedachten dwaalden af naar mijn vrouw Bogodisiba en nog het een en ander.

Ik kwam omlaag door mijn benen te buigen en mijn voeten zachtjes op de mat te laten zakken. Ik bleef als een kromme pijp staan om mijn lichaam te laten ontspannen en de directe nawerking van de omkering te beoordelen. Mijn ratten hielden er niet van om ondersteboven gehouden te worden. Ik maakte ze duizelig als ik te lang op mijn hoofd bleef staan. Op sommige dagen straften ze me ervoor en dwongen me naar de troon te hollen en op de knieën te gaan.

Vandaag was een goede dag. Ik voelde me prima, heel licht, heel kalm, de pijn uit mijn lichaam verbannen. Ik ging in de lijkstand liggen, kijkend naar het plafond met mijn armen langs mijn lichaam, terwijl ik ademhaalde en me baadde in die zonnestraal van afwezige pijn.

Vanaf de plek waar ik lag kon ik op het tv-toestel de foto van mijn grootmoeder met mijn tante zien, waarop ze als godinnen in afwachting van aanbidders stonden. Mijn grootmoeder was over de honderd. Iedereen noemde haar de Schildpad vanwege haar kromme rug, haar leerachtige nek, haar kleine donzige hoofd en haar onverzettelijkheid.

'Iedereen die ik ken is dood,' klaagde ze af en toe, alsof ze daarmee ook maar een van haar dierbaren terug kon brengen.

'En wij dan?' kaatste mijn tante terug. 'Denk je soms dat wij niet bestaan?'

'Jullie zijn geesten,' zei ze smalend. 'Ik word omgeven door geesten.'

'Dat is niet waar. Je mag van geluk spreken dat we allemaal van je houden, moeder. Hoeveel oude mensen snakken niet naar gezelschap en...?'

'Hou je kuttenkop,' bitste ze. 'Commentaar geef ík wel en niemand anders. Ik ben de oudste van het hele land.'

Dat snoerde mijn tante meestal de mond en als ze zelf een slechte bui had, gaf het aanleiding tot een paar tranen. Ze kon het moeilijk verkroppen dat haar eigen moeder zich kon gedragen als de Schildpad.

Na zich onder sociale controle een eeuw lang te hebben gehouden aan onberispelijke manieren en fatsoen, zonder ooit in het openbaar te vloeken of winden te laten, had de Schildpad al die vrijheden weer voor zich opgeëist. Haar tong liep over van obsceniteiten en haar anus van knallen en scheten.

Aan het begin van haar campagne hadden allerlei mensen geprobeerd haar te onderbreken, af te leiden, te verbeteren en zelfs de mantel uit te vegen, maar ze krijste iedere keer zo hard dat ze de aandacht van voorbijgangers trok: 'Hou je kuttenkop. Jullie schijten nog erger dan nijlpaarden. Hou je kuttenkop of ik stop 'm vol met torren.' Iedereen begreep de boodschap. Nu deden ze maar of ze de kleurrijke woorden die over haar tong of de lange zinnen die uit haar anus rolden niet hoorden.

Als iemand stom genoeg was om te klagen over de winden die ze liet, legde ze uit: 'Als mensen anale muziek meer zouden waarderen, zou de wereld een stuk vrolijker zijn.'

Ik had haar twee jaar geleden voor het laatst gezien en enorm van haar fratsen genoten. Toen ik aankwam, deed ze of ze slecht zag en wilde ze me per se besnuffelen om er zeker van te zijn dat haar ogen haar niet bedrogen. Ze duwde haar hoofd in mijn oksel, snoof luidruchtig in en beweerde dat ik haar overleden echtgenoot was, niet gewoon zijn erfgenaam. Ik mocht haar geen grootmoeder noemen en ze dreigde te gaan gillen als ik het toch deed. Ik wilde haar best haar zin geven, omdat ik maar al te goed wist hoeveel plezier ze beleefde aan het commanderen van de mensen om haar heen.

Het eerste wat ze zei nadat ze haar donzige kokosnoot onder mijn behaarde oksel vandaan had gehaald was: 'Kom bij me, lieve schat. Ik heb mijn kut nog nooit aan iemand anders gegeven dan aan jou, heer.' Haar ogen schitterden alsof ze verwachtte dat ik tot haar grote voldoening zou schrikken. Maar ik had haar door. Ik keek haar in de ogen en antwoordde: 'Wanneer je maar wilt, liefste. Je zegt het maar.' Ze barstte in lachen uit en lachte zo hard dat ze haar stem verloor. Ik was bang dat ze een hartstilstand zou krijgen. Tot mijn grote opluchting kwam ze tot bedaren, dronk een glas water en ging voor uren onder zeil. Doorgaans sliep ze een hele dag en bleef dan de volgende dag wakker, zodat haar verzorgers op de been moesten blijven.

Ik gleed uit mijn herinneringen en vestigde mijn aandacht op de kamer. Het witte behang werd overspoeld door brede banen zonlicht die door het raam naar binnen vielen. Het stuk grijze vloerbedekking rondom mijn voeten leek op een ruige hondenvacht, aangevreten door een bacteriële infectie. Ik bekeek het tevreden, want het gaf weer eens aan hoe de meeste dingen aan hun einde komen: kaal en nog slechts een schaduw van wat ze oorspronkelijk waren.

Ik kwam omhoog, rolde op mijn zij en ging rechtop zitten. Dit zou het moment zijn om te roepen: 'Hoera! Het is me weer gelukt!' maar ik bleef gewoon zitten en bereidde me voor op wat ik verder ging doen. Ik liep naar de slaapkamer om mijn daagse kleren aan te trekken en hoorde de buurman eindeloos lang pissen als iemand met een vergrote prostaat. Zo communiceerden wij hier, met de blaas en het rectum.

Iedereen in dit drie verdiepingen hoge gebouw koesterde zijn privacy, hield zich afzijdig en weigerde in de lift terug te groeten. Ik zag hoe ze zich uit de winkels naar huis haastten onder een stolp van stilte, om in hun stoel te gaan zitten en eindeloos aan de rafels van hun leven te plukken. Voor de meesten van hen was er zoveel veranderd sinds ze aantrekkelijke mannen en frisse jonge vrouwen waren, dat hen alleen nog stilte en nostalgie restten.

De zittende premier, die ik Blaatpan noemde, voerde hardnekkig een beleid dat de tegenstellingen in het land vergrootte en de verzorgingsstaat om zeep hielp. Ironisch genoeg noemde hij dat de strijd voor de normen en waarden van zijn volk.

De Rectumtempel, met zijn tientallen gezichtloze bewoners, dateerde uit de jaren vijftig, toen er een schreeuwend gebrek aan betaalbare woningen was. Zulke lelijke gebouwen waren als paddestoelen uit de grond geschoten om de gapende gaten in de huizenmarkt te dichten. De muren waren flinterdun, wat een verkapte zegen was. Zo kon je je buren in de gaten houden zonder hun kostbare privacy te schenden.

De man die ik hoorde pissen was tien jaar ouder dan ik, heel dor en heel gevoelig voor maagstoornissen. Als het 's winters hard waaide moest ik aan hem denken, ik was vaak bang dat hij aan flarden zou waaien. Volgens mij liep hij op extra zachte sloffen om te zorgen dat zijn doen en laten niet werd waargenomen. Zonder de luidruchtige bezoekjes aan zijn troon, zou ik dagenlang niets van hem hebben gehoord. Af en toe repareerde hij iets en werd het huis vergast op het lawaai van boren en cirkelzagen. In het weekend sloten andere doe-het-zelvers zich bij hem aan en dan danste de tempel op een orkest van boren en zagen.

Tegenwoordig leenden banken geld aan iedereen die net tot tien kon tellen en iedere dag omhelsden duizenden mensen schuld als hun redding. Ze joegen de glitter van massaconsumptie na alsof het niks kostte. Via de trouwe muren lieten ze ieder ander meegenieten van het installeren van nieuwe keukens, houten vloeren en hightech badkamers.

De zomer was uitzonderlijk geweest. Frankrijk, Spanje en Italië, in die volgorde de meest geliefde vakantiebestemming van veel mensen, beleefden ongekende hittegolven met Sahara-achtige temperaturen die duizenden slachtoffers maakten in mijn leeftijdsgroep en daarboven. Veel vakantiegangers besloten thuis te blijven, en nu hun droom van een tijdelijke ontsnapping aan hun bijenkast de bodem was ingeslagen, vierden ze hun frustratie bot op oude dingen.

Ik stoorde me niet aan die verknipte vormen van communicatie. Als mensen niet rechtstreeks konden discussiëren over Blaatpans normen en waarden, was het spreken in codes beter dan niets.

Mijn andere buur hield zich al niet minder afzijdig, geholpen door het feit dat haar maag in uitstekende conditie verkeerde. Ze was een vrouw van mijn leeftijd met korte benen, papwangen en dun haar. Ze woonde alleen met haar kat, die het op een oorverdovend krijsen zette wanneer de hormonen haar te machtig werden. Bij tijd en wijle hoorde ik de stemmen van mensen lachen en praten en flauwe grappen vertellen. Ik veronderstelde dat het ging om verjaarspartijtjes met taart of pogingen om met alcohol de eenzaamheid en verveling te verdrijven. Duidelijke demonstraties dat ze nog altijd tot het feestende deel van de soort behoorde. Een doodenkele keer drongen er paringsgeluiden door haar muren heen. Er ontsnapte gekreun als hartstocht of liefde of de kortstondige dood van de verveling boven water kwamen om adem te happen. Dan gingen er weer maanden voorbij voor de hartstocht of liefde of moordaanslag op de verveling terugkeerden en 's nachts door de muren sijpelden.

Ik liep naar de keuken die door een lage ruwe bakstenen muur was afgescheiden. Zo kon ik naar de televisie kijken terwijl ik sinaasappels uitperste of uien hakte. Het was een goede keuken, met een werkende kraan, een niet verstopte afvoer, een wasmachine en een bejaarde koelkast die etenswaar goed kon houden en zijn dodelijke gas binnenhield. Het vaal gele kleurenschema verried de leeftijd van de keuken, een overblijfsel uit de jaren zeventig.

Ik perste een paar sinaasappels uit, waarmee ik een handvol pillen wegspoelde en zette een pan met water op de blauwe bloemkroon van de gaspit. Ik schepte er theeblaadjes in en liep de keuken uit om mijn beste vriend aan te zetten. Het werd tijd erachter te komen hoe de beeldenwereld over de brandstichter dacht.

Op het eerste landelijke net was het nieuws zojuist afgelopen. Er werd een korte onderbreking aangekondigd, waarna een interview zou volgen met de woordvoerster van het ministerie van Justitie, een dame met een lang gezicht, brede mond en opvallende keel. Ik noemde haar de Afghaanse Windhond.

In het recente verleden zou het ministerie een forse, zelfverzekerde man bij wie het gezag uit alle poriën dampte, hebben ingezet om zijn leugens te verkopen. Gezaghebbend elitarisme was toen het sleutelwoord, omdat mensen nog in hun bewindslieden geloofden en het zelfbeeld van het land nog ongeknakt was. Dat was voorbij. Het was nu de beurt aan de vrouwen, in dit geval deze vrouw met haar smalle gezicht, hese stem, skischansneus en haarstrijkende gebaren. Ze slikte vaak terwijl ze met een pseudo-diepzinnige uitdrukking op haar gezicht recht in de camera keek. Publieksverleiding heette dat.

Vóór haar optreden was er reclame voor hondenvoer, waarin een schaars geklede vrouw met orgastische ogen haar talenten mocht tonen; een dansende blondine in een visnetjurk gaf bekkenstootjes ten beste terwijl ze de wonderen bezong van de Peugeot 609; een horde mannelijke kantoortypes dromde om een verleidelijk vrouwspersoon dat in een laptop veranderde waarvan ze stonden te kwijlen.

Ik liep terug naar de keuken om melk bij de kokende thee te doen. Na een paar minuten zeefde ik het koffiekleurige mengsel, deed er suiker in en proefde mijn eerste heerlijkheid van de dag.

Afghaanse Windhond maakte haar grootse entree. Ik nipte van mijn thee terwijl ik gebiologeerd naar haar keek. Een jongeman met blozende wangen en intens blauwe ogen vroeg haar wanneer de brandstichter gepakt zou worden.

Ze dacht over de vraag na en gaf de kijker een paar seconden om van haar lichaamstaal te genieten. 'Het ministerie stelt alles in het werk, posteert rechercheurs op plekken die ik niet nader kan noemen, installeert geheime camera's en breidt het onderzoeksterrein uit.'

'Is dat allemaal geen verspilling van belastinggeld? Waarom zouden mensen zich druk maken over sporadisch voorkomende brand, wanneer misdaden als inbraak en vandalisme door de politie worden genegeerd?'

'Deze persoon is een gevaar voor de openbare veiligheid.'

'Deze persoon heeft niemand kwaad gedaan. Lichamelijk bedoel ik.'

'Om op uw vorige vraag terug te komen, in de misdaadpreventie bestaan prioriteiten, omdat er een nijpend tekort aan personeel is. Het ene jaar is de prioriteit drugs, jeugd en veiligheid; het volgende jaar is het iets anders. Als gevolg daarvan moeten we bepaalde gevallen laten schieten teneinde ons te kunnen richten op de prioriteitsgebieden. Maar we nemen alle criminaliteit uiterst serieus.'

'De minister van Justitie heeft onlangs gezegd dat de criminaliteit toeneemt omdat er domweg meer dingen te stelen en te vernielen zijn.'

'Dat heb ik hem niet horen zeggen. Wat ik weet is dat hij criminaliteit niet gedoogt. Hij bestrijdt haar.'

'Is die pyromaan gevaarlijker dan drugs- en wapensmokkelaars?'

'U haalt de zaken door elkaar. We pakken de problemen aan waar ze zich voordoen. We kunnen de klopjacht niet stopzetten omdat er drugs het land binnenkomen. Men moet ook niet vergeten dat de operatie nog loopt om de koeriers te pakken die cocaïnebolletjes slikken en het vliegtuig nemen. We sluiten ze op en blijven ze bestrijden tot ze zich overgeven.'

'Wat is het nut van camerabewaking wanneer u geen beelden van de misdadiger heeft?'

'Het is niet de schuld van het ministerie dat er banden en apparatuur zijn vernietigd bij de branden die deze persoon sticht.'

'Ik denk dat deze pyromaan een jongen is die indruk probeert te maken op een meisje.' De jongeman glimlachte, zich ervan bewust dat hij bij een bepaalde categorie kijkers een punt had gescoord.

'Dat weten we niet en niets wijst in die richting. Dit is een geraffineerd individu of een groep, die het gemunt heeft op gebouwen voor wetenschappelijke doeleinden. Meer kan ik er niet over loslaten.'

'Ik denk dat hij seksueel gefrustreerd is, dat hij zijn bevrediging haalt uit vuur.'

'Dat kan ik niet uitmaken.'

Zo ging het nog ettelijke minuten door. Afghaanse Windhond had niets nieuws te melden. In tegenstelling tot veel criminelen uit de literatuur, koesterde ik geen fantasieën om door een vrouw gepakt te worden, noch de behoefte om bij een vrouw mijn hart te luchten.

Ik zapte naar een ander net. Een panel van deskundigen was druk in discussie over de brand in een ondergrondse parkeergarage in de stad Utrecht die ik had aangestoken, en waarbij tientallen auto's waren gecremeerd zodat twee verzekeringsbedrijven met premieverhoging dreigden. Het was de eerste en de laatste keer dat ik in die stad had gewerkt. De parkeergarage lag twee kilometer buiten het centrum. Ik reed er binnen in een auto die ik langs de weg had opgepikt. Ik parkeerde hem en doorboorde met een laserboor mijn benzinetank en die van twee andere auto's. Ik liet een tijdontsteker achter. Mijn handlanger belde de politie met het verzoek de parkeergarage te ontruimen, die al bijna leeg was omdat de meeste autobezitters in de kroeg zaten. Tien minuten na de waarschuwing drukte ik op honderd meter afstand op de knop en de brand begon. Het duurde niet lang of vuurtongen en rookpluimen stegen op uit de reddeloos verloren parkeergarage. Het was tien uur 's avonds en donker genoeg om voor een fantastisch spektakel te zorgen.

'Hij zal opnieuw toeslaan. Let op mijn woorden, hij zal weer toeslaan,' waarschuwde een man met een vierkant gezicht nadrukkelijk, waarbij elk woord traag van zijn vochtige lippen drupte.

'Dat hebben we al eerder gehoord,' kaatste de gespreksleider terug, waarop de voormalige rechercheur deze brutale aap aankeek zonder met zijn ogen te knipperen, alsof hij van plan was hem een draai om zijn oren te verkopen.

'Hij is een vuurfetisjist,' zei een jonge politieman met een glad gezicht. 'Hij kan niet van de brand wegblijven. We krijgen hem wel te pakken, net als die jongeman die een paar jaar geleden vijfhonderd gebouwen in brand heeft gestoken.'

Ik glimlachte flauwtjes. Ik was geen fetisjist. Ik kon elk moment stoppen. Ik koos mijn doelwit even zorgvuldig als een juwelier een steen uitkiest om hem volmaakt te polijsten. Ik nam de tijd om het te bestuderen, door voors en tegens af te wegen om er zeker van te zijn dat ik mijn doel bereikte zonder dat er één omstander gewond of gedood werd. Als alle overbodige opwinding was weggevloeid door na de oorspronkelijk vastgestelde datum nog een paar dagen te wachten, sloeg ik toe.

Ik schepte niet op over mijn wapenfeiten; dat was niet nodig. Politie-informanten konden me onmogelijk op het spoor komen. Uit persoonlijke ervaring wist ik dat veel politiewerk afhing van tipgevers. Door hen uit te sluiten, was ik veilig.

Veel columnisten meenden dat de brandstichter uit het getto van de Bijlmermeer kwam en erop uit was een wereld af te branden die hem buitensloot, auto's waar hij nooit in zou rijden en wetenschappelijke instellingen waar hij nooit zou werken.

Alsof hij zijn geloofwaardigheid wilde herstellen nadat hij zo lomp was aangevallen, verklaarde de voormalige rechercheur: 'We kunnen voor deze kruimelactivisten niet zwichten. Wat het ook kost.'

Ik keek niet op van de uitlating van deze meneer. Hij parafraseerde kennelijk de veiligheidsdeskundigen van CNN of BBC World. De meeste opinies over veiligheid waren afkomstig van wat Amerikaanse en Britse spionagesatellieten hadden onderschept. Toch zat hij op één punt fout, het was nooit mijn bedoeling geweest om het terrorisme te laten winnen. Daarvoor had je illegale regeringsfinanciering of narcoticageld nodig om commando's, zelfmoordterroristen en andere doldrieste vechtjassen op te leiden.

Ik zette mijn beste vriend uit terwijl er nog een of twee beelden door mijn hoofd dansten en liep naar het balkon. Het was stralend weer, hoewel de temperatuur matig was, nauwelijks warmer dan wat je hand op dertig centimeter van een dovend haardvuur zou voelen. Het babyspandoek wapperde nog onverminderd triomfantelijk. De vlaggen die de vaderlandse koorts uitstraalden trotseerden de wind als infanteristen die dapper standhielden uit nostalgisch machtsfetisjisme, en gaven aangenaam kleur aan het schouwspel van een jonge dag.

Tegen elf uur had ik me aan het lezen gezet. *Genocide and Covert Operations in Africa 1993 – 1999* van Wayne Madsen voerde me mee met de riskante en rampzalige ondernemingen van Amerika in Afrika. De bloedbaden in oostelijk Congo, waarvan er een aantal door zwarte Amerikaanse soldaten en huurlingen was aangericht, kregen extra reliëf doordat ik een cliënt uit dat gebied had.

Twee keer per week ging ik naar Amsterdam om proteïnezoekers in de Somberfase en de Treurfase bij te staan. Het kantoor, dat deels door de overheid werd gesubsidieerd, specialiseerde zich in hulp aan wanhopige enkelingen die niet wisten wat ze moesten doen en waar ze heen moesten. Ze durfden zich niet bij Grensbewaking aan te geven uit angst naar plaatsen te worden gedeporteerd waar familieleden die het reisgeld hadden opgehoest op hen zouden wachten, sommigen met machetes, om hun zuur verdiende centen met enige winst terug te krijgen. De gelukkige enkeling vond zijn weg naar het Akoegoba-huis voor een eerste cursus over de doolhof van de sociale onderbuik of het smalle pad in het proteïnezoekersstelsel.

Ik keek uit naar die twee dagen, omdat ze me een excuus verschaften om het Moesigoela-huis uit te komen en mensen te ontmoeten wier ogen prikten van verzurende aspiraties en wier oren dreunden van de ijzeren laarzen van Grensbewakingscommando's op jacht naar potentiële gedeporteerden.

De naam van mijn cliënt was Sam Matete. Hij had twee jaar in België gezeten, waarna hij de grens was overgestoken toen zijn gastland hem dreigde te deporteren omdat ze zijn verhaal niet geloofden. Ik had pas één onderhoud met hem gehad, een tweede stond voor de volgende week op het programma. Ik wilde graag meer over hem weten, om zo ook een beter inzicht te krijgen in het conflict in Congo, waarover ik me schuldig voelde omdat Oeganda een van de landen was die er troepen gestationeerd had. Ik vond dat ik als burger de plicht had hem de hand te reiken, zoals ik graag had gewild dat iemand mij de hand reikte als ik in zijn schoenen had gestaan.

Ik raakte zo opgewonden dat ik mijn lectuur opzij legde en een voorzichtig plan begon op te stellen. Tegenwoordig was het veel moeilijker om iemand te helpen, omdat er minder pro-Deoadvocaten en doktoren bereid waren iets te doen voor voortvluchtige proteïnezoekers en er minder schuiladressen waren. Mijn vastberadenheid werd er alleen maar groter door.

Toen ik de lijst van beschikbare telefoonnummers en adressen doornam, vooruitlopend op het moment dat ik voor Sam Matete de worsteling met het stelsel zou aangaan, ging de telefoon. Met enige wrevel zoog ik op mijn tanden en mompelde dat ik hem had moeten afzetten. Ik liet hem overgaan tot hij ophield en de beller zich bekend maakte: 'Goedemorgen, Dismas. Victor Eugene Buzz hier.'

'Eugene Victor Boeziga,' zei ik langzaam, omdat ik dondersgoed wist dat hij er een hekel aan had als zijn twee voornamen werden verwisseld of zijn achternaam voluit werd gebruikt.

'Hé, mén, ik wist wel dat je thuis was. Onze kluizenaar, dat kon niet anders.'

'Laten we even iets rechtzetten. Ik ben niet jouw kluizenaar noch die van iemand anders. En ik heb je al eerder gezegd niet voor acht uur 's avonds te bellen. Dat is verspilling.' Ik klonk heel onvriendelijk, omdat ik een hekel had aan de zangerige manier waarop hij de woorden 'hé, men' zei.

'Geld? Wie maakt zich nou druk over geld, mén? Ik belde alleen even om je eraan te herinneren dat ik om negen uur precies op je stoep sta. Prinsendag is weer in het land. Je hebt beloofd mee te gaan naar de feestelijkheden.'

Ik kon me niet herinneren dat ik iets had beloofd, maar door de woorden die uit Eugene Victors mond tuimelden doemde de belofte voor me op als een dreigend standbeeld waar ik niet omheen kon. De laatste tijd sprak Eugene Victor met een Amerikaans accent, wat ik hoogst irritant vond. Veel aan deze man stond me tegen, omdat de vage wens hem te vormen nog ergens diep in me flakkerde, maar hij was ongevoelig voor mijn afkeuring, mijn gekat en mijn sarcastisch corrigerende toon.

Vele jaren geleden, toen alles hem tegenzat, had ik hem geholpen een betaalbaar onderkomen te vinden en een baan in de staalfabriek in de stad. Hij werd een deel van mijn leven. Aanvankelijk omdat hij mijn raad zocht; de laatste tijd om – soms subtiel, soms onbeschaamd – te pochen over hoe ver hij het had geschopt. Een beeld van de baby op de derde verdieping kwam bij me op, krijsend om aandacht, net als Eugene Victor Boeziga.

'Eugene Victor,' zei ik op verveelde toon, 'alles hangt af van hoe ik me op een bepaalde dag voel. En hou alsjeblieft op steeds "mén" tegen me te zeggen. Ik ben geen Amerikaan. Van dat woord gaan mijn oren bloeden.'

'O, mén,' zei hij op dat toontje en barstte in lachen uit.

Zwarte Amerikanen, dacht ik vertwijfeld. Zij waren een rolmodel voor onzekere Afrikaanse types, omdat ze op het filmdoek lastige blanke mannen op hun gezicht timmerden, in videoclips in blitse auto's reden, terwijl ze schaars geklede vrouwen streelden en meer onzin uitkraamden dan een uitgerangeerde worstelaar. Ze waren lenig gebleken in de waanzinnige gymnastiek van de macht. Ze hadden beter geboerd dan de voormalige zwarte rijksgenoten van Pingeland, die door geen enkele Afrikaan werden nageaapt en die zelf ook Amerikaanse entertainers na-aapten. Ik brieste tegen Eugene Victor.

'Kop op, mén. Hoe kun je op zo'n schitterende dag nou zo zwartgallig zijn?'

Ik verslikte me in de arrogantie in zijn stem. Hij mocht me graag tegen de haren instrijken en ik had altijd de behoefte hem te corrigeren. Ik gooide het op een laatste restje vadergevoel, dat op een dag wel zou afsterven. 'Je bent te oud voor dat soort maniertjes, dat soort televisitis, als ik het zo mag noemen.'

'Wat is er met je aan de hand, mén? Ik bel om je te herinneren aan onze afspraak en jij doet net of ik je in je gezicht spuug.' Hij klonk gekwetst of speelde het heel goed. Ik hoorde nu zijn pijn te erkennen, hem te troosten en mijn humeurig gedrag op te geven.

'De taal die je uitslaat bevalt me niet.'

'Er zijn dingen aan jou die mij niet bevallen, daar maak ik toch ook geen punt van? Ik geloof dat ik de laatste op aarde ben die nog iets om je geeft, mén. Op een dag vinden ze je in je hol overdekt met maaien, te ver heen om nog geïdentificeerd te worden. Soms vraag ik me af waarom ik nog moeite doe.' Zijn stem was schor geworden van emotionele spanning.

'Denk je soms dat ik daar niet over heb nagedacht? Ik vind het wel wat. Waarom zouden begrafenisondernemers alleen verse lijken onder handen krijgen? De politie zou veel vaker verrotte lijken moeten ruiken en voelen. Laten ze zich maar eens een keer binnenstebuiten kotsen.'

'Waarom zou onze politie zich druk moeten maken over

jouw stinkende lijk?' Hij liep nu over van minachting, het gekwetste jochie was verdwenen.

'Ha. Sinds wanneer is het jouw politie geworden? Ik weet nog dat je ze voor alles en nog wat uitmaakte toen ze je op de hielen zaten.'

'Ik vraag me af waarom je zo aan het verleden hangt. Vergeet die troep toch. Ik ben in deze maatschappij geïntegreerd, mén. Als een tong in een mond. Sinds ik mijn naam heb veranderd in Victor Eugene Buzz, zijn de dingen drastisch verbeterd. Vroeger keken werkgevers altijd naar de naam Boeziga, lazen mijn sollicitatiebrief niet, maar stuurden meteen een afwijzing. Nu niet meer. Het gaat me voor de wind. Waarom zou ik wrok koesteren tegen de sterke arm die recht en orde handhaaft?'

'Het is goed om te merken dat je bent veranderd.' Ik grinnikte bij de gedachte aan wat ik het afgelopen jaar had uitgespookt.

'Lach jij maar. Het is anders ook jouw politie. Niet vergeten, stipt om negen uur. Zie je morgen.'

Ik zoog op mijn tanden. Hij was echt veranderd. Meestal incasseerde hij tot ik de straf besloot te stoppen. Als ik Eugene Victor een beetje kende, dan vloeide dit vertoon van zelfvertrouwen voort uit een nieuwe aanwinst. Ik vroeg me af wat hij had gekocht. Een huis? Een auto? Aandelen? Ik stond, met de telefoon in mijn hand, nog met mijn ogen te knipperen alsof iemand me hard in mijn gezicht had geslagen. Ik staarde naar de hoekige hoorn met zijn hoekige knopjes en scherpe randen, alsof ik op geheime boodschappen wachtte. Het was de lelijkste telefoon die ik ooit had gezien; precies de reden waarom ik hem had gekocht.

Ik was van mijn apropos, nu de zoete droom om Sam Matete te redden was vervlogen. Ik moest mijn evenwicht hervinden.

28

Binnen een halfuur liep ik gewassen, met een luchtje op, mijn nette broek en een katoenen overhemd aan, op mijn wandelschoenen de deur uit. In mijn linkerhand droeg ik een plastic boodschappentas. Meestal gingen mijn wandelingen door de Rivierenbuurt, waar de straten waren genoemd naar de rivieren van het land zoals de Maas en de Waal. Als ik verder wilde, liep ik door naar de Europese buurt, genoemd naar de machtigste landen in de Verenigde Staten van Europa.

De zon scheen fel, waardoor de lucht, de huid van mensen, de bladeren aan de bomen en de vogels in de lucht sprankelden van leven. Kleuren trilden en nodigden je uit om ze in te drinken en een ogenblik van vervoering te vieren. Er waren heel wat zonaanbidders die in tuinstoelen zaten, hun auto wasten of de hond uitlieten.

Tegenwoordig had iedereen de mond vol over industriële vervuiling en in huis daalde op platte vlakken weliswaar een fijn wit stof neer, maar de lucht rook fris en riep gedachten op aan een al lang geleden opgeofferde zuiverheid. Ik was nooit bang voor gewone vervuiling; ik was veel bevreesder voor de onzichtbare dreiging: radioactief afval, stralingen uit kernreactoren, bacteriën uit laboratoria voor biologische wapens, chemisch afval en tal van andere verraderlijke elementen.

Ik liep graag door deze vervallen wijk met zijn afbladderende muren, vuile daken, kapotte stoepen, schaarse grasveldjes, hoge bomen en zijn eenzame stroom groen water, want ik kikkerde er altijd van op. Door de afwezigheid van auto's kon je je geest vrij laten dwalen. Ik zag in mijn fantasie altijd rivieren over de klinkerwegen stromen, met kano's die traag over het troebele water gleden, en langs de oevers struiken, met bloesem bespikkeld. In dit pseudo-denkbeeldige gebied wandelde ik, en de paar fietsers die langskwamen konden mijn concentratie niet verstoren.

Er waren een paar bekende vreemden: de man die zijn gevaarlijk uitziende Duitse herder uitliet, de Noord-Afrikaan die ongeacht het seizoen in een winterse jas naar de binnenstad liep, de forse vrouw die op haar grote zwarte fiets haar zoontje van school haalde, de halfblanke man met rastavlechten tot aan zijn billen die twee kinderen met gele huidskleur aan de hand hield en het oude echtpaar met hun nieuwe Japanse auto. In de stad woonden veel Italianen, Spanjaarden, Marokkanen en Turken die in de jaren zestig als gastarbeiders waren gekomen, toen fabrieken schreeuwden om gespierde handen. Als ik ze tegenkwam straalde het déjà vu zo van hun gezicht dat ik huiverde.

Proteïnezoekers noemden steden buiten Amsterdam 'de bush-bush' en maar weinigen van hen wilden bushmannen worden. Daar zou allemaal verandering in komen omdat Blaatpan hen ter ondersteuning van zijn kruistocht verspreidde als dieren in een wildpark. 'Wanneer ze in de grote steden blijven, leven ze in hun cocons, leren onze taal niet en gaan zich in hun eigen wereldje te goed thuis voelen. In de toekomst zullen dergelijke mensen een gevaarlijke onderklasse worden,' zei hij onlangs op de televisie, met zijn kleine twinkelende oogjes, zijn stem als een zweepslag, zijn gemelijke gezicht met het jongensachtige kapsel zo hard als graniet.

Een van de rituelen die bij mijn wandelingen hoorde was teruggaan in het verleden. Dit keer dacht ik terug aan mijn laatste bezoek aan Oeganda. Ik herinnerde me de voorbereidingen: de geschenken die mijn vrouw en ik voor mijn grootmoeder kochten, haar raadgevingen en haar verdriet dat ik wegging. Ik herinnerde me de rit naar de luchthaven en de verwachtingsvolle sfeer. Ik herinnerde me met genoegen de rit na aankomst op het vliegveld, suizend langs stadjes die aan de snelweg geregen lagen als vleesballetjes aan een spies, allemaal zo vertrouwd, allemaal zo eender, allemaal in een rust verzonken die verhulde dat in het noorden en het westen, over de grens met Congo, de oorlog in hevigheid toenam.

Ik herinnerde me de eerste indruk van Kampala na een tiental jaren van afwezigheid: jachtig, daverend en uit zijn voegen barstend van bedrijvigheid. Geen spoor van oorlog, geen soldaten in jeeps, geen strijdlustige spandoeken op straat, alleen af en toe een bevroren beeld op een krantenpagina of wat spannend gefluister in een taxibusje.

Ik maakte graag lange wandelingen in de stoffige, plassersvriendelijke hoofdstad, waar ik opzij moest springen voor mannen die met zakken suiker sjouwden, of wel twintig opgestapelde matrassen of ijzeren golfplaten, marktlui die op de overvolle stoepen handel dreven en klanten die met heftige handgebaren afdongen. Ik hield van het schorre geraas van het verkeer, het getoeter van ongeduldige automobilisten, de hartslagversnellende beproeving om tussen jakkerende auto's, vrachtwagens en motortaxi's de straat over te steken.

Ik stiefelde over de trottoirs, omzeilde gemene paaltjes, zwom in de getijdenstroom van de stad. Ik negeerde de stank van diesel, slingerend karton, lege mineraalwaterflessen en de plakkerige warmte vóór de regen. Ik liep langs volgepakte winkels, immuun voor de verlokking van de uitgestalde waren, op zoek naar een glimlach, een knikje, een terloops, anoniem hallo. Ik was een vogel die boven een vertrouwde stad zweefde, waarmee hij zich voedde zonder erop aan te vallen.

Ik liep de heuvel op, over de afgeplatte kam naar het hoofdkantoor van het departement voor Strafrechtelijk Onderzoek, dat ingeklemd lag tussen het parlement en het stadhuis. Mijn voormalige baas werkte er nog, was wat grover in zijn gezicht, had wat grijzer haar, killere ogen.

'We dachten dat je dood was, Dismas,' zei hij ter verwelkoming, terwijl een vals lachje over zijn achterbakse kattengezicht gleed. Het was de zelfverzekerde, afgemeten glimlach van mannen die over grote macht beschikken. 'Ik hoop dat je ons komt helpen om kinderverkrachters en brandstichters te pakken. De gevallen van brandstichting nemen de laatste tijd toe.'

'Ik heb in geen twintig jaar politiewerk gedaan,' antwoordde ik en vond het vreemd dat hij deed alsof ik voor hem werkte.

'Iemand als jij zou ik best nog kunnen gebruiken.'

'Ik ben te lang uit de roulatie en te oud voor zo'n klus.'

'We hebben alle hulp nodig die we kunnen krijgen.' De klootzak lachte, maar zijn kille slangenogen bleven bloedserieus. Ik moet een stap achteruit hebben gedaan of mijn gezichtsspieren hebben aangespannen. Het was de lach van een politieman voor hij een verdachte een onverhoedse lel verkocht.

'U vleit me, meneer.'

'Zo wanhopig zijn we nou. De Regelaar heeft ons niet ontzien.'

'Reken niet op mij, meneer. Ik zou niet weten wat ik met een kinderverkrachter zou moeten doen. U zou ze aan de burgers moeten overlaten. Zijn ze nog steeds goed in het lynchen van zulk tuig?'

'De tijden zijn veranderd. Dat soort luxe is hen niet meer vergund.'

'Kijk 's aan.'

'We hebben te maken met grappenmakers die het leuk vinden om mensen op hun kantoor op te bellen en te zeggen dat er een bom in het souterrain ligt.'

'In dat soort speurwerk ben ik nooit goed geweest. Ik ging alleen achter voorspelbare zondaars aan: smokkelaars, dieven, oplichters.'

'Maar de eerste man die je hebt doodgeschoten was een bommenlegger. De andere een kippendief. Wat een combinatie.' Hij glimlachte kil terwijl zijn oude ogen ijzig werden. Ik was onder de indruk, hoewel ik probeerde het niet te laten merken. Hij had verscheidene mensen doodgeschoten, maar ik kon me niet meer herinneren waarvoor.

'Dat was ik vergeten. Je bent geneigd dat soort dingen te vergeten.' Ik herinnerde me het duo nog, al waren de gezichten aan het vervagen, ontdaan van de aanvankelijke verschrikking, niet meer dan schaduwen tussen andere schaduwen van mensen die in de loop van de jaren dood waren gegaan: familieleden, vrienden, kennissen, vreemden. In Congo stierven nog meer vreemden.

'Ik kan je een lunch aanbieden als je me vertelt over het goede leven in Europa.'

'Ik ben jarenlang vrachtwagenchauffeur geweest. Ik denk niet dat dat het goede leven is dat u voor ogen heeft. En wat het eten betreft: ik heb net gegeten.' Ik loog. Ik kon het vooruitzicht om een uur met deze man door te brengen en uiteindelijk voor de maaltijd te betalen niet verdragen.

'Waarom gaan we samen niet eens wat drinken?'

'Met genoegen,' loog ik om maar weg te komen.

We gaven elkaar een hand en ik verliet zijn schaars gemeubileerde kantoor met de bloedrood geverniste vloer en margarinegele muren. Net als bij de meeste politiegebouwen in het land kwam het stuc van de gevel met plakken los. Inspecteurs en informanten namen me onbewogen op toen ik naar de poort liep. Ik kende niet één van hen en ik was blij dat ik een vreemde was geworden in deze wereld van geruchten, kuiperij, aanwijzingen, aangiften, arrestaties, bekentenissen en intriges.

Ik had voor het eerst in Oeganda brand gesticht, dus je zou kunnen zeggen dat mijn tak van liefdadigheid thuis was begonnen. Het was onthutsend te lezen over een vijftigjarige onderwijzer die een tienjarig meisje had verkracht. Een tachtigjarige man die dood was geslagen bij de verkrachting van een vijfjarig meisje. Een veertigjarig dorpshoofd dat was gearresteerd en vervolgens vrijgelaten, nadat hij was beschuldigd van geslachtsgemeenschap met een dertienjarig meisje. Enzovoort, enzovoort. De meeste verkrachters en aanranders waren lijfeigenen van de Regelaar. Ze deden het of uit wraak of waren wanhopig genoeg om te geloven dat ze zouden genezen als ze hun rottende pik in de kut van een jong meisje wasten. Ze deden me denken aan wat de Schildpad zei als het gesprek op de Regelaar kwam: 'Een ziekte van de penis die weigert te verdwijnen, verandert mannen in penissen.'

Het ging mij gemakkelijk en goed af om de schurken op te sporen, omdat hun zaak in de krant kwam, compleet met vermelding van waar ze woonden, wat ze deden en wat ze hadden gezegd om hun onschuld te benadrukken. Ik haatte hen omdat ze dat woord gebruikten en dat kwam hen duur te staan. Ik hoefde uiteindelijk alleen maar de aanwijzingen te volgen, het huis in te gaan, de schurk er met alle mogelijke middelen uit te werken en verder de benzine zijn werk te laten doen.

Het interessantste geval was dat van een vijftigjarig schoolhoofd, die naast zijn school woonde. Hij had die onderneming vermoedelijk opgezet met het oog op meer dan alleen de educatieve verheffing van zijn leerlingen. Hij werd ervan beschuldigd een negenjarig meisje te hebben verkracht. De krant vermeldde dat er als gevolg daarvan pus uit de vagina van het slachtoffer kwam. Ze had hoogstwaarschijnlijk een fistel en andere complicaties opgelopen.

Ik speelde met het idee zijn ballen aan een spies te rijgen om hem te horen krijsen, maar ik was erg op mijn hoede voor een dergelijk orgasme. Eerlijk gezegd waren er erg weinig orgasmen die ook maar in de buurt kwamen van dat gevoel van onoverwinnelijkheid dat door het hele lichaam golfde. Bij het mannelijke dier was het orgasme sterk gelokaliseerd; compensatie was deels de reden dat de mannelijke mens andere, vooral met de dood verbonden orgasmen zocht. Geen wonder dat de meeste massamoordenaars gelukkig getrouwde mannen waren die bevelen ondertekenden en de dood op grote schaal orkestreerden. Ze konden niet genoeg krijgen van dat speciale totaalorgasme. Het droevige was dat onze moeders ons in hun intense liefde veel hadden meegegeven, maar de meerderheid van ons het geheim van het grote O hadden onthouden.

Ik had gelezen dat de politie de verkrachter slechts een dag had vastgehouden in plaats van hem in voorarrest te nemen. Ik stelde me voor hoe hij zich tegenover vrienden en ondergeschikten verkneukelde over zijn onschuld. Hij mocht van geluk spreken dat ik geen ouder was en vooral niet de vader van het slachtoffer. Het was een goed gevoel om in staat te zijn zondaars uit te kiezen en te straffen louter omdat ik me die luxe kon veroorloven.

Twee dagen nadat ik het artikel had gelezen, zocht ik de verdachte op. Ik wist dat hij alleen thuis was, want in de krant stond dat hij zijn vrouw en kinderen had weggestuurd, kennelijk om hen mogelijke repercussies te besparen. Ik zag hem voor me terwijl hij plannen maakte, risico's berekende en op het moment van de overwinning anticipeerde, al besefte hij dat hij misschien een bepaalde prijs moest betalen. Hij wist dat hij voldoende invloed had om er ongestraft vanaf te komen. Dat lukte zovelen. Hij was de oprichter van een school die werkgelegenheid had geschapen, een pijler van de samenleving. De zaak zou in zijn voordeel uitpakken, het ging om zijn woord tegen dat van het meisje. Hij wist dat er niemand van gewicht was die het voor het meisje zou opnemen. Hij had niet met mij gerekend. Hoe kon hij ook?

Ik kwam om halftwaalf bij zijn huis aan en met een loper verschafte ik me toegang tot hem. Het was een koele, droge avond, een die veel mensen associëren met romantiek: een wandeling met een geliefde, een kus op de veranda.

In het licht van de ruime woonkamer kon ik een grof gebouwde man op een bank zien zitten, afstandsbediening in de ene hand en een glas met iets als whisky in de andere, zijn ogen gericht op het kleurige televisiescherm. Ik was ijzig kalm, wilde vooral geen fouten maken. Ik probeerde niet te denken aan al de manieren waarop ik hem kon pijnigen. Ik probeerde niet te denken aan de tientallen kutten die ik in hem kon kerven om hem dichter bij zijn moeder te brengen. Op dat ogenblik kon wet noch geld hem redden. Hij was van mij: de bacteriën in hem, de maden in hem, de chimpansee in hem.

Ik keek een tijdje naar hem voor hij mij zag. Ik stond op een veilige afstand, voor het geval hij een machete of een mes had. Toen hij me zag toonde hij verbazing noch ontzetting, wat ik erg dapper van hem vond. Of misschien speelde hij heel goed toneel. Hoe wist hij dat er geen groep lynchers achter me stond?

'Wie ben jij? Waarom ben je hier?' Zijn stem klonk zacht, alsof hij het tegen iemand had die bekend en ongevaarlijk was zoals zijn leerlingen.

'Ik haat kinderverkrachters. Dan vergeet ik mijn goede manieren. Ze vergiftigen mijn bloed met cortisol en andere gevaarlijke stoffen.'

'Wil je alsjeblieft mijn huis verlaten? Ik kan niet tegen ongemanierde lieden.' Hij sprak zonder zijn handen te bewegen, alsof alleen al zijn stem bergen kon verzetten.

'Hoeveel heb je betaald voor je vrijheid? Bij de politie loopt nu iemand rond die bulkt van het geld. Creditcards accepteren ze niet, hè?'

'Hoe durf je me in mijn eigen huis te beledigen?' Hij hield

nog de afstandsbediening in de ene hand en de borrel in de andere.

Ik verwachtte nog steeds zijn machete te zien. Ik stelde me de krantenkop al voor: SCHOOLHOOFD ONTHOOFDT INDRINGER. 'Nadat ik over je had gelezen, wilde ik je gezicht zien. Je zou voor een eerzame vader, oom of voogd kunnen doorgaan. Ik weet dat je God hebt willen spelen, maar je zult ervoor boeten.'

'Maak dat je mijn huis uit komt.' Hij verhief zijn stem niet, als iemand die zich verzekerd weet van bescherming door hogere krachten.

Ik zoog mijn longen vol, hield mijn adem in en spande mijn spieren. Voor hij twee keer met zijn ogen kon knipperen stond ik tussen hem en zijn televisie. Ik sloeg hem zo ongenadig dat hij tegen de grond ging, het in zijn broek deed en met zijn anus een lange, onbegrijpelijke zin uitsprak. Hij was kennelijk beduusd dat iemand die zoveel kleiner was hem zo hard had geslagen. Hij wist niets over mijn ochtendoefeningen en zelfs al had hij ervan geweten, zou het niet hebben geholpen. Ik wilde hem optillen en tegen de vloer smakken, maar veranderde van gedachte uit angst dat hij met een beschadigde rug een blok aan mijn been zou worden. Ik genoot van mijn overwicht, ik kon hem dood trappen of overleveren aan benzine.

Op dat moment brak zijn stem op in allerlei stemmen: kind, man, vrouw, chimp, en dat klonk als muziek in mijn oren. Op de grond, met brandende pijn in zijn lijf, sombere vooruitzichten, een reële kans op ernstig letsel, maakte hij een zielige indruk. De bluf, het machtsvertoon en het autoritaire toontje waren allemaal uit hem weggevloeid. Ik was me ervan bewust dat ik een goede reden had iets verkeerds te doen. Dat had ik als politieman vaak gedaan. Dat doen mensen in een machtige en verantwoordelijke positie. Ik had er geen moeite mee.

'Kom overeind, meneer,' zei ik weer beleefd om nog wat zout in de wonde te wrijven. Hij gehoorzaamde en ging rechtop zitten met zijn hand tegen zijn zere wang. 'En vertel eens. Was het de moeite waard?'

'Ik weet niet waar je het over hebt.'

Door hem 'meneer' te noemen werd hij op het verkeerde been gezet. 'Wilt u soms dat ik uw knieschijven breek? Ik denk dat u inmiddels wel weet dat ik daarvan zou genieten.'

Hij zag moord, de grote gelijkmaker, in mijn ogen en hij begon om genade en vergiffenis te smeken. Daar ging zijn onschuld. We zijn allemaal schuldig zodra de weegschaal van de macht meedogenloos naar de andere kant doorslaat. We zijn allemaal naakte baby's rillend in de storm wanneer we tegenover veel grotere krachten en wreedheid staan.

'U mag van geluk spreken dat ik geen politiewerk meer doe. In naam der wet zou ik een van uw knieschijven als souvenir hebben meegenomen. Maar laat ik u vertellen wat ik wel ga doen. Ik pak uw huis af. U bent zelf vader; u zou het toch verschrikkelijk vinden als iemand zomaar de eer van uw geliefde dochter afpakt, toch?'

Hij smeekte me op zijn knieën en gewend om geld als wapen te gebruiken beloofde hij me te geven wat ik vroeg. Ik barstte in lachen uit. Hij riep zijn vader, zijn moeder en zijn voorouders aan om uit hun graf te komen en hem te helpen mijn stenen hart te vermurwen. Ik lachte weer ijzingwekkend.

Als huiseigenaar had ik wel enig idee wat hij voelde. Zijn solide, rood betegelde egostreler verkeerde in ernstig gevaar. Hij had echt alles in het werk gesteld om iets te bouwen dat kinderen en kleinkinderen niet zouden uitwonen. Het feit dat het niet was verzekerd beviel me. Het zou zeer doen als een gebroken bot om het in vlammen op te zien gaan.

'Alsjeblieft, alsjeblieft...'

Ik verachtte hem omdat hij de ernst van zijn misdaad had onderschat en geen gewapende ploeg had ingehuurd om voor zijn veiligheid te zorgen. Persoonlijke status als garantie voor veiligheid was een beroerde investering. Ik had gehoord dat veel misdadigers arme ouders omkochten om het vuur van het schandaal te doven of hun aanklacht in te trekken. Ik vermoedde dat de Oegandezen wat minder heetgebakerd en gezagsgetrouwer in dit soort zaken waren geworden. Anders zou deze man niet alleen gewapend met een afstandsbediening en een borrel op zijn bank hebben gezeten.

'Ik wil dat je mijn huis uitgaat. Nu meteen. Niks meenemen. Het is nu allemaal van mij. Wees een eerzaam burger en laat me in alle rust mijn werk doen.'

Hij begon naar buiten te lopen, nog steeds met zijn hand tegen zijn gezwollen wang, zijn lange zware gestalte gebogen van angst. Toen hij bij de deur kwam, wilde hij omkijken en ik gooide de fles whisky naar zijn hoofd. Hij struikelde en viel op de stoep. Ik hoorde hem een kreet slaken, gejank dat niet bij zo'n grote man paste. Misschien was hij een tand kwijtgeraakt, misschien was hij op zijn zere wang gevallen.

De leren tas die ik had meegebracht, waarvan hij gedacht moet hebben dat er een groot geweer in zat, bevatte een jerrycan met vijf liter benzine. Ik overgoot het bed en de zachte sofa's, liep naar buiten, gooide een brandende lucifer door het achterraam naar binnen en sloot het. Ik hoorde uit de duisternis een snerpende kreet opstijgen die als dikke rook in de lucht bleef hangen. Ik sloop weg en keek op een afstand toe hoe de man jammerend en om hulp roepend om zijn huis danste.

De dichtstbijzijnde brandweerwagen bevond zich op tien kilometer afstand en de mogelijkheid bestond dat de tank leeg was. Die zou nooit één druppel op dit dorstige huis laten vallen. Uiteindelijk verzamelden zich wat mensen, maar eerder als toeschouwers dan als helpers. Weinig dingen waren zo goed tegen ingrijpen opgewassen als brandende benzine.

Ik was tevreden met mezelf. Ik brandde nog vijf andere huizen plat. Het ontging de columnisten niet dat alle eigenaren beschuldigd waren van verkrachting of seksueel misbruik.

Overdag wandelde ik door de stad, met zijn koloniale weerklank in straten vernoemd naar mensen als Williams, Colville, Mackinnon en anderen wier korte verblijf weinig stadsbewoners zich konden herinneren. Voor de meeste mensen waren het loze namen, die niet meer zeiden dan de krabbels in het plakboek van een onbekende. Ik at verrukkelijke maaltijden en genoot van de smaak van groene bananen, biorundvlees, biovis, verse groenten en fruit.

Ik bezat een bakstenen bungalow in een van de buitenwijken. Ik had hem gekocht op de tiende verjaardag van mijn aankomst in Pingeland, toen ik nog vrachtwagens reed en stalen buizen, groenten, pornografische kunstvideo's, meubilair en allerlei andere goederen door heel Europa vervoerde. Het was het oorspronkelijke Moesigoela-huis, dat voldoende geld opbracht om te zorgen dat de Schildpad, van wie ik de officiële weldoener werd toen ik wijlen mijn grootvader opvolgde, alles kreeg wat haar hartje begeerde, vooral rundvlees.

'Ik eet elke maaltijd vlees, als een vrouw die een echte kerel als man heeft. In ruil voor mijn kut, geeft mijn heer me vlees,' tetterde ze vaak om haar toehoorders te shockeren. Ze had geen tand meer in haar mond, maar ze zwoer bij vlees. 'Alleen slaven eten groenten.'

'Ik hou van groenten,' zei ik tegen haar.

'Jij bent een uitzondering, heer. In jouw mond veranderen groenten in smakelijk geitenvlees.'

Toen ik vijf was stierf mijn vader, die de bijnaam 'de Fransman' had omdat hij tijdens de Tweede Wereldoorlog vier Fransen had gedood. De Schildpad nam het op zich mijn schoolgeld te betalen en bombardeerde me tot haar favoriete kleinkind. Het deed me groot genoegen dat zij nu afhankelijk was van mij.

Inmiddels was ik op de grens van de Rivierenbuurt en de Europese buurt gekomen. Mijn kuiten deden pijn en waarschuwden me dat ik genoeg had gewandeld. Ik ging terug naar huis, gedreven door de aanzienlijke druk op mijn blaas. Bevert was een stad waar je nergens kon pissen. In deze stad van dertigduizend blazen was nergens een openbaar toilet. Cafés dienden het tweeledige doel dat je er kon eten en drinken en, tegen betaling, kon plassen. Het grapje ging dat de café-eigenaren bij het stadsbestuur hadden gelobbyd om alle openbare toiletten te sluiten en zo meer geld in het laatje te krijgen. Als daar enige waarheid in school, dan werden ze de stank van ammoniak onderhand beu.

'Dit is geen openbaar toilet,' zei een caféhouder laatst tegen me. 'Heb je het bordje op de deur niet gezien?' Hij wees naar het plaatje van een schattig roze toilet met het deksel omlaag, waarop een vet rood kruis prijkte.

'Ik begrijp het,' antwoordde ik en probeerde mijn teleurstelling en ongemak te verbergen. 'Ik ken niet erg veel openbare toiletten waar ze hamburgers en Pepsi serveren.'

Een ander grapje was dat het een vrouw was geweest die in de strijd voor gelijkheid het gemeentebestuur zover had gekregen om alle openbare toiletten te sluiten, omdat ze alleen voor mannen bestemd waren.

Bevert was een arbeidersstad met intellectuele ambities. Ik beschouwde het als een plaats die ooit tal van filosofen zou voortbrengen. Dat zou gebeuren omdat er in tegenstelling tot Amsterdam, Haarlem en vele andere steden weinig plekken waren waar je je tijd kon verbeuzelen. Mensen die niet dronken, niet zwommen en niet winkelden, konden thuis blijven om hun leven, het leven van hun vrienden, de geschiedenis van de stad, het land, het continent en de hele planeet te overdenken. Het zou tijd kosten voor de filosofische renaissance zich zou aandienen, maar goede dingen vertoeven lang in de baarmoeder.

Terwijl ik door de Rivierenbuurt zeilde, dacht ik over van alles en nog wat na om mijn gedachten van mijn blaas af te houden. Het viel me in dat ik in Bevert maar drie mensen kende, die ook nog de drie opmerkelijkste individuen waren die de stad sinds de Tweede Wereldoorlog had voortgebracht.

De eerste Bevertenaar die ik kende was Rekken Trent, een steenrijke internationale zakenman; de tweede was Majoor Jaar Aarssen, een commando die de leiding had over 's lands deportatiebrigade; de derde was professor Bot Best, een microchirurg, voormalig hoofd van 's lands biomedische industrie, voormalig minister van Gezondheid, zittend parlementslid in de Verenigde Staten van Europa, deskundige op het gebied van de biotechnologie en eminent spreker. Professor Best woonde niet meer in de stad. Hij was dertig jaar geleden vertrokken en had onlangs in een interview gezegd dat Bevert de smerigste stad van Pingeland was. Daar hadden weinig mensen aanstoot aan genomen.

Uit alles bleek dat Rekken Trent in een concurrentiestrijd gewikkeld was met de eminente professor. Misschien koesterde hij de hoop om minister te worden. Als hij daarin slaagde zou hij de tweede minister zijn die deze stad voortbracht. Blaatpan had veel zakenlieden hoop gegeven door als minister van Economische Zaken een voormalige uitgever, grossier in softpornokunst en impresario uit de amusementswereld te benoemen.

Rekken Trent verscheen regelmatig op de televisie met de oproep om alle ministeries op te heffen en ze te vervangen door vier departementen: Burgerlijke Zaken, Industrie, Supranationale Zaken en Internetzaken. Dat laatste om te stimuleren dat elke burger 'thuiswerker' werd en zichzelf en zijn bekwaamheden op het net aan de man bracht, niet via tussenpersonen, maar in direct contact met zijn afnemers. Om dat proces te versnellen wilde Rekken Trent alle 'bureauhengsten', zoals hij het middenkader noemde, wegsaneren tegelijk met de 'hoofdroos' aan improductieve arbeiders, die voor zichzelf maar een plek moesten zoeken in 'slapende sectoren als de staal, de bouw en bejaardenhuizen'. Hij pleitte voor het stoppen van de bijstandsuitkeringen om mensen te dwingen 'wegen te zoeken om zichzelf in de markt te zetten.' Een van zijn tot dusver meest aangehaalde uitlatingen was: 'Dit land is een kweektuin van bijstandsplanten die voortdurend water krijgen maar nooit bloeien.'

Rekken Trent had nooit iets uitgevonden. Hij was een doortrapte baantjesjager die gretig schandalig hoge gouden handdrukken aannam, wanneer de monsterbedrijven, die hij verondersteld werd van de bodem van vergiftigde wateren op te vissen, niet wilden zwemmen. Hij was een handelaar in 'controlesystemen', zoals hij het wapentuig had gedoopt. Dat kon weinig mensen wat schelen, temeer daar de controlesystemen die hij verkocht nooit in Bevert of Pingeland werden gebruikt.

Om controversen voor te zijn, gaf hij geld aan bepaalde goede doelen, vooral die te maken hadden met invalide kinderen. Bij dat soort gelegenheden stond hij stralend op de foto en strekte zijn lange armen uit om kinderen met blozende wangetjes in beugels, rolstoelen en verband te omhelzen.

De commando, die aan dezelfde kant van de stad woonde, was laconieker, diplomatieker. Hij had het over de noodzaak om de landsgrenzen te beveiligen en de bevolking te beschermen door de deportatie van 'oneigenlijke proteïnezoekers te versnellen en de echte op te nemen'.

Hij droop van trots wanneer hij uit de doeken deed hoe hij in deportatiekringen een einde had gemaakt aan de 'Middeleeuwen' door de uitvinding van het Aarssen-pak, een speciaal soort overall, die wel wat leek op een ruimtepak, met een zachte helm, om kopstoten te verzachten en plastic schoenen, om trappen minder hard aan te laten komen. In de helm zaten sensoren, die elk geluid van gedeporteerden opvingen en versterkten om hen de lust tot schreeuwen te ontnemen. Braken werd ontmoedigd door een speciaal bit.

Het Aarssen-pak was een vervanging voor de handboeien, het plakband, de beenspalken, knevelkussens, ketens en veepriemen die door zijn voorgangers en collega's overal in de Verenigde Staten van Europa werden gebruikt. Kijkers die hem geregeld volgden wisten dat hij bezig was zijn uitvinding aan alle lidstaten van de VSE te slijten. Dat was een hels karwei, omdat overheidsfunctionarissen in de meeste landen vonden dat deportatie een pijnlijke en vernederende zaak moest zijn, teneinde potentiële proteïnezoekers ervan te weerhouden de reis naar de VSE te ondernemen. Ze waren er als de kippen bij om erop te wijzen dat de Blonde Baretten in speciale omstandigheden nog steeds de 'middeleeuwse methoden' hanteerden.

Ik had niets tegen de charmante commando en de zakenman met zijn gespierde taal. Ik viel buiten het bereik van hun macht. De enige met wie ik een appeltje te schillen had was de eminente professor, die als hem vragen over de Regelaar werden gesteld steevast beweerde: 'Het is een typische derdewereldziekte die door apen is verspreid. Ik heb geen tijd voor dergelijke onderwerpen wanneer we de nationale belangen moeten verdedigen.'

Professor Best was de grote voorvechter van de vrijheid van

meningsuiting, een politicus die het hart op de tong had. Hij kon zich als negenenzestigjarige met een schitterende staat van dienst veroorloven geen blad voor de mond te nemen. Het grapje ging dat als zijn Rolodex onder de hamer werd gebracht er genoeg geld vrij zou komen om het treinprobleem in het land op te lossen.

Maar inmiddels was ik bij de supermarkt gekomen en mijn blaas luidde de noodklok. Om mezelf af te leiden dacht ik aan *Sexual Personae* van Camille Paglia, waarin ze zegt dat kapitalistische producten kunstwerken zijn, begiftigd met een eigen persoonlijkheid. Dat betekende dat levende, ademende kunst op me wachtte in de kunstgalerie die in de volksmond bekendstond als de Addax Supermarkt, hoewel ik me niet opgewassen voelde tegen de taak om de individuele persoonlijkheid van blikken tomaten, wc-borstels en flessen vruchtensap hoe dan ook te analyseren.

Ik liep snel, want ik had al een lijstje in mijn hoofd en de andere kunstvoorwerpen trokken me niet aan. Ik zocht groenten uit, melk en rijst en liep naar de collectebus. Om bij het wachten in de rij mijn gedachten van mijn middenrif af te leiden, rekende ik de prijzen om in Oegandese shillings. Ik misgunde deze kapitalistische kunsthandelaren hun verdiensten niet, want ik geloofde heilig dat alle geld aan de regering toebehoorde of in deze dagen van wijlen de nationale soevereiniteit, aan de regering van de Verenigde Staten van Europa. De regering leende het alleen aan mensen, die het teruggaven via de winkels, de belastinginspecteur en de banken. Ik kwam aan de beurt, betaalde en vertrok. Het Moesigoela-huis was nog twee minuutjes lopen.

❦

Het Nationale Onderzoekscentrum stond op een groot terrein aan de rand van Haarlem, buiten de dichtbevolkte woon- en winkelcentra, om zijn toekomstige gebruikers de kans te geven in alle rust te werken. Het keek uit op een haven, waar gigantische kranen, schepen en stapels containers er in hoogte mee wedijverden. Het was het hoogste gebouw in de stad, op kilometers afstand zichtbaar, de trots van het gemeentebestuur van Haarlem dat hightech onderzoek binnen zijn stadsgrenzen had weten te lokken.

De regering had beloofd tweehonderd miljoen euro in het project te pompen en het werd aangeprezen als het begin van een nieuw tijdperk in wetenschappelijk onderzoek. Visioenen van supervaccins en wondermiddelen prikkelden de verbeelding van de mensen als het Centrum ter sprake kwam, want het was met veel tamtam op Amerikaanse wijze wereldkundig gemaakt, door middel van een spervuur van tv-reclame, lange artikelen in de krant en interviews in chique bladen. Zwaargewichten als professor Best waren ingezet om op de televisie het project met een mengsel van schwung en gedrevenheid aan te prijzen. Veel Bevertenaren waren er trots op dat ze de professor zagen spreken over de mogelijkheden die de wetenschap te bieden had: remedies tegen corpulentie, hartkwalen, hoge bloeddruk, suikerziekte en bepaalde vormen van kanker.

Volgens de oorspronkelijke planning had het gebouw inmiddels opgeleverd moeten zijn, maar de aannemers waren met het werk gestopt omdat ze beweerden dat de feitelijke kosten de oorspronkelijke begrotingen overschreden. In de kranten werd het onderwerp eindeloos uitgekauwd en sommige schermden zelfs met beschuldigingen van fraude, een veel voorkomende ziekte in de bouw.

Ik hoorde voor het eerst over het project bij monde van Professor Best. Ik praatte erover met mijn partner Zandberg Hommerts en het leek ons allebei een schitterend idee om het als doelwit te nemen. Zandberg, ook een lijfeigene, was een werktuigbouwkundig wonder. Hij voorzag me van ragfijne laserboren die door de benzinetank van een auto drongen alsof hij van gelei was gemaakt. We hadden elkaar vijf jaar eerder in het Akoegoba-huis leren kennen.

Ik kwam om acht uur aan op de afgesproken plek, een klein café op vijf kilometer van het Onderzoekscentrum. Ik was met de trein gekomen, het gekwelde hart van 's lands vervoerssysteem. Tegenwoordig noemden veel mensen het 'de Zieke Man van Europa'.

Te laat komen was langzaam in de nationale cultuur geslopen, omdat treinen zelden op tijd reden. Nu het lange beest tijdens spitsuren de wegen verstopte, hadden mensen naast de Zieke Man weinig alternatieven, en hij was de enige niet die zijn beloften niet nakwam. British Rail verkeerde in een nog deplorabelere staat; Duitse treinen waren door hetzelfde virus aangetast, om maar te zwijgen van de chaos in andere landen. En als je daar de vliegtuigen bij optelde die nooit op tijd opstegen en op de startbaan in de rij stonden als vrachtwagens die een goederendepot uit reden, werd de punctualiteit met rasse schreden om zeep geholpen.

Toen ik pas in Pingeland was, kon je aan de hand van de treinenloop opmaken hoe laat het was. Pure nostalgie. Daarom trokken we twee volle uren uit om alle eventualiteiten voor te zijn: elektriciteitsstoringen, herstelwerkzaamheden, stakingen, ongelukken.

Ik liep het verlopen, kleurloze café binnen en vroeg om een kop thee. De thee smaakte naar een medicijn, dat ik dronk om de tijd te doden. En misschien om het verlangen naar mijn eigen brouwsel te verhogen.

Haarlem was een grote stad, met meer uitgaansmogelijkheden en een enkel openbaar toilet, maar waar ik zat werd haar omvang en uitstraling tenietgedaan door de oude gebouwen om me heen. Deze buurt was in verval, financieel verhongerd, alsof hij er eigenlijk niet bij hoorde. De cafés, en vooral dit café, weerspiegelden deze ernstige ondervoeding. Ze zagen eruit als overblijfselen uit een voorbije tijd, overeind gehouden als historische curiositeit.

Ik nipte van mijn thee en hoopte vurig dat Zandberg Hommerts onderweg was. Hij genoot met volle teugen van onze escapades.

Ik herinnerde me het verhaal dat hij het liefst en met de grootste trots vertelde. 'Samen met een stel jongens bezette ik een gebouw in het centrum van Amsterdam. In de jaren zeventig was het in om lege gebouwen te kraken, omdat er zo'n grote woningnood was. De politie gebood ons te ontruimen. We hadden barricades opgeworpen. Er kwam oproerpolitie bij met schilden, helmen, zware laarzen en ze gebruikten een ladder om door het raam op de tweede verdieping naar binnen te kunnen. Twee van ons stonden klaar met emmers afgewerkte olie waarmee we iedereen overgoten die boven probeerde te komen. Het was zo grappig om te zien hoe pikzwart ze werden, het spul slikten en half blind hun best deden zich op de glibberige sporten staande te houden terwijl ze voetje voor voetje afdaalden. Maar toen ze de barricades hadden afgebroken en binnen waren, gooiden ze mij van het dak.'

Ik dacht daar nog steeds aan toen Zandberg arriveerde. Hij was een kleine man met een brede borst en een kaarsrechte rug. Wanneer ik aan hem dacht zag ik een met zijn veren pronkende en protsende pauw voor me. Hij zwaaide naar me. Ik stond op, betaalde en liep naar buiten.

Op de stoep schudden we elkaar de hand. Er was maar een handjevol mensen op straat: een ouder echtpaar, een eenzame

Turkse man, twee meisjes op een fiets. We liepen zwijgend naar een park met betonnen banken en gingen zitten.

'Sorry dat ik te laat ben,' verontschuldigde Zandberg zich nogal onnodig. 'Het verkeer. Op een dag zullen uitlaatgassen dit land verstikken zoals de Vesuvius Pompeji heeft gesmoord.'

De dramatiek van de vergelijking beviel me niet en ik reageerde er maar niet op. 'Ik wist dat je zou komen. Ik kon me niet voorstellen dat je de lol zou willen missen.'

'Je ziet er goed uit,' zei Zandberg met een zuinig lachje. 'Het is bijna niet te zien dat de Regelaar je botten tot gruis aan het vermalen is.'

'Ik zit niet in over mijn eigen sterfelijkheid. Die is gegarandeerd vanaf de volgende minuut tot de komende zoveel jaren.'

'Hou er de moed dan maar in. Ik wil in een goede stemming zijn als we op kruistocht gaan, zeker nu de kust veilig is.'

Zandberg Hommerts was een goede spion, die wist waar hij op moest letten en hoe hij zich uit de problemen moest kronkelen. Ik vond altijd al dat hij een eersteklas geheime agent zou zijn geweest.

'Geen bewaking op de bouwplaats?'

'Wie komt er nou op het idee om een gebouw te vernietigen dat nog in aanbouw is?'

Het was geruststellend te horen dat we geen weerstand zouden ondervinden. Ik haalde een suikervrij snoepje uit mijn zak en stak het in mijn mond. 'Zijn we zover?'

'De auto staat klaar. Het is zo gebeurd. Ik weet dat je vroeg naar bed wilt met het oog op morgen.'

Het verbaasde me dat Zandberg wist dat ik beloofd had naar Den Haag te gaan. Eugene Victor had zich niet vergist. Ik had kennelijk beloofd met hem mee te gaan en het daarna om een of andere reden aan Zandberg verteld.

Zandberg ging met snelle, energieke stappen voorop over

het gras. We liepen naar het centrum, onder het licht van straat-lantarens, op ons hoede voor hondenpoep. We staken twee grachten over en bleven staan bij een kantoorgebouw dat uitkeek over een volgende gracht met troebel water. Voor ons stond een rij van zo'n twintig auto's. Zandberg maakte de deur van een grijze Volvo open en schoof achter het stuur. Hij boog zich opzij en maakte mijn portier open. Ik liet me in de stoel zakken en snoof de tabaksgeur van de eigenaar op toen ik mijn veiligheidsriem vastklikte.

'Waar heb je dit blik opgeduikeld?'

'Ach, wat kan het schelen. Iedereen met garnalenhersens kan een auto van de weg plukken en hem gebruiken.'

Hij startte de auto en reed de stad uit. Hij keek voortdurend in het spiegeltje om er zeker van te zijn dat we niet gevolgd werden. Er was altijd een kans dat de eigenaar had ontdekt dat zijn auto was verdwenen en aangifte had gedaan.

We reden een tijdje en lieten ons door andere auto's inhalen, tot we op de door bomen omzoomde lanen aan de rand van de stad zaten. In de verte konden we het gebouw van het Nationale Onderzoekscentrum zien oprijzen, dat er zonder ramen en deuren nog desolater uitzag en nog hoger leek door de kleinere gebouwen eromheen. Op een terrein van ongeveer vijfhonderd vierkant meter viel geen grassprietje te bekennen. Er waren kranen en betonmolens en piramides van zand. Toen ik naar de bouwplaats keek, begon mijn hart zwaar te bonzen en kwam het zweet in mijn handen te staan. Ik vroeg Zandberg om de auto stil te zetten.

'Niet weer!' kreunde hij.

Ik reageerde er niet op en stapte uit om te pissen, terwijl de muziek van het geklater in het gras me tot rust bracht. Terug in de auto voelde ik me volmaakt kalm, alsof alle zenuwen in mijn blaas hadden gezeten. We deden onze maskers voor en overalls aan en Zandberg verborg de auto op honderd meter van de bouwplaats.

We liepen langzaam, sjouwend met veertig liter benzine, oppassend dat we niet uitgleden of struikelden over de ribbels en op de zachte bodem. We benaderden het Centrum van achter, door een kleine poort die Zandberg met een van zijn instrumentjes opende. Het kostte ons ettelijke minuten om het eerste gebouw te bereiken, waarvan we de balken en de houten vloeren overgoten. We namen nog drie gebouwen onder handen, waarvan er een het elektrische hart van het gehele complex was. In elk gebouw brachten we kastjes aan en omdat er tijd over was, besloten we tot boven in het hoofdgebouw te klimmen.

De duisternis binnen werd iets afgezwakt door de bewakingsspots die op hoge masten waren aangebracht om de grenzen van het bouwterrein te markeren. We botsten tegen netten, balken, dozen en veel andere dingen terwijl we een weg zochten naar de betonnen trap. Het was een hele klim, maar we genoten ervan. Bijna boven leek het net of de haven op me af begon te komen, alsof hij het hele Centrum wilde wegspoelen. Toen ik naar de stad keek, zag ik alleen water met verzonken lichten glinsteren. Ik hoorde dat Zandberg me riep en vroeg waarom ik bleef staan. Ik schudde met mijn hoofd om weer helder te zien.

We bleven een paar verrukkelijke minuten op de bovenste verdieping door de lege raamgaten staan kijken. We verwachtten dat er iemand zou komen die wilde weten wat we uitvoerden, maar niemand liet zich zien. We besloten te vertrekken uit vrees dat we zelf slachtoffer zouden worden van ons succes.

We liepen voorzichtig naar beneden en eenmaal buiten controleerden we nog een laatste keer de kastjes. Zoals bij vorige gelegenheden, liet ik op een veilige plek een boodschap achter over de Regelaar.

Terug in de auto ontdeden we ons van overall en masker. Zandberg prutste aan het ontstekingsapparaat. Ik was helemaal verrukt van de fosforescerende gloed, de kleine afmetingen en de toverkracht die ervan uit kon gaan. Ik nam het in mijn handen, vervuld van een licht gevoel van onaantastbaarheid.

Het moment brak aan en ik drukte op de knop, maar er volgde niet onmiddellijk een reactie. Ik begon me af te vragen wat we moesten doen als de kastjes niet werkten. Ik herinnerde me de lancering van een raket die mislukte omdat iemand was vergeten nieuwe batterijen in een van de schakelaars te stoppen. Ze haalden de astronauten eruit en waren dagen zoet met uitpuzzelen wat er fout was gegaan.

Plotseling hoorden we ontploffingen die klonken als het klappen van autobanden. Ze leken van ver weg te komen. De eerste vlammen waren onbeschrijfelijk in hun golvende, kruipende en aanzwellende schoonheid. Ze bleven groeien en opstijgen en reikten naar de dakspanten.

Ik gaf het apparaat aan Zandberg die het uit elkaar haalde en de onderdelen uit de auto gooide. 'Iets voor de jongens om van te kwijlen,' zei hij lachend.

Ik stak mijn vuist omhoog en hij startte de auto. Het was een verlaten plek met alleen bomen, lage struiken en verder niet veel. Zandberg reed snel met gedoofde koplampen, zich ervan bewust dat iemand binnen de kortste keren het vuur vanuit de haven zou zien en de politie en de media zou waarschuwen.

Toen de Volvo zich in de stroom auto's op de snelweg naar Amsterdam voegde, voelden we ons veiliger. Er waren verborgen camera's die iedere auto filmden die de stad binnen reed, maar wij reden in een doodgewone auto, die zich in niets onderscheidde van de duizenden andere.

Ik kwam twee keer per week in Amsterdam, maar de muren van deze stad herbergden voor mij geen genoegens. Amsterdam bleef een stad waar ik doorheen moest, van de trein naar de metro naar het Akoegoba-huis en terug.

'Jouw schone stad,' zei ik als grapje toen we de stad met zijn eindeloze stoplichten binnen reden.

'Voor mij is het de enige plek. Ik kan niet tegen die kleine stadjes van jou. Ze hebben geen cultuur. Het zijn niet meer dan wat bijeengeraapte huizen en winkels.'

'Geef mij Bevert maar.'

'Niemand wil het van je afpakken, hoor,' zei hij glimlachend om zijn antwoord.

'Welkom thuis.'

Hij parkeerde de auto in de buurt van een tramhalte en sloeg me op mijn schouder. 'Ga maar genieten van de televisieshow. En maak het niet te laat.'

Ik gaf hem een hand en stapte uit de auto. Ik keek hoe hij in het verkeer verdween en besefte dat we het gered hadden. Ik stelde me het genoegen voor dat ik in Den Haag zou smaken, met de koningin voor me, en mijn geheim vrolijk brandend in mijn borst.

Binnen een paar minuten kwam de tram naar het Centraal Station aandenderen. Ik ging achterin zitten en bekeek Zandbergs stad.

Bij het Centraal Station stapte ik uit en keerde de grachten en hotels de rug toe, beelden die me niets nieuws te vertellen hadden. Ik liep de stationshal in, met zijn hoge plafond en dikke muren, die immuun leken voor de kracht van benzine en vuur.

Onmiddellijk werd ik overspoeld door de chaos die er heerste. Op een drukke lijn was een ongeluk gebeurd en veel treinen waren uitgevallen. Een goederentrein was ingereden op een vrijwel lege passagierstrein op het moment dat Zandberg en ik druk in de weer waren om het Centrum te verwoesten. Er waren gewonden maar geen doden en tonnen verwrongen metaal lagen op de spoorlijnen. Ik kon me de koppen en de foto's van de ravage in de ochtendkranten al voorstellen.

Conditionering is moeilijk uit te roeien. Zelfs nadat ze langdurig een dieet van wanprestaties hadden moeten slikken, waren veel mensen nog verbijsterd dat er geen treinen meer waren om hen thuis te brengen. Een deel van de hal was afgeschut en van achter het houten gordijn klonk een kakofonie van razende kettingzagen, drilboren en hamerboren. Boven het lawaai uit waarschuwde de omroeper dat men moest oppassen voor zakkenrollers.

Ik laveerde tussen de stroom verbijsterde mensen door, sommigen met gefronst voorhoofd, anderen met hun handen in het haar, en liep naar het tweede perron. Mijn trein reed en ik kon me veroorloven onverschillig te doen. Ik moest tien minuten wachten, wat niets voorstelde vergeleken bij hen die wachtten op treinen waarvan de komst een kwestie van geloof en niet van zekerheid was. Ik pakte een snoepje uit en stopte het ruwe ovaaltje in mijn mond. Mijn ogen dwaalden over andere perrons, geen opwekkend gezicht.

Op dat moment werd mijn aandacht getrokken door vier mannen met blauwe petten, lichtblauwe overhemden en donkerblauwe broeken, die handboeien, knuppels en bussen met pepperspray bij zich hadden. Ze kwamen op me af en overbrugden de afstand tussen ons met forse, afgemeten tred. Drie van hen knikten heftig met hun hoofd terwijl ze naar de vierde luisterden die kennelijk bevelen gaf met zijn ogen op mij gericht. Ik kreeg het zweet in mijn handen. Was het moment gekomen? Ik voelde mijn hart bonzen en het zweet uit mijn oksel lopen. De mannen vertraagden hun pas echter niet toen ze me bereikten. Twee van hen spraken nu in walkie-talkies. Ze formeerden geen omsingeling en bevalen me ook niet mijn handen omhoog te steken. Ze beenden langs me heen. Toen begreep ik pas dat het stationswachten waren die hun ronde maakten om ervoor te zorgen dat tasjesrovers en ander tuig de openbare orde niet zouden verstoren. Ik ademde hoorbaar uit en slikte van opwinding het snoepje door.

De reis van veertig minuten naar huis bracht geen verrassingen meer, hoewel ik steeds in spanning zat als de trein in een station stopte, vooral in Haarlem.

Uiteindelijk kwamen we in Bevert aan, waar de stalen schoorstenen plichtsgetrouw rook de lucht in pompten. De rook hing als stromen bevroren braaksel rond hun monden. Gezichtsbedrog. Op winderige dagen dreef het helemaal naar Noorwegen.

Mijn vingers beefden toen ik de sleutel in het slot van de Rectumtempel stak. Bij de ingang lagen geen smerissen op de loer. Ik was dolblij dat ik alleen in de lift stond en weer de geur van mijn woning zou opsnuiven, het bewijs dat mijn wereld nog steeds om zijn as draaide. Ik ging naar binnen en sloot de deur waarvan het glazen paneel in mijn hoofd kogelvrije eigenschappen kreeg toebedeeld. Ik voelde me als een insect in zijn cocon, met de zwaarste druk van de wereld buitengesloten. Ik leegde mijn darmen en genoot van de heerlijke paar minuten die ik op de troon doorbracht. Ik dacht telkens: 'Ze kunnen nu voor me komen. Ik ben zover.' Ik nam een bad, eerder een zuiveringsritueel dan om de hygiëne.

Ik liep van de badkamer regelrecht naar mijn beste vriend, erop gebrand op mijn eigen voorwaarden met de mensheid verbonden te zijn. Ik zapte van het ene net naar het andere om zo snel mogelijk de eerste beelden van de brand te zien. Ik stopte bij CNN, waar een man met theepotwangen en een zalvende stem het over aandelen en effecten had. Ik drukte hem dood en zapte door. Niets. Rechtstreekse reportages waren populair, beelden van verse bloedbaden die het leven van de kijker verrijkten met het drama en trauma die in zijn eigen wereld misschien ontbraken.

Ik was hard aan een kop thee toe. Ik liep naar de keuken en zette een pannetje water op het vuur. Ik voegde er melk en theebladeren aan toe en stelde me het sublieme genot van de eerste slok voor.

Tegen de tijd dat de thee klaar was, was RTL 55 tot leven gekomen. Het Nationale Onderzoekscentrum stond van onder tot boven in lichterlaaie, rook kolkte in de wind en de grond gloeide. Er ging een golf van warmte door me heen. Ik schudde vol tevredenheid mijn hoofd heen en weer. Ik keek hoe de stroblonde vrouw met een grote donzen microfoon in haar hand en met knipperende ogen commentaar stond te geven op de alles verslindende vlammen en de komst van de brandweerwagens. Wat zou ik daar graag hebben gestaan om de rook te ruiken, de wind te voelen en naar de pracht van de vlammen te kijken!

In de lucht hing volgens mij een politiehelikopter. Ik wist dat de politie graag helikopters gebruikte om foto's te maken in de hoop verdachte voorwerpen of mensen op te sporen, maar ze hadden te lang getreuzeld. Op dit uur konden ze toch waarachtig niet meer verwachten dat ze een vluchtauto zagen! Ze waren slimmer dan ik dacht; de helikopter was van RTL 55.

Ik wist dat het ministerie van Justitie onder enorme druk zou staan om met een dader of een verklaring te komen. De Afghaanse Windhond zou weer steek na steek van de persmuskieten te verduren krijgen. Ik vermoedde dat ze nu met deskundigen in conclaaf was om te bekokstoven hoe de positie van het ministerie het best verdedigd kon worden.

Even voelde ik de behoefte om de telefoon te pakken en Zandberg te bellen, maar we praatten nooit over recente aanslagen. We kenden het verhaal over de IRA-man die zo euforisch was dat hij in een straat in het hartje van Londen een bom had laten afgaan, dat hij zijn collega's een ideogram van zes dyna-mietstaven via zijn mobieltje stuurde. De politie pakte hem een paar dagen later op, na alle telefoonregistraties te hebben door-genomen.

We hadden de koninklijke familie voor Prinsendag stof tot nadenken gegeven. Dit keer zou de koningin toch wel iets over ons werk te zeggen hebben. Tot dusver had ze ons genegeerd, maar nu hadden we haar klem.

Ik wilde nu meer dan ooit naar Den Haag. Ik interesseerde me helemaal niet voor het koningshuis en vond de opwinding over de verjaardag van de koningin en Prinsendag nogal ouder-wets, maar ik wilde erbij zijn en de matte stem met de meisjes-achtige ondertoon horen treuren over een gebouw, waar zoveel vanaf hing.

Op de televisie was de brandweer klaar voor de strijd: spuiten werden op de vlammen gericht in een dappere poging te laten zien dat er iets aan de situatie werd gedaan. Benzine werkte zo snel dat het enige dat overeind zou blijven het vijftien verdie-pingen hoge betonnen karkas was.

Het rinkelen van de telefoon bezorgde me bijna een rolberoer-te. Ik wachtte, mijn hand een paar centimeter van de hoorn verwijderd. Het was Eugene Victor. Het was alsof hij de tijd wilde inhalen dat we geen contact hadden gehad.

'Zet je televisie aan, mén. Er is iets vreselijks gebeurd.'

De dringende ondertoon bracht me bijna aan het lachen. 'Wat is er dan?'

'Het Nationale Onderzoekscentrum, nog geen drie kilome-ter van mijn huis, staat in brand, mén.' Hij klonk buiten adem, wat me verbaasde. Het was of hij miljoenen in de onderneming had gestoken zonder zich te verzekeren.

'Echt?'

'Ik denk dat die pyromaan weer heeft toegeslagen die het land al het hele jaar terroriseert.'

'Hoe weet je dat? Kan het geen ongeluk zijn?'

'Voel jij niet een soort tomeloze, razende woede? Ze moesten dat soort lui voor hun leven opsluiten, mén.'

'Ze zullen de daders heus wel vinden en aanpakken.'

'Mijn vrouw is erg overstuur. Ze reageert heel heftig op dit soort zinloos geweld.'

'Ze heeft jou om haar te troosten. Bovendien levert het vuur geen gevaar op voor jouw huis, wel?'

'Nee, nee, nee. Maar toch, ik hou niet van dat soort etterbakken. Ik heb een hekel aan lui die geen respect hebben voor andermans bezit. Je knokt er zo hard voor en dan komt een of ander beest je huis in de fik steken! Denk eens aan al onze belastingcenten die hij heeft verspild! Er moeten strengere wetten komen.'

Voor mijn geestesoog zag ik Eugene Victor in zijn zitkamer staan, met de afstandsbediening in een hand, de telefoon tegen zijn oor gedrukt, zijn mondhoeken als gebaar van hartgrondige weerzin naar beneden getrokken. Hij was zo in Pingeland ingeburgerd dat ik het gevoel kreeg dat hij straks op nationale feestdagen zou gaan vlaggen. 'Ben je tegenwoordig huiseigenaar?'

'We hebben buiten het centrum een prachtig huis gekocht. Je moet het een dezer dagen eens komen bekijken, mén. Je zult ervan achteroverslaan.'

'Misschien doe ik dat wel,' zei ik en besefte dat ik gelijk had gehad. Victors zelfvertrouwen was geworteld in zijn nieuwe huis.

'Zie je morgen. Stipt om negen uur.'

'Slaap lekker, Eugene Victor.' Ik was niet ontevreden over mijn optreden en beloonde mezelf met een giechellachje. Dat vatte voor mij kort samen wat mensen vriendschap noemden: een huis met veel kamers.

Ik bleef van elf tot middernacht naar de brand kijken en bedacht dat er aardig wat woede zou losbarsten over het gebrek aan bewaking op het terrein. Misschien kostte het een paar mensen hun baan. Het Centrum zou uiteindelijk toch uit zijn as herrijzen, omdat er zoveel op het spel stond. Wij hadden ons pleziertje gehad, hield ik mezelf voor toen ik de beelden afkneep en in mijn slaapzak kroop. Ik bedacht dat een aantal verdwaasde individuen in de verleiding zou komen om dat wat wij hadden gedaan een macho-stunt te noemen. In wezen was het niet meer dan vaginanijd, die wens om leven in dode toestanden of dingen te blazen en ze aan het trillen te brengen.

❦

Vroeg in de ochtend stond ik op en deed mijn oefeningen met een dreunende hoofdpijn. Het weer was schitterend en op het balkon tegenover mijn flat straalde het spandoek dat de prestatie van het echtpaar van de daken schreeuwde in het licht. Er wapperden meer vlaggen en er was meer drukte van mensen die zich voor de dag opmaakten. Mijn fanatiek antimonarchistische vrouw had gezworen nooit op Prinsendag naar Den Haag te gaan, maar ik was opgewekt en had zin om te proberen haar op andere gedachten te brengen. Ik pakte de telefoon.

'Bogodisiba,' zei ze korzelig.

'Goedemorgen, schat. Heb je goed geslapen?'

'Ik heb een afgrijselijke nacht gehad.' Bogodisiba had last van opvliegers, waarbij haar lichaam schrikbarend verhit raakte. Dat maakte het onmogelijk om het bed met haar te delen, omdat ze 's nachts tientallen keren het dek van zich afgooide, woelde en draaide en het bed met zweet doorweekte.

'Het spijt me dat te horen, schat.'

'Zit er maar niet over in. Ik trek wel weer bij,' zei ze met een stem waaraan ik kon horen dat mijn plan om haar over te halen gedoemd was te mislukken. 'En jij? Heb jij goed geslapen?'

'Ja, ik heb vannacht goed geslapen, maar nu heb ik hoofdpijn. Eugene Victor komt over een paar uur. Je mag met alle liefde met ons mee.'

Ze zweeg alsof ze het niet had gehoord. Ten slotte zei ze: 'Vervelend van die hoofdpijn, maar ik hou voet bij stuk. Ik verveel me te pletter met mensen die alleen over bezit, bezit, bezit kunnen praten.'

'Het is maar voor een paar uurtjes.'

'Ik heb een verschrikkelijke nacht gehad. Ik blijf thuis. Doe maar je best om van de reis te genieten.'

'Zal ik doen,' zei ik ongelukkig.

'Ik hoop dat je niet de pest in hebt. Ik vind onze wandelingen leuker.'

'Dat weet ik.'

Ik hing op zonder iets over de brand te zeggen. Bogodisiba had geen televisie en interesseerde zich niet voor wat er gebeurde buiten haar wereld van het vrijwilligerswerk, vegetarische restaurants en het drama veroorzaakt door het vreemdelingenbeleid van de regering. Het deed er niet toe wanneer ze het nieuws hoorde.

Op de televisie herhaalde RTL 55 beelden van de brand. De kleinere gebouwen en de elektriciteitscentrale lagen in puin. Het hoofdgebouw had echter stand gehouden en was door het vuur en de rook alleen zwart geblakerd.

Aan het einde van de reportage werd aangekondigd dat er nieuwe ontwikkelingen waren. De politie had zojuist videobeelden van de boosdoeners vrijgegeven. Met knikkende knieen keek ik naar de zwart-witbeelden, waarop wij te zien waren terwijl we in een van de kleinere gebouwen benzine sprenkelden. Het waren beelden ten voeten uit, de gezichten verborgen of gedeeltelijk onscherp. Er was geen geluid, aangezien we ons werk in stilte hadden uitgevoerd. Onze gezichten kwamen alleen scherp in beeld toen we wegliepen. Dit was de eerste keer dat de camera ons had vastgelegd en dat beviel me niets.

De Afghaanse Windhond verscheen opgewekt op het scherm. 'Dit is een fantastische ontwikkeling. We hebben nu videobeelden van deze mensen. Onze specialisten zullen alle beschikbare technische middelen inzetten om ze te ontmaskeren.'

'Maar het zijn zwart-witbeelden en de gezichten zijn onscherp.'

'We zijn nu in staat de boosdoeners op te sporen. We weten dat de een zwart was en de ander blank. Dat is duidelijk te zien. We zoeken naar vingerafdrukken en ander bezwarend materiaal. Politiehonden zijn bij het speurwerk ingezet. We zullen alles op alles zetten om een einde aan deze bedreiging te maken.'

'Maar hoe vaak hebben we dat al niet gehoord?'

'U vergeet dat we nu voor het eerst beelden van deze mensen hebben.'

'Wat kunt u nog meer over het onderzoek zeggen?'

'De meeste informatie is vertrouwelijk. Maar ik kan u wel zeggen dat we hen dicht op de hielen zitten.'

Op twee andere netten gaven deskundigen hun mening, deden voorspellingen en kwamen spontaan met profielen van de boosdoeners. Het was het oude liedje. Doordat nooit iemand bij de aanslagen omkwam, kon men er beter mee leven en het sneller afdoen. Het doel van de aanslagen werd nooit vermeld. Dat was een tactiek om ons af te schilderen als domme criminelen.

Ik zette de televisie uit en ging zitten nadenken. De eerste schrik ebde weg, ook al omdat ik niet geloofde dat ze erin zouden slagen ons te identificeren. Uiteindelijk besloot ik de reis naar Den Haag niet af te zeggen. Ik wilde erbij zijn.

Al piekerend maakte ik me klaar, af en toe geplaagd door het visioen dat ik werd gearresteerd en mijn gezicht op alle voorpagina's verscheen. Ik dacht aan Zandberg Hommerts. Ik wist zeker dat hij zich door de beelden niet zou laten intimideren. In het beste geval kreeg hij er alleen maar een grotere kick van.

In bad dacht ik na over Eugene Victors verleden.

Volgens de heersende theorie doorliep een gelukkige proteïnezoeker drie belangrijke stadia: de Somberfase, wanneer hij zich in weerwil van sombere vooruitzichten bij de Grensbewaking meldde; de Treurfase, wanneer zijn aanvraag was afgewezen en hij jarenlang heen en weer slingerde tussen verzoeken om clementie, tijdelijk verblijf en deportatie; en de Comafase, wanneer hij een verblijfsvergunning kreeg en wegzakte in de hemelse sluimer van de autochtoon, met gegarandeerde overdadige consumptie en individuele rechten. Soms kwam hij echter in de Agressiefase, wanneer zijn trance werd verstoord door voorvallen van racisme of vermeend racisme, die vroegen om een ballistische of een minder drastische verdediging van zijn rechten.

Eugene Victor Boeziga was de belichaming van dat alles. Hij had zijn kleren gewassen in de stinkende rivier van het proteïnezoekersstelsel in dit land met zijn zogenaamde immigratiestop, dat het probleem van een vergrijzende bevolking als drogreden gebruikte om wel 'politieke', maar geen 'economische' proteïnezoekers toe te laten.

Zoals aardig wat proteïnezoekers was Eugene Victor hier aangehouden; Pingeland was niet zijn oorspronkelijke bestemming. Hij had naar de Verenigde Staten van Amerika gewild, niet naar de Verenigde Staten van Europa. Een familielid had de reis en een vals paspoort georganiseerd. Daar had hij misschien genoeg aan gehad als hij via Scandinavië of Groenland had gereisd, waar de controle nog altijd slap was. Maar hij wilde liever via Amsterdam, de drugssluis van Europa, waar strenge controle dagelijkse routine was.

Hij wist dat hij in de problemen zat nog voor ze hem fysiek aanpakten. Hij verscheurde zijn ticket en spoelde het door de wc terwijl hij toekeek hoe het wervelend verdween, waarmee het einde van een reis en het begin van een andere werd bezegeld. Hij scheurde en verkauwde de bladzijde met het uitreisstempel uit zijn paspoort en verliet het toilet. Een tijdje sloeg hij de mensenmassa's gade die door de paspoortcontrole liepen, tot hij twee vriendelijk uitziende zwarte mannen in het oog kreeg. Hij zette het soort glimlach op van mensen die om geld verlegen zitten. Hij verzekerde hen snel dat hij alleen maar wilde weten waar ze in het vliegtuig waren gestapt, de vertrektijd, het vluchtnummer en de aankomsttijd. Ze waren hem ter wille en hij onthield de details en schudde hen dankbaar en warm de hand.

Hij werd vastgehouden en ondervraagd in een grauw kantoor met een laag plafond, waarna hij naar een grote ruimte werd overgebracht met veel anderen die op deportatie wachtten. In zijn geval werden de commando's geconfronteerd met één klein probleempje: ze geloofden niet dat hij uit Sierra Leone kwam. Hij had als 'Amerikaan' gereisd om de doodeenvoudige reden dat Amerikanen en inwoners van de VSE niet een hele nacht in de rij hoefden te staan voor de visa-afdeling van de Amerikaanse Ambassade in Kampala. Ze konden gewoon naar binnen lopen, langs de Oegandezen die al vijftien uur in de rij hadden gestaan, en ze werden er waardig en efficiënt ontvangen.

Toen de commando's erachter kwamen dat ze hem niet de-zelfde dag het land uit konden zetten, ondervroegen ze hem tien uur aan een stuk. Hij zat hen dwars door voet bij stuk te houden dat hij uit Freetown kwam, hoewel hij niet in staat was de naam van de luchthaven of de hoofdstraat van de stad te noe-men, en in elke strikvraag trapte die ze hem voorlegden. Toch wist hij met zijn leugens, hoe flagrant ook, het kostbaarste te winnen wat er te winnen viel: tijd.

Het kostte de slimmeriken weken voor ze erachter kwamen dat hij oorspronkelijk uit Oeganda kwam. Tegen die tijd kon hij een beroep doen op enige rechtsbijstand en begon het touw-trekken in alle ernst. Ze probeerden hem tot vier keer toe uit te zetten, maar op de een of andere manier wist zijn advocaat hem met veel ophef te redden. Op een dag werd hij door twee com-mando's, allebei met een zonnebril op, een tactiek waaraan hij een hekel had, uit de flat ontvoerd die hij met twee andere pro-teïnezoekers deelde, in een bestelauto gestopt en naar het vlieg-veld gereden. Hij ontsprong de dans omdat er die dag geen vliegtuig vertrok en hij de volgende dag voor de rechter moest verschijnen. Ze reden hem met tegenzin terug, de zonnebrillen weer op, terwijl de stilte en de wederzijdse vijandigheid te snij-den waren.

Na vele maanden van bedreigingen en bevelen dat hij zich moest voorbereiden op zijn terugkeer, stopten twee comman-do's hem op een avond in een bestelwagen en gooiden hem er op het Centraal Station in Amsterdam uit met de mededeling dat hij zelf maar een plaats in de maatschappij moest zien te be-machtigen. Hij vond de weg naar het Akoegoba-huis. Ik bood hem een helpende hand die zich verder uitstrekte dan mijn taak voorschreef en zo werd een vriendschap geboren.

Ik droogde me af, kamde mijn haar en liep naar de slaapka-mer om me aan te kleden. Een paar minuten voor negen verliet ik het Moesigoela-huis en stapte in de lift. Daar trof ik mijn buurman die er brozer uitzag dan ooit. Hij nam niet de moeite mijn groet te beantwoorden.

Ik ging achter hem staan om niet naar zijn lugubere gezicht te hoeven kijken. Toen de lift begon te zakken, liet hij een harde scheet. Het duurde even voor de stank in mijn neus sloeg. Het was een rotlucht, een rapportage van de verslechterende toestand van Farts Domino's ingewanden. Ayi Kwei Armahs boek *The Beautyful Ones Are not Yet Born* schoot me te binnen. Deze lange bougainvilleachtige zin sprong eruit: 'Koomsons ingewanden rommelden luider dan gewoonlijk, het was een inwendige eruptie van een persoonlijk, ontaard onweer dat in al zijn volheid klonk of het helemaal omlaag was gerold vanuit de slokkende keel, daverend door zijn buik en darmen om te eindigen als verdere vervuiling van de lucht die al zwanger was van gassige angst.'

Ik drukte een zakdoek tegen mijn neus en probeerde erdoor heen te ademen. Mijn vernietigende blik stuitte op het achterhoofd van Farts, die de onverschilligheid toonde van een kind op de po, handjes door moeder vastgehouden, dat het zat was om te horen dat hij moest drukken en drukken. Met zijn schouders gespannen, vuisten gebald, alsof hij zich opmaakte iets heel zwaars te tillen of een enorme nascheet te laten, schokschouderde hij even, een tic die deed denken aan de huivering die af en toe door de gespannen spieren van een sluimerende python gaat. Ik keek omhoog om te zien langs welke verdieping we suisden. De lift schudde en kwam zachtjes tot stilstand. Farts liep naar buiten met stramme benen en het hoofd geheven als een lamp op een paal. Ik kwam vlak achter hem aan om zo snel mogelijk heilzame lucht in te ademen die niet was verpest door de ingewandsbacteriën van een oude geit.

Het kwam door Farts dat ik bijna Eugene Victors auto voorbijliep. Hij stapte uit met een grijns op zijn gezicht, niet om het portier voor me open te houden, maar om te genieten van wat hij verwachtte dat de verrassing van mijn leven zou zijn. Ik keek wat langer om hem een plezier te doen, maar zei niets over zijn grote, zilverkleurige Duitse auto, die zijn bankrekening tienduizenden euro's lichter moest hebben gemaakt. Zoals hij ernaast stond in zijn crèmekleurige colbert, witte overhemd en bruine broek, met zijn favoriete suède klakschoenen aan, zag hij er opzettelijk eenvoudig gekleed uit. Hij schudde me de hand terwijl zijn ogen overliepen van zelfgenoegzaamheid.

'Mooie auto.'

'Ik noem hem Rok, de magische vogel. Fantastisch zoals hij zingt als hij snelheid maakt en afstanden verslindt. Laat de benepen geesten die vinden dat wij niet goed genoeg zijn voor zulke wondertjes maar branden van nijd.' Hij wuifde zulk ongedierte met zijn hand weg.

'Ik zat in mijn vrachtwagen altijd twee meter hoog, met alles op de weg aan mijn voeten. Je moet me maar vergeven dat ik van deze dwergen niet onder de indruk raak.'

Eugene Victor keek gekwetst en zei: 'Ik dacht dat je blij voor me zou zijn, mén. Ik heb voor dit snoepje heel wat geld moeten ophoesten.'

'Ik twijfel er niet aan dat je het verdient. Ik kan alleen het spook van schulden niet uit mijn hoofd zetten als ik naar Rok kijk. Je hebt zeker geen nagel meer om aan je gat te krabben?'

'Laten we het daar niet over hebben, mén. Iedereen in dit land draait op schulden. De banken bezitten dit land met alles erop en eraan. Ik wil mensen inspireren om hard te werken en het vertrouwen te winnen van deze vitale instellingen. Ik word kotsmisselijk van de roestbakken waarin ze rijden. We verdienen veel beter, mén.' Hij trok zijn mondhoeken omlaag en bewoog zijn hoofd op en neer als een hagedis die op een rots zit te zonnen. Zijn ogen dwaalden over zijn Rok, terwijl zijn gezicht straalde van het genot de eigenaar te zijn en keek toen naar de goedkopere auto's die dubbel geparkeerd langs de klinkerweg stonden met een blik alsof hij erop wilde spugen.

'Laat me je voorstellen aan mijn dame voor we verder bekvechten,' zei hij terwijl hij het achterportier opende.

Het was me niet opgevallen dat er iemand in de auto zat. Een heel magere, lange vrouw gleed van de achterbank. Ze droeg een rode zijden blouse, die als een tweede huid aan haar lichaam kleefde. Een witte spijkerbroek onthulde nogal opvallend de scherpe contouren van haar lichaam. De pijpen waren gestoken in een paar dure cowboylaarzen van slangenleer die opgepoetst leken voor een taptoe. Een brede riem met een gouden gesp sneed haar lichaam in tweeën, waardoor ik een tikje onvriendelijk bedacht dat je die twee helften zo van elkaar zou kunnen trekken. Haar glimmende haar zat zo strak tegen haar schedel dat het leek alsof het ertegenaan was geplakt. Daardoor leek haar voorhoofd zo rond als een bal. Van al haar lichaamsdelen trokken haar sleutelbeenderen de meeste aandacht. Het waren net botjes van een kippenbout op een etensbord.

'Lisa June, dit is mijn goede vriend Dismas. Dismas, Lisa June.' Eugene Victor maakte een weids gebaar alsof hij zijn vrouw aan een groot gezelschap voorstelde.

Ik stak mijn hand voorzichtig uit om deze vrouw, wier botten me erg broos leken, geen pijn te doen. Kennelijk had ze mijn gedachten gelezen; ik zag haar terugdeinzen en daarna geruststellend glimlachen. Ze gaf me een stevige hand, alsof ze alle twijfel over haar gezondheid wilde wegnemen.

'Kom voorin naast me zitten, Dismas.' Eugene Victor gebaarde naar Lisa June dat ze in moest stappen en hij sloot het portier stevig achter haar, alsof ze van plan was geweest te ontvluchten.

Ik was dankbaar dat ik naast Eugene Victor kon zitten. Zo konden we die Lisa June tenminste af en toe buiten het gesprek houden. Ze zag eruit alsof ze veel rust nodig had, als een ondervoed kind van wiens lichaam niet al te veel gevergd kon worden. Ze deed me denken aan een schriele actrice, die de galanterie van de mannelijke toeschouwer prikkelde en fantasieën bij hem opriep over hoe hij haar zou redden door haar in een grote warme deken te wikkelen. Ze werd opgeslokt door de grote brede bank die met zijn glanzende veiligheidsriemen op lijviger lichamen berekend was en ik was bang dat als ik de volgende keer omkeek er niemand meer zou zitten. Ik was blij dat Bogodisiba niet mee was gegaan. Er zouden zich tussen haar en Lisa aardig wat gespannen momenten hebben voorgedaan.

Eugene Victor drukte op een knop en de auto vulde zich met een bosgeur, zodat de houten panelen, waarvan hij er een streelde, organisch tot leven leken te komen, als vaten van reukgenot. De dealer had er waarschijnlijk voor een jaar dit geurtje, een stereo-installatie en nog een paar accessoires bij geleverd om de klant wat minder zenuwachtig te maken over de enorme financiële last die op zijn schouders drukte. Het was een lekker geurtje. Toen ik blijk gaf van mijn tevredenheid glimlachte Eugene Victor gelukkig en opgelucht dat ik toch iets prijzenswaardigs aan zijn statussymbool had ontdekt.

Er viel een vreemde stilte veroorzaakt door de aanwezigheid van Lisa June. Ik wist dat Eugene Victor zat te trappelen om te horen wat ik van haar vond. Het geloei van de motor verbrak de stilte toen we wegreden.

'Lisa June is schoonheidskoningin geweest op de Makerere Universiteit. Ze heeft de titel twee keer gewonnen en is doorgedrongen tot de voorlaatste ronde in de landelijke wedstrijd. Ze is afgestudeerd in biologie.'

'Gefeliciteerd.' Wat kon ik anders zeggen? Als biologe wist ze waarschijnlijk beter hoe ver ze kon gaan in het aftasten van de grenzen van haar lichaam. Misschien moesten alle toekomstige schoonheidskoninginnen biologie als hoofdvak nemen.

'Dankjewel,' lispelde ze, waarbij haar gezicht in een brede glimlach openbrak. Ik hoopte maar dat ze niet aan loftuitingen verslaafd was.

'Ze wil fotomodel worden, maar de concurrentie is moordend. Ze willen dat ze nog meer afvalt.'

Ik moet naar adem hebben gehapt, want de vrouw zei: 'Het is een heel hard bedrijf. Ik ben een meter tachtig, maar in dit land zien ze liever langere en dunnere vrouwen.' Ze haalde een beetje haar schouders op, alsof het haar niet kon schelen. Ik geloofde dat ze onbegrip wilde overbrengen, maar dat kon ze beter leren van de verslaggeefster van RTL 55.

Ik kon me niet voorstellen dat ze nog meer kon afslanken zonder gevaar te lopen dat ze tegen gebouwen werd aan geblazen zodra de winterstormen kwamen.

'Jij moet de langste Oegandese vrouw zijn die ik in tijden heb gezien.' Haar gezicht fleurde op.

'De vrouwen hier zijn soms ongelooflijk lang. Vorige week zag ik er een op straat die boven iedereen uit torende. Ze was wel een meter negentig.'

'Het zit me niet echt lekker dat mijn vrouw het soort dingen gaat showen dat mannequins wordt opgedrongen vóór ze de top hebben bereikt. Ik ben niet zo dol op het idee dat ze halfnaakt in kattenvoerreclames verschijnt. Ik vind dat ze beter bij mij in de computerwereld kan komen werken.'

'Victor beseft niet dat ik een pionier zou zijn als ik mannequin werd. Hij is een pionier in de computerwereld. Ik wil een pionier in de modewereld worden.'

Eugene trok zijn mondhoeken omlaag en fronste zijn wenkbrauwen, alsof hij niet begreep waar het over ging. 'Wat vind jij, Dismas?'

'Ik weet niks van mannequins, niks van computers en niks van zaken.'

'Toe, mén,' swingde hij. 'Zeg nou eens iets positiefs.' Hij gedroeg zich nu op zijn charmantst. Er was iets jongensachtigs aan zijn geveinsde hulpeloosheid en behoefte aan steun. Ik vermoedde dat Lisa June ernaar snakte om in te springen en hem te bemoederen.

Toen ik in Oeganda was, hoorde ik dat sommige vrouwen op de universiteit het voor een schoonheidswedstrijd dagenlang zonder eten konden stellen door alleen kauwgum te kauwen. Ik wilde Lisa June vragen of zij dat ook had gedaan. 'Stel dat je toch mannequin wilt worden. Hoe kun je dan nog meer afslanken?'

'Oefening. Er bestaan allerlei apparaten. Er zijn pillen voor en zo nodig sla je maaltijden over. Het is het allemaal waard. Wie mooi wil zijn moet pijn lijden.' De stem van Lisa June klonk vastberaden en niet schril zoals je vanwege die kippenbotjes zou verwachten. De gedrevenheid waarmee ze had gesproken toonde aan dat haar levensopvatting uit graniet was gehouwen. Eugene Victor straalde ongenoegen uit.

We waren Bevert uitgereden en hadden de schoorstenen achter en veel auto's voor ons. Eugene Victor draaide zijn raampje naar beneden, stak zijn elleboog naar buiten en stuurde met één hand. Op de snelweg naar Haarlem was het druk, maar het lange beest was er niet, omdat het een nationale feestdag was.

'Moeten we Dismas eerst ons huis laten zien, of kunnen we dat beter op de terugweg doen, Lisa?'

Ik was blij dat hij haar niet 'mammie' had genoemd. Ik nam aanstoot aan mensen die nogal onnodig te koop liepen met de incestueuze grondslag van hun verhouding.

'Jij rijdt. Ik ben maar passagier. Zeg jij het maar.' Ze spreidde haar handen in een gebaar van gemaakte overgave, met haar handpalmen naar buiten en haar wenkbrauwen opgetrokken.

Op dat moment werd Eugene Victor zich bewust van de politieauto. Hij zei niets, herinnerde zich waarschijnlijk wat hij tegen mij over de politie had gezegd. Ik wachtte af om te zien wat 'zijn' politie ging doen. Zouden ze hem gewoon inhalen, een nieuwsgierige blik toewerpen en doorrijden? Met een goedkopere auto, vast wel. Met Rok had ik zo mijn twijfels.

Voor iemand een woord kon zeggen gaf de politieauto het teken dat Eugene Victor aan de kant moest gaan. Dat deed hij bereidwillig. Ik meende afkeer te horen in een geluid dat van de weelderige achterbank kwam, maar ik was er niet zeker van en wilde mijn hoofd niet omdraaien om te kijken. Eugene Victor legde zijn handen daar waar de politieman ze kon zien en wachtte af. Net als in de films waarvan hij zo hield.

Een lange melkmuil van een agent in het blauw, met een fosforescerend vest over zijn uniform en een pistool, handboeien en pepperspray zodanig aan zijn riem bevestigd dat je dacht dat ze eraf zouden vallen als hij liep, stapte in volle glorie uit. Ik noemde hem Meloenwang. Zijn gedaante vulde het achteruitkijkspiegeltje, zijn benen bewogen als enorme zuilen aangedreven door een perfect geoliede machine. Ik vond dat Eugene Victors kalmte alles weg had van het onderdanige urineren van een hond.

Meloenwang boog diep voorover en begon met een groet die wij zonder veel enthousiasme beantwoordden, en Lisa June helemaal niet. Daaraan was hij gewend; hij negeerde de lauwe ontvangst. Hij vroeg het rijbewijs van de bestuurder. Eugene Victor maakte een portefeuille van haaienleer open en zocht nogal nadrukkelijk naar de papieren tussen een bundeltje beroemde creditcards. Ten slotte overhandigde hij het rijbewijs.

Het gezicht en bovenlijf van Meloenwang verdwenen toen hij rechtop ging staan om het document te onderzoeken. Uit de nonchalance van zijn gebaren viel duidelijk op te maken dat hij bloedzeker vertrouwde op een flitsend reactievermogen. Ik gaf hem het voordeel van de twijfel, want een maand geleden hadden vijfhonderd politiemannen in de provincie hun wapens moeten inleveren nadat ze voor hun schiettest waren gezakt.

'Waar gaat u naartoe?' Vroeg hij toen hij zich weer voorover gebogen had en Eugene Victor en ons nogal doordringend aankeek.

'Den Haag.'

'Heeft u een paspoort of identiteitsbewijs bij u?'

Eugene Victor gaf hem zijn identiteitsbewijs. Hij leek wel een standbeeld, van zijn gezicht viel geen spoor van emotie af te lezen.

Meloenwang was niet tevreden. Hij dacht waarschijnlijk dat deze proteïnezoeker achter het stuur onmogelijk de eigenaar kon zijn van dit veelgeprezen voertuig, dat niet zo maar een auto was, maar een statussymbool, een weerspiegeling van maatschappelijke klasse, een embleem van moderne viriliteit. Hij schreed op hoge benen naar de politieauto en deed denken aan een secretarisvogel; de spiegels werden gevuld met zijn rug en zijn smalle billen die hij stevig tegen zijn lijf drukte.

Lisa June klakte met haar tong tegen haar zachte gehemelte en produceerde een fel, vochtig geluid geladen met alle minachting die ze uit haar smalle borst kon persen. Eugene Victor negeerde haar.

Met zijn hoofd in de politieauto gaf Meloenwang zijn partner instructies om de gegevens van Rok in het nationale verkeersregister na te gaan. Daarna legde hij een arm op het dak en bekeek het verkeer dat naar Haarlem, Amsterdam, Den Haag en nog verder raasde. Het leek of hij zo een eeuwigheid bleef staan. Ten slotte boog hij naar voren, met zijn smalle billen en scheten naar de suizende voertuigen gekeerd, sprak met zijn partner en kwam toen teruglopen terwijl hij nog steeds in Eugene Victors papieren keek.

Mijn hart sloeg over en mijn hoofdpijn werd erger toen hij om mijn identiteitspapieren vroeg. Ik stond mijn kaart af en gedurende het lange ogenblik waarin hij hem bestudeerde, wachtte ik benauwd.

'Waar woont u?' Hij keek me recht in het gezicht.

'Bevert. Dat staat op de kaart.'

'Ik stel de vragen en u geeft antwoord,' zei hij autoritair.

'Ik woon in Bevert.'

'Hoe lang woont u daar al?'

'Tweeëntwintig jaar.'

'Heeft u een strafblad?'

'Nee.'

'Heeft u werk?'

'Nee.'

Hij liep terug naar de politieauto en controleerde mijn gegevens. Na tien lange minuten kwam hij terug en gaf me mijn kaart zonder een woord te zeggen terug. Hij overhandigde Eugene Victor zijn papieren, kennelijk teleurgesteld dat de auto niet in beslag kon worden genomen. Hij wenste ons een prettige dag en maande Eugene Victor voorzichtig te rijden.

Er viel een ogenblik stilte waarin Eugene Victor er verstijfd uitzag en ik zat te wachten tot de politieauto zou vertrekken. Ik was opgelucht toen ik Meloenwang en zijn partner zich in het verkeer zag voegen. Ik bedacht dat hij pijlsnel promotie had gemaakt als hij me had aangehouden en me met de brandstichtingen in verband had kunnen brengen.

Lisa June geselde haar gehemelte met haar tong en produceerde een oorverdovende klak. Ik was blij met die afleiding en kreeg zin om aan haar de finesses van de moderne mannelijkheid uit te leggen. In een land waar het image koning was, moest iedereen die brak met het geijkte beeld bloeden voor zijn onbeschaamdheid. Toch leek het of ze dacht dat de transformatie van haar man met gedans op straat zou worden verwelkomd.

'Let maar niet op ze, baby,' zei Eugene Victor toen hij optrok en hij de banden beledigd liet gieren. 'We zijn in dit leven al zoveel oorlogen doorgekomen. Dit is een klassenoorlog, louter kinderspel. We mogen geen slachtoffers worden. Wij zijn degenen die de dienst uitmaken, niet zij.' Hij keek met getuite lippen om zich heen alsof het tuig waarop hij doelde overal zat.

'Afgaande op zijn manier van doen zou je denken dat we allemaal autodieven en brandstichters zijn,' siste Lisa June, die me met dat laatste een ongemakkelijk gevoel gaf.

'Hij deed alleen zijn werk, baby. Ze moeten die pyromanen pakken. Een van hen was zwart. De man had gelijk om onze papieren te controleren. Je kunt niet voorzichtig genoeg zijn.'

'Houden ze je vaak aan?' Ik klonk onthutst en overdreef het omdat ik niet wilde dat hij Lisa June weer zijn baby noemde. Ik had een hekel aan dat soort infantilisatie. Ik wist dat mensen nooit volwassen werden, maar ik gaf de voorkeur aan de nodige discretie. Het is tot daar aan toe om je moeder plaatsvervangend te neuken, maar het gaat te ver om haar eraan te herinneren dat ze ook je dochter is, een zuigeling die zich vastklampt aan de voeding van je pik. Ik begon er maar niet over, omdat ze me belachelijk zouden vinden. Bovendien wilde ik niet dat Eugene Victor mij gebruikte om zijn humeur op te vijzelen.

'Ze doen gewoon hun werk,' hij wuifde de hele zaak weg met een kleine beweging van zijn hand.

'Ze houden hem om de haverklap aan,' fulmineerde Lisa June, alsof ze van plan was van de achterbank op te vliegen en een politieman ernstig lichamelijk letsel toe te brengen. 'Alsof hij de auto heeft gestolen.'

'Ik hou van dit land. Hier kan een man werken en iets bereiken als hij het met hart en ziel doet. Maar zelfs de werkschuwe steuntrekkers eten en drinken en gaan ook nog op vakantie. Ik wil onze mensen het vertrouwen geven dat ze kunnen doen wat ze willen en dat als ze een goede baan vinden, zoals ik, ze het vertrouwen van de banken krijgen om een lening af te sluiten. Mijn toekomst ligt hier, niet in Amerika.' Eugene Victor trok een gezicht alsof hij zojuist met verbijsterend nieuws was gekomen. Zoiets als een geneesmiddel tegen de Regelaar.

'Wat doe jij tegenwoordig?'

'Ik werk op het hoofdkantoor van Systems Unlimited in Amsterdam.'

'Is dat niet een van de bedrijven van Rekken Trent?'

'Hoe weet jij dat? Je beweert dat alles wat met economie te maken heeft je niet interesseert.'

'Dat beweer ik niet. Dat is zo. Vergeet niet dat Rekken Trent in Bevert woont. De stadskrant schrijft voortdurend over hem.'

'Het enige dat hij van mensen vraagt is dat ze hard werken. Sommigen storen zich aan zijn botheid, maar ik vind hem een groot leider. En denk je eens in: als hij zich uit de computers zou terugtrekken, zou de helft van de computerindustrie in dit land instorten.'

'Het is mooi dat je hem wel ziet zitten. Voor veel mensen is hij gewoon een bullebak die ertussenuit knijpt als de zaken slecht gaan.'

'Nu heb je het over bedrijven die zo rot zijn als een mispel en die hij noch iemand anders ooit zou hebben kunnen redden. De kerel bezit een grote levenskracht. Bovendien kun je niet voor iedereen de weldoener uithangen. Neem nou de proteïnezoekers die tegenwoordig uit Oeganda binnenstromen. Die verwachten dat mensen zoals ik met hen te doen hebben, maar dat heb ik niet. Ze hebben geen klasse. Wij zijn hier gekomen met universiteitsdiploma's. Zij komen zo van de straat, kunnen nauwelijks een behoorlijke grammaticale zin produceren. Wat willen ze hier? Altijd maar toiletten schoonmaken?' Tegelijkertijd herinnerde hij zich kennelijk zijn Messiaanse droom. 'Ze hebben mensen als ik nodig om hen de weg te wijzen. Ze moeten inzien dat het mogelijk is om een beetje klasse te verwerven.'

'Mij heeft klasse nooit iets kunnen schelen. Hoog opgeleide ploerten hebben in de wereld de grootste schade aangericht. Dat is deels de reden dat ik de ratrace heb opgegeven. Wat heeft het voor zin?'

'Hoe kun je dat nou zeggen?' Ik merkte dat Lisa June wel onbegrip kon overbrengen. Misschien had ze niet zo veel meer van de stroblonde RTL 55-dame te leren.

'Ik stel geen belang meer in het apenspeelgoed waarvoor mensen zichzelf afbeulen. Ik heb geen baan en geen baas. Ik leef gewoon, net als een chimp. Meer vraag ik niet van het leven.'

'Ooo, dat is erg negatief. Hoeveel mensen zouden niet met je willen ruilen en in dit land willen wonen?' Lisa June keek alsof ze in een vlammend protest haar ingewanden eruit wilde gooien.

'Ik heb tien jaar lang vrachtwagens gereden. Ik heb de meeste Europese steden bezocht. Dat was voor mij genoeg.'

'Let maar niet op Dismas, liefste. Het enige dat hem interesseert is op andermans dromen pissen. Hij vergeet dat het begrip middenklasse de laatste dertig jaar is veranderd. Geld bepaalt tegenwoordig wie meetelt en wie niet. Alles is in beweging. De middenklasse is niet langer een toestand van vegeteren. Het is een gevecht op leven en dood, waarin de verliezers worden vermalen.'

Eugene Victor gaf gas en haalde veel auto's in, waarbij hij de bestuurders van goedkopere auto's bekeek met het soort minachting dat autobezitters bewaren voor voertuigen voorzien van minder paardenkracht. Ik was bang dat hij naar iemand zijn middelvinger zou opsteken, zoveel zwaaide hij met zijn vrije hand. 'Ik wil bevriend raken met de vorsten van Oeganda.'

'Als je met genoeg geld wappert, zullen ze je met open armen ontvangen. Persoonlijk zie ik niets in vorstenhuizen. Gewoon het zoveelste stelletje geromantiseerde parasieten.'

'Dat is onder de gordel. Volslagen belachelijk. Degenen van ons die uit een evenwichtig milieu komen beschouwen continuïteit en orde als een groot goed.' Om Eugene Victors lippen speelde een vage glimlach, want hij vond dat hij een punt had gescoord. Hij had broers en zusters in de vs, Engeland en Canada. Zijn ouders waren landeigenaren. Hij vond dat hij eindelijk had gekregen wat hem toekwam.

Mijn geest gliptc terug naar de tijd dat we elkaar voor het eerst ontmoetten. Hij was drie jaar in het land zonder één vrouw te hebben geneukt. Ik wist nog dat hij toen zei: 'De moslims hebben gelijk: slechts in de hemel kan de doorsnee man hoogwaardig neuken.' Ik had zin hem daaraan te herinneren, maar de aanwezigheid van Lisa June met haar klakkende tong weerhield me.

Toen we Den Haag naderden, langs kastelen die als schildwachten aan weerszijden van de weg stonden, zei Eugene Victor: 'Ooit ga ik hier wonen. Iedereen in het land zal mijn naam kennen. Ik zal het eerste parlementslid zijn dat in Oeganda is geboren. Dit is een vrij land. Er heerst geen tirannie. Mensen die zo'n grote vrijheid niet aan kunnen, bouwen aan hun eigen ellende. Ze doen thuiswerk en produceren hun eigen ongeluk, dat ze aan anderen proberen te verkopen. Ik ben geen aandeelhouder in de BV Wanhoop & Ellende. Ik heb een mooie vrouw, een prachtige baan. Niets zal me ervan weerhouden mezelf te overtreffen. Wat hebben politici dat ik niet heb? Wat hebben zwarte parlementariërs dat ik mis? Niets. In alle opzichten ben ik beter dan zij.' Terwijl hij sprak, zwaaide hij met zijn handen in kleine boogjes, los van het zachte bolle stuur.

Ik schoot bijna in de lach. Niet omdat hij luchtkastelen bouwde, maar omdat hij uitprobeerde of ik in zijn dromen geloofde. 'Als je in Duitsland zou zitten, zou je droom volslagen krankzinnig zijn. Maar je zit in Pingeland, waar zoiets niet onmogelijk is. Het enige dat je hoeft te doen is veel geld verdienen en je dan aan de meest conservatieve partij verkopen die er is. Dat een proteïnezoeker zich aansluit bij de Arbeidspartij is niks bijzonders. Die zijn ze al lang spuugzat. Juist de conservatieve partijen willen iedereen wijsmaken dat ze een partij voor alle rassen zijn. Sluit je bij hen aan.'

'Ik ben blij met je steun, mén. Je bent al die jaren echt een goede vriend geweest.'

Nu moest ik lachen. 'BV Wanhoop & Ellende. Nou vraag ik je. Vergeet niet de tachtigduizend zaken, inclusief moord, die ieder jaar worden geseponeerd omdat ze niet voorkomen op de prioriteitenlijst.'

'Ik dacht dat we dat nu wel uitgekauwd hadden. Er bestaat geen volmaakt systeem. Wat ik in dit land zie bevalt me. Het is mijn ticket naar aanzien. Ik wil in de krant komen. Ik wil op televisie komen. Ik wil een gezicht zijn en nooit verward worden met proteïnezoekers die toiletten schoonmaken.' Hij glimlachte alsof hij de klap wilde verzachten.

'Je klinkt als iemand die weet hoe hij in abstracties moet grossieren, en daar draait het in de politiek om. Het wordt tijd dat je koers zet naar het Parlementscomplex.'

'Dat ben ik ook van plan. Met alle nodige middelen.'

'Ik sta achter je, papsie, en ik hark stemmen van mijn fans

binnen,' kwinkeleerde Lisa June op de achterbank.

'Twee rolmodellen onder één dak!'

'Je moet eens wat positiever denken, mén. Politiek is een ernstige zaak.' Hij zuchtte en zei erachteraan: 'Waar kan de mensenzoon nog ergens een parkeerplaatsje vinden?'

In de straten van Den Haag hing een feestelijke stemming, met vlaggen op bijna alle gebouwen. Buurtbewoners in T-shirt en korte broek keken vanaf balkons en in deuropeningen onverschillig naar de voorbijtrekkende kinderen en volwassen, van wie sommigen een oranje ballon aan een touwtje hielden. Monarchisten droegen trots mutsen, bodywarmers en broeken van opblaasbaar oranje rubber. Een zeer luidruchtige groep liep in een straat te klingelen met witte, rode, blauwe en oranje bellen, op fluitjes te blazen en te drukken op hun scheettoeters. Ik voelde mijn hoofdpijn verergeren.

Het volk stond in rijen achter de ijzeren dranghekken langs de wegen waar de gulden karos van de koningin langs zou komen. Het werd nauwlettend in de gaten gehouden door onbewogen kijkende commando's met blonde baretten en zwarte laarzen, klaar om gekken en chagrijnen ervan te weerhouden de paarden van de koningin met afval te bekogelen.

Eugene Victor probeerde ettelijke straten voor hij een plek vond waar hij Rok kon parkeren. Volgens hem waren we zo'n twee kilometer van het Parlementscomplex af. We stapten uit en de warmte en het lawaai sloegen nog harder toe. Het was geruststellend dat er geen politiemannen met foto's van Zandberg en mij rondliepen om gezichten te bestuderen of identiteitsbewijzen te vragen.

We voegden ons bij de mensen die naar het parlementsgebouw gingen. We liepen langzaam, alsof we in een processie meetrokken. Lisa June, de langste in een kluit van zo'n twintig mensen, bewoog haar benen en heupen in een horizontaal schuivende gang, met haar armen als peddels, haar kleine borsten vooruit gestoken, in het besef dat vele ogen op haar gericht waren.

Het was duidelijk dat ze niet van zins was op fotografen, agenten en televisieproducenten te wachten, ze jaagde op hen en gebruikte de straten en lanen van Den Haag als oefencatwalk. Er gingen legio verhalen over mannequins die waren ontdekt toen ze naar de kiosk liepen voor een zak chips of toen ze uit de bioscoop kwamen. Ze konden ook worden ontdekt wanneer ze naar het Parlementscomplex liepen om Prinsendag te vieren. Wat zal ze hebben gebeden voor zo'n uitgelezen gelegenheid!

Lisa June keek heel ernstig en wekte de valse indruk dat ze niet bewust de aandacht trok. Terwijl ik toekeek hoe ze met dat lichaam werkte, bedacht ik steeds dat ze wel tegen Eugene Victor opgewassen zou zijn. Ik hoopte zelfs dat ze hem af en toe koppijn bezorgde.

We hadden een tijdje zwijgend gelopen toen haar stem, tot haar man gericht, als een klok door het lawaai in de straten brak. 'Is het je opgevallen dat steeds meer mensen tegenwoordig knoflook eten?'

'Knoflook doet me denken aan mijn dagen als schoonmaker. Je wilt niet weten wat ik toen iedere dag heb moeten verstouwen. Prijs je gelukkig dat jij nooit schoonmaakbaantjes hebt gehad, Lisa.' Hij glimlachte naar haar, maar het was een ondoorgrondelijke, bijna kwaadaardige glimlach.

'Ik heb jou om me te beschermen. Heerlijk.' Ze straalde naar hem.

'Ik heb dorst. Kunnen we niet ergens iets drinken?' Ik wilde van onderwerp veranderen en hen op het gevaar van dorstig doorlopen wijzen. Stel dat er op de plek waar wij naar toe gingen geen stalletjes waren?

We vonden een kraampje, een van de vele die voor deze dag waren neergezet, sloten in de rij aan en luisterden naar de verwachtingsvolle gesprekken van de andere klanten. Verliefde stellen hielden handjes vast, zoenden elkaar met hun lippen of hun buik. Ik zag dat Lisa June haar hand verstrengelde met die van Eugene Victor, die gegeneerd een beetje verstijfde.

Ten slotte kochten we wat te drinken en liepen naar het voorplein van het Parlementscomplex. Binnen die aloude muren werden door de politieke kaste beslissingen genomen, het lot van mensen bezegeld, vetes uitgevochten en propaganda verkocht. Er schoot me een Hollands gezegde te binnen dat luidde: 'Sommigen worden met stront en anderen met parels bekogeld.' De stront was voor mijn slag, dat geen belangstelling had voor de abattoirs van de macht; de parels waren voor Eugene Victor die bereid was om te slachten.

De blaaskapel van de Blonde Baretten vulde onze oren met muziek. De op reusachtige videoschermen in beeld gebrachte omroeper liep over van superlatieven voor de koningin en deelde ons mee dat ze in aantocht was.

Ik bestudeerde de indeling van het Complex en vroeg me af of daar een brandje te stichten, of op zijn minst een raam met rook te beroeten zou zijn. Het bestond uit drie gebouwen die samen een reuzenhoefijzer vormden: één deel met het Lagerhuis van gekozen afgevaardigden, dan een middeleeuws gebouw met twee torens dat onder zijn dak de Ridderzaal herbergde, en ten slotte het Hogerhuis, vol benoemde leden met orthopedisch schoeisel en chronische blaasontstekingen. Tegen de voorzijde van het Hogerhuis stond een door water omgeven torentje, waar Blaatpan zijn macht uitoefende.

'Wat een plek, zeg!' riep Lisa June uit en onderbrak daarmee mijn brandstichtersoverpeinzingen.

'Zou het niet fantastisch zijn als de mensenzoon zijn dagen

hier als parlementslid zou slijten?' vroeg Eugene Victor zich met dromerige ogen hardop af.

Mijn ogen waren gericht op het reusachtige videoscherm in afwachting van het puikje van Bevert: professor Best en Rekken Trent. Die waren uiteraard aanwezig. 'Zoals ik al eerder zei, het is helemaal aan jou om het waar te maken.'

'Het zou een inspiratie voor de mensen zijn, mén. Ik ben het spuugzat dat proteïnezoekers alleen maar voetballers hebben om naar op te zien. Die en die aangekocht door de ene of de andere club voor zo veel geld. Het lijkt wel vee.'

Ik bespeurde een ondertoontje van jaloezie, vooral over het geld, dat in mijn hoofd een golf van groot cynisme teweegbracht. Zwarte kamerleden waren in het parlement wel zo ongeveer de meest passieve vertegenwoordigers die er waren. Als ze al ergens voor stonden, waren ze rechtser dan hun blanke collega's. Als je nog geloofde dat politici ook maar iets konden veranderen behalve het pak dat ze droegen, stemde je voor progressieve blanke parlementsleden. De voornaamste taak van zwarte parlementsleden was wat kleur te brengen in dit oude gebouw. Ik noemde hen zwarte pieten.

'Victor heeft gelijk. Als er zwarte mannequins zouden bestaan, denk ik dat alles voor mij gemakkelijker zou zijn geweest.' Lisa Junes stem klonk vastberaden, zonder iets van spijt.

Plotseling vulde de lucht zich met een snerpende trompetstoot die dwars door het gemompel, het geklets en de muziek heen sneed.

De koningin was gearriveerd. Mensen begonnen met vlaggetjes te zwaaien alsof vele windmolens gelijktijdig waren aangezet. De gulden karos was prachtig te zien, getrokken door acht zwarte paarden met enorme konten en gouden oogkleppen, geflankeerd door acht lakeien die goudgebiesde, tweekantige piratenmutsen droegen.

'Jeetje!' zuchtte Lisa June met grote ogen en ze begon te klappen omdat ze geen vlaggetje had om mee te zwaaien. Ze was ondersteboven van al het glas en goud bewerkt tot sierkronen, beeldjes en reliëfs die het leven in de Gouden Eeuw van Pingeland verbeeldden.

De gulden karos stopte voor een rode loper die de Ridderzaal in liep. De deur werd geopend door een lakei die eruitzag of hij een appelflauwte kreeg. De echtgenoot van de koningin, de prins-gemaal, stapte uit. Hij had een droevig, gegroefd gezicht en zijn ijzergrijze haar was strak naar achteren gekamd, bijna net zoals bij Lisa June. Hij stak een hand uit om de koningin te helpen met het uitstappen op het dunne draadtrapje dat er gevaarlijk primitief uitzag en nauwelijks geschikt leek om te voorkomen dat de koninklijke pump met Hare Majesteit en al languit op de kasseien terechtkwam, wat ik minder bevredigend zou hebben gevonden dan te zien hoe de lakeien toeschoten om haar in geval van brand weer in de karos te helpen.

Mijn opwinding groeide toen Hare Majesteit veilig landde. Ze was een lange vrouw met een dikke kont en jukbeenderen ter grootte van een appel. Ze droeg een van de door haarzelf ontworpen enkellange ensembles, die de woede opwekten van verstokte royalisten die hunkerden naar tiara's en met diamanten bezette robes, niet deze afgeleide kimono die werd gedragen met een platte hoed bekroond met blauwe kippenveren waarvan ik me voorstelde dat ze spontaan tot ontbranding kwamen. Het enige teken van haar ambt was een blauwe sjerp die over haar schouder liep en op de koninklijke heup was geknoopt.

'De slechtst geklede koningin die ik ooit heb gezien,' verklaarde Lisa June nadat ze was opgehouden met klappen.

'Ze zou ter plekke gearresteerd moeten worden,' zei Eugene Victor. 'Weet je dat ik een keer een brief aan Hare Majesteit heb geschreven waarin ik haar heb gevraagd om tegen haar soldaten te zeggen dat ze me met rust moesten laten? Ik schaam me niet om het toe te geven. Ze is miljardair en staat aan het hoofd van een van de succesvolste handelsnaties op aarde.'

Ik wilde tegen hem zeggen dat hij haar reet maar moest gaan likken, maar hield me op tijd in. Ik wilde hem in het bijzijn van zijn vrouw niet vernederen. In het algemeen hielden mannen graag een façade op als ze met hun vrouw uitgingen, alsof ze in bed geen scheten lieten of haar om hulp riepen als ze pijn hadden. In plaats daarvan probeerde ik professor Best te vinden, telkens wanneer de camera over de gezichten van het puikje van Pingeland gleed. Ik zag de paarden met glanzende derrières en onmelodieus hoefgeklepper over de kasseien vertrekken en de koningin de Ridderzaal in lopen.

Na een pauze kwam Hare Majesteit op haar troon in beeld, met haar man op een mindere zetel. Hij zag eruit als iemand die zijn uiterste best deed zijn gedachten af te houden van de druk op zijn volle blaas.

De koningin begon met haar volle, maar lijzige stem de natie toe te spreken. Mijn hart begon sneller te kloppen en de stilte van de gemeente was zo intens dat je een voorhuid kon horen opkruipen. Ze nam met het volk de economische resultaten van het land door, ze beloofde verbeteringen in de gezondheidszorg van het land door de wachtlijsten van ziekenhuizen te verkorten, door modernisering en door rekrutering van personeel uit het buitenland; ze beloofde te blijven vechten tegen de armoede in de wereld door samen te werken met het IMF en de Wereldbank... De regering zou zich nog meer inspannen om illegale proteïnezoekers uit te zetten en de echte in te burgeren in de samenleving.

Toen ze begon over de sfeer die er in het land heerste, kreeg ik het zweet in mijn handen. 'Ons land begint te verruwen. Ieder jaar nemen de gevallen van zinloos geweld toe. Ouderen worden van hun fiets geduwd, onschuldigen worden door vreemden doodgetrapt. Het aantal onverbeterlijke criminelen stijgt gestadig. In het afgelopen jaar heeft iemand herhaaldelijk brand gesticht en voor miljoenen aan eigendommen vernietigd. Alles wordt in het werk gesteld om de dader te arresteren en te straffen. Het platbranden van het Nationale Onderzoekscentrum was een ernstig delict, maar zal deze natie er niet vanaf houden om op het gebied van de wetenschap en technologie grote vooruitgang te boeken...'

Ik balde mijn vuist in mijn jaszak in gespannen verwachting iets over de Regelaar te horen. Ik luisterde naar de rest van de toespraak in de hoop hem ten minste één keer te horen noemen. Tevergeefs. Ik voelde me hondsberoerd, mijn hoofd stond op knappen alsof het vol hete gassen zat. Door het verzuim van de koningin werd mijn hele campagne volledig tenietgedaan. Ik werd erdoor gereduceerd tot een misplaatste grap.

Naarmate de druk in mijn hoofd toenam, begon ik me claustrofobisch te voelen. Ik kreeg een duizeling en klampte me aan Eugene Victor vast, die vroeg wat er met me was. Ik kon een vernietigend besef van mislukking niet van me afzetten, iets dat ik aan hem noch iemand anders kon prijsgeven. Ik was er zelfs niet zeker van of Zandberg het zou begrijpen. Hij deed voor de lol mee, zich ervan bewust dat we nooit zouden winnen. Het begon me te dagen dat er iets moest veranderen.

Ik was kwaad op mezelf. Ik had het iedereen in zijn oren moeten toeteren en brullen. Ik had iedereen moeten vertellen dat ik de brandstichter was en aan het hele land via de televisie moeten onthullen wat de reden was voor alle vernietiging. Ik overwoog voortdurend om mezelf aan te geven. Was er een beter moment te bedenken geweest? Ik had het gevoel dat ik een geweldige kans had gemist, een die misschien nooit meer terug zou komen.

Nadat de koningin uitgesproken was, kwam de menigte tot leven en begonnen de mensen weg te lopen. De druk van vreemde lichamen verminderde en na korte tijd begon ik me minder ontredderd te voelen.

We liepen naar het centrum van de stad door dezelfde straten waar iedere dag leden van de ministerraad, volksvertegenwoordigers, mannetjesmakers en andere politieke dieren beenden. Eugene Victor beschouwde het als een eer. Ik zag hem omstandig naar de cafés in de buurt van het Complex kijken, de vaste stekken waar zaken bekokstoofd, opkomende geruchten gefluisterd, herenakkoorden gesloten en politieke koehandel bedreven werden. Hij wilde kennelijk iets zeggen, waarschijnlijk over hoe op een dag zijn naam de geschiedenis in zou gaan, maar bedacht zich.

Lisa June gaf weer vol overgave haar Lisa-loopje ten beste, zonder veel aandacht aan andere dingen te besteden. Ik zag een aantal mannen gebiologeerd naar haar heupen en ledematen kijken. Jammer voor haar dat niet één van hen een fototoestel bij zich had.

Ten slotte kwamen we uit bij het station, waar een gigantische straatmarkt de lucht met een oorverdovend lawaai vulde. Hij strekte zich uit zover het oog reikte en er was van alles te koop, van hapjes tot meubilair en auto's. Gettoblasters, allerlei disco's, Afrikaanse trommelaars, jazzcombo's en popgroepen droegen allemaal bij aan de overdonderende massa geluid.

We vonden een stalletje en gingen zitten om een tussendoortje te eten. Ik voelde me er geïsoleerd en wilde niets liever dan wegglippen en Eugene Victor en zijn vrouw achterlaten. Ik miste Bogodisiba en mijn wandeling door de Rivierenbuurt. Na lange tijd vroeg Eugene Victor hoe ik me voelde. Ik zei dat het beter ging.

'Volgens mij moeten we naar Haarlem gaan om iets leukers

te doen,' opperde Lisa June met een uitdrukking van totale matheid op haar gezicht. Ik vermoedde dat ze zo snel mogelijk deze stad uit wilde, omdat haar stille wens om ontdekt te worden niet in vervulling was gegaan.

Er waren meer mensen op straat dan eerder op de dag. Mannen en vrouwen in kleine groepjes dronken bier en gooiden onder veel geschater blikjes en flesjes op straat. Ze deden kennelijk een wedstrijd wie het meeste en het snelste dronk. We liepen voorzichtig tussen alle projectielen en gebroken glas door.

Eugene Victors auto stond nog steeds als een soepterrine te glanzen waar we hem hadden achtergelaten, maar het nummerbord, de grille en de koplampen waren er zorgvuldig afgesloopt, en de gapende gaten deden denken aan lege oogkassen. Doorgaans vloekte Eugene Victor niet omdat hij dat ongepast vond voor een man met zulke verheven aspiraties. Maar hij overtrad zijn eigen regels en siste: 'Shit.' Hij knielde op één knie en bekeek de gaten en streelde ze alsof hij vingerafdrukken nam.

Terwijl Eugene Victor zijn wonden likte en de auto troostend toesprak alsof het een ziek familielid of vriendje was, bedacht ik dat Amerika de shit-revolutie had ontketend, waardoor fecaliën waren verheven tot een delicatesse die zowel door welgemanierde als door ongemanierde lieden in de mond werd genomen in een poging om sexy te zijn.

Lisa June onderbrak mijn gedachten ruw door uit te roepen: 'O, God. Godverklote.' Ze klonk erg Amerikaans, zoals ze 'Gád' in plaats van God zei.

'Dat gaat me een vermogen kosten!' jammerde Eugene Victor. 'Waar was het alarmsysteem toen ik het zo hard nodig had? Dismas, wist je dat een of andere vandaal een apparaatje heeft uitgevonden waarmee je elk autoportier open kunt krijgen en ook de meeste alarminstallaties kunt uitschakelen? En wist je dat de politie weigert zo'n ding in beslag te nemen?'

'Het spijt me van je auto, maar we leven in een democratie. De politie kan niet zomaar de wet overtreden om autobezitters een plezier te doen.'

'Betalen we soms geen belasting op de aanschaf, het onderhoud, het parkeren en het voltanken van auto's? Is het soms een misdaad om een auto te bezitten?'

'Het komt wel goed, papsie,' kirde Lisa June die zich voorover boog om zijn schouder te masseren. 'Je moet je dag niet laten bederven door de eerste de beste klootzak.'

Lieve maar lege woorden. Eugene Victors dag was onherstelbaar verpest. Geen enkele troost, behalve misschien een winnend loterijlot, kon daar iets aan veranderen. Hij voelde de last van het bezit van wat voor veel mensen de belichaming van mannelijkheid was. Hij zag er niet zo stoer uit toen hij Lisa Junes hand van zich afschudde en opstond als een koe die ruw aan haar staart was getrokken.

'Klootzakken,' schold hij met een steeds somberder gezicht en zijn voorhoofd gefronst als door een tractor bewerkte grond. 'Ze zouden in de bak gegooid en van achteren genomen moeten worden omdat ze Rok zoiets hebben aangedaan.' Hij liep aarzelend naar de achterkant, bang dat er nog meer ontheiligd was. Hij zuchtte van opluchting. Op de achterkant van de auto zat geen schrammetje.

'Weet je dat niemand in Oeganda tegenwoordig meer auto's steelt? Autodieven worden ter plekke doodgeschoten. Ze stelen alleen onderdelen,' zei ik in een poging hem met een grapje af te leiden.

'Dit gaat me een vermogen kosten! Waarom heeft niemand een vinger uitgestoken?'

'Dat is wel gebeurd. Iemand moet de dieven hebben afgeschrikt voor ze er met het hele geval vandoor gingen.'

'Dit gaat me een vermogen kosten!' Eugene Victors ogen leken op muntgleuven, zijn gezicht was verwrongen van ergernis.

'Pappie, toe nou.'

Hij wierp Lisa June een vernietigende blik toe. Zij zou niets aan de reparatie bijdragen, wel?

Ik had lang geleden het masochistische streven naar conventionele schoonheid opgegeven en me bevrijd van de tirannie van zowel culturele als esthetische experts, die ervan uitgingen dat hun slachtoffers eerbiedig zouden knikken wanneer zij zeiden wat mooi was en wat niet. Ik putte veel troost uit wat veel mensen lelijk vonden.

Ik kon mijn ogen niet van de geplukte auto afhouden, die ineens een identiteit had verworven die hem onderscheidde van duizenden gestroomlijnde, te dure speeltjes voor op de weg. Ik wilde graag geloven dat de dief een hardvochtig artistieke inborst had en de motorkap, de portieren en de kofferbakklep eraf gerukt zou hebben om bij het geraamte en het wezen van de machine te komen. Helaas had hij op straat moeten werken en niet in de beslotenheid van een garage.

We stapten in de auto terwijl Eugene Victor nog op zijn onderlip beet en allerlei vloeken over de vandalen afriep. Waarom had hij geen auto gekocht waarvan de grille een integraal onderdeel van de motorkap was? Lisa June klakte zo nijdig met haar tong dat ik bang was dat ze een tandarts nodig zou hebben als ze zo doorging.

Eugene Victor startte de auto, heel rustig, alsof hij bang was dat hij uit elkaar zou vallen. Hij reageerde onmiddellijk op het eerste contact. Hij zette de motor af en weer aan. Die gehoorzaamde prompt. Hij controleerde nauwkeurig de wijzers en deed me denken aan een piloot die de laatste controles uitvoert voor het opstijgen. Hij moet hebben genoten van de manier waarop we naar hem keken.

Hij knikte enigszins tevreden en begon opdrachten in te toetsen in het navigatiesysteem, op zoek naar binnenwegen waar we geen last zouden hebben van politiecontrole. Het zou te riskant zijn om op de snelweg in een auto te rijden die in Roks staat verkeerde.

'Ze moeten ze opsluiten,' siste hij toen we wegreden en ik vreesde dat hij iemand van de sokken zou rijden. 'Ze moeten ze in de bak gooien! Er moeten strengere wetten komen.'

'Er is een cellentekort,' zei ik om zijn gejammer te stuiten. 'Er zijn prioriteiten. Autovandalen en fietsen- en mobieltjesdieven passen niet in het plan.'

'Daarom heeft dit land wat nieuw bloed in de politiek nodig. Om strenge wetten te maken en er zeker van te zijn dat ze worden gehandhaafd.'

'De Conservatieve Partij is dé partij voor jou. Blaatpan zal je graag zien komen.'

'Hou alsjeblieft op met spotten. Ik ben niet in de stemming. Toen ik vanochtend vertrok rekende ik niet op exorbitante reparatiekosten.'

'Pappie, toe...' In Lisa Junes stem lag een sterk meisjesachtige ondertoon, bedoeld om haar vent gunstiger te stemmen.

'Lisa, laat me even stoom afblazen, ja?'

De magere vrouw met de klakkende tong en de spitse knieën hield haar mond.

Ik verlangde ernaar de hoge schoorstenen en de kolkende rook van Bevert te zien, die het einde zouden aankondigen van deze tocht vol eindeloos gekerm en geklaag over autovandalisme, algehele tuchteloosheid, de last van de rijkdom en alle dingen die ik vreselijk vond om te horen. Eugene Victors politie miste een mooie trofee; ze waren in geen velden of wegen te zien.

We bereikten Bevert zonder brokken en Lisa June beloofde me uit te nodigen voor Eugene Victors verjaardag.

Hij zette de auto voor de Rectumtempel stil, zonder acht te slaan op de kleinere, maar met richtingaanwijzers, koplampen en grilles pronkende auto's.

Ik wilde tegen hem zeggen dat hij maar een van de portieren moest verkopen om de schade te dekken, maar ik wist dat hij zwaar beledigd zou zijn door de wreedheid van dat soort humor.

Het was mooi weer, de lucht was blauw en de zon scheen fel. Door de magie van Bevert en het feit dat ik thuis was voelde ik me beter. Ik besloot te gaan wandelen. Ik had veel om over na te denken. Ik zwaaide een tikkeltje te opgewekt toen Eugene Victor wegreed.

BOEK TWEE

Mongozmaki

'Je moeder was een goed wijf, heer,' sprak de Schildpad en ze verzonk in tactisch stilzwijgen om me de tijd te geven voldoende lovende woorden voor haar fantastische geheugen te vinden. Ze zat in de vroege ochtendzon op een mat, met haar verschrompelde benen voor zich uitgestrekt, haar magere rimpelhanden op haar knieën en een schittering in haar troebele ogen. Doorgaans zou ik zoiets hebben gezegd als: 'Wat een geheugen! Dat je je haar nog herinnert!'

'Alles zit er nog,' en dan wees ze met een kromme vinger naar haar kokosnoot, lachte en begon verhalen te vertellen die soms klopten en soms twijfelachtig waren.

In tegenstelling tot vorige keren stond mijn hoofd niet naar haar spelletjes. Waarom moest ik haar eerst prijzen? Ik wilde een spraakwaterval horen, vriendelijke en nietszeggende woorden die mensen over de doden zeggen, zodat ik de luxe had om op een kruk te zitten en me te ontspannen. Ik had net een nare ontmoeting met Kateta, de erfgenaam van mijn overleden oom, achter de rug en ik wilde dat ze me weer in een speelse stemming bracht. Misschien was het mijn fout dat ik haar niet had verteld wat hij had gezegd. Maar zij had erop gehamerd dat ik hem moest opzoeken, dat het niet kón dat ik zo vaak bij haar kwam zonder ook maar één keer naar het huis van wijlen mijn oom te gaan. Ik was er tegen mijn wil heen gegaan en nu vond ik dat ze me op zijn minst wel een verhaal mocht vertellen.

Toen ze dat niet deed, schoot ik uit mijn slof, stond op en zei dat ik moe was.

'Heb je ruzie gehad met die kutkerel?'

'Nee, hij heeft zich als een goede gastheer gedragen,' loog ik, omdat ik geen zin had om in details te treden.

'Waarom ben je niet de hele middag bij hem gebleven, heer?'

'Hij moest ergens naar een bijeenkomst.'

'O, wat jammer!'

'Ik wil wat door de tuin wandelen,' zei ik zeer beslist.

'Wat wil je daar zien? De koffie die jou in je jeugd heeft onderhouden is dood.'

'Ik kan nog de bomen bekijken ondanks de lege plekken en het onkruid.'

De koffiecultuur was ingestort vanwege een mysterieus insect waaraan de bomen doodgingen. Als ik in de stemming was geweest, had ik haar gevraagd wat zij dacht dat de oorzaak was.

Ik liep een halfuur rond, maar ik was er niet bij met mijn hoofd. Kateta had mijn bui volledig verpest door zijn twijfels te uiten over de hele onderneming van mijn bezoek aan het land, over mijn karakter en mijn oordeelkundigheid. Het had geen zin om in het dorp te blijven. Ik wilde terug naar de stad en mezelf verliezen in het lawaai en de jachtige drukte. Ik wilde in de laadbak van een pick-up zitten en me door de hobbels en kuilen omhoog laten gooien en terugsmakken op zakken aardappelen en cassave. Dat is precies wat ik deed.

'Je moeder was een goed wijf, heer,' hoorde ik de Schildpad zeggen toen ik op mijn bank ging zitten. De waarheid was dat ik mijn moeder de schuld gaf van mijn beroerde toestand. Soms vroeg ik me af waarom ze niet een tijdelijke impotentie over me had afgeroepen. Waarom ze me niet een voorgevoel had gegeven. Was het te veel gevraagd me een waarschuwingsdroom in te blazen? Hoorde een moeder die voortijdig haar verantwoordelijkheden was ontvlucht, die haar kind nooit had gezoogd, nooit zindelijk had gemaakt en die's nachts nooit was opgestaan om het te strelen en troosten, hoorde zo'n moeder haar volwassen kind niet te beschermen?

Ik gaf mijn moeder niet op een puberale manier de schuld met gescheld, woede-uitbarstingen en de vurige wens om in haar armen te worden genomen en te horen dat alles goed zou komen. Niets zou ooit nog goed komen. De Regelaar liet voor die mogelijkheid geen deur meer open. De aard van mijn verwijt was koud en bevroren als een gletsjer.

Ik heb een lange weg afgelegd, ben door het vagevuur van driehonderdzestig dagen bitterheid gegaan, waarin ik erover fantaseerde om alle vrouwen te vermoorden. Ik dacht niet langer, ze zijn toch allemaal dezelfde? Reïncarnaties, samenzweerders, scherprechters. Ook de fantasieën om zonder parachute van een balkon af te vliegen, voor een trein te springen die uit een tunnel kwam of glazen vergiftigd appelsap achterover te slaan, waren verdwenen.

Mijn huidige gemoedsrust was deels te danken aan de goede diensten van het Akoegoba-huis. Daar was ik naar toe gegaan om mijn ontreddering op te biechten nadat ik het afgrijselijke nieuws had vernomen. Ik wist van het bestaan van het huis lang voor ik de Regelaar op mijn dak kreeg. Het was de grootste prestatie die een Oegandees ooit in Pingeland had geleverd en zowel een bron van trots als een doelwit van bekrompen jaloezie. Sommigen gingen in hun kritiek zover dat ze het een schaamteloze uitbuiting van lijfeigenen noemden. Maar ze zeiden er in één adem bij dat ze opgelucht waren dat het huis door een van hen was opgericht.

Zoals veel proteïnezoekers was Amidakan Moezira, de oprichtster, Pingeland binnen gekomen met de identiteit van iemand anders, wat haar verbeelding verder niet had aangetast.

Door gebruik te maken van haar talent om leiding te geven, opende ze het Akoegoba-huis en maakte er in de loop van de jaren een groot succes van.

Toen ik er vijf jaar geleden achter kwam dat ik de Regelaar had opgelopen, duurde het lang voor ik de energie vond om hulp in te roepen. Ik werd bevangen door allerlei soorten angst, vaak denkbeeldig, vaak reëel. Ik wilde niet de belichaming zijn van een doodvonnis of het mikpunt van medelijden, vooroordeel of roddel. Ik wilde niet iemands zondebok worden. Ik was bang voor gebreken, paarse diarree, zwarte kots en vele andere kwalen.

Na een lange worsteling belde ik op een avond Amidakan. Het was het kortste telefoontje dat ik ooit heb gepleegd.

Die nacht sliep ik slecht, zoals ik al veel nachten slecht had geslapen. Ik lag maar te draaien en te woelen op mijn bank, en me af te vragen of ik niet een nog grotere vergissing had begaan. Ik dacht erover de afspraak af te zeggen of gewoon weg te blijven. Het grootste deel van de nacht lag ik te luisteren naar de geluiden die uit het huis van mijn buurvrouw met de kat kwamen. De stemmen van haar dronken bezoekers dreunden in mijn oren alsof we ons in dezelfde kamer bevonden. Toen ze aan het 'Lang zal ze leven' toekwamen, krijsten ze als kleuters op een kinderfeestje.

Ze draaiden platen met countrymuziek en tussen de nummers werd er gekibbeld, waarbij sommigen beweerden dat Don Williams niet alleen beter was dan Kenny Rogers, maar zelfs zijn gelijke in het genre niet kende. In de kleine uurtjes begon ik de dienst die ze me bewezen te waarderen: ze hielden mijn gedachten af van alle narigheid.

Ik werd vroeg wakker en liep naar het station. Ik keek niemand aan terwijl ik op het perron stond te wachten met kantoortypes, studenten en mannen en vrouwen met weekendtassen. Ik keek niemand aan toen ik in de trein stapte en achterin ging zitten. Ik kreeg het gevoel dat uit mijn lichaam geheimen lekten. Het enige wat me te doen stond was de stroom te stuiten.

Ik herinnerde me de commando's met de zonnebrillen die Eugene Victor hadden gekidnapt en geprobeerd te deporteren. Ik had gewild dat ik zo'n bril had. Ik had gewild dat iedereen in de trein er een droeg. De aanblik van blauwe, groene, bruine en zwarte ogen was onverdraaglijk. Ik hunkerde naar de mantel van onzichtbaarheid.

Eenmaal in het Akoegoba-huis wist ik meteen dat Amidakan het wist, wat een opluchting was. Ik kon het aflezen uit het intense medegevoel in haar ogen. Haar ronde, meisjesachtige gezicht straalde een verdriet uit dat normaal afwezig was en een wijsheid die altijd onderhuids bleef.

Amidakan droeg een gewone spijkerbroek onder een wijd T-shirt en geen sieraden, alsof ze me niet met opzichtigheid wilde overdonderen. Ze zat achter haar bureau, een meter geel Scandinavisch hout van me af. Het viel me op dat ze de prachtigste huid had die ik ooit had gezien, zo glanzend, fris en gaaf. Terwijl ik naar haar keek, verbeeldde ik me dat mijn huid ineens onder de puisten zat, die steeds uitgeknepen moesten worden. Ik verloor me kennelijk in deze vruchteloze reis, want ik schrok op van haar stem.

'Wanneer heb je het gehoord?'

'Weken geleden,' antwoordde ik en dronk van een glas mineraalwater dat ze voor me neer had gezet. Het was een snikhete dag, de zon scheen fel op de verloederende gebouwen voor ons en bracht alle gebreken meedogenloos aan het licht. Ik vond het een verheffende aanblik. Ik haatte de glans en de valse bekoring van nieuwbouw. Mijn meest urgente probleem was echter dat ik het erg koud had. Ik verlangde naar een grote deken om mijn ledematen en een teil warm water voor mijn voeten.

'Wat we hier het meeste verkopen is spraakwater.' Amidakan keek me recht in de ogen met een mengsel van compassie en eerlijkheid. Ik vroeg me af hoe ze aan de Regelaar was ontkomen. Ze had vergissingen gemaakt, maar blijkbaar geen fatale.

'Het zal me goed doen.'

'Een van mijn vrienden zit in hetzelfde schuitje. Ik zou jullie aan elkaar kunnen voorstellen.'

Ik voelde geen lotsverbondenheid met die gezichtloze persoon. Als ik hem al wilde ontmoeten, was het uit nieuwsgierigheid.

'Hoe heeft hij...?'

'Hij heeft een vergissing begaan die hij niet had moeten maken,' zei ze zo nuchter dat ik me schaamde ernaar gevraagd te hebben.

Amidakan was tactvol, ze was karig met woorden. Precies wat ik nodig had. Wat zou het voor zin hebben als ze zei dat het haar speet? Ze velde geen oordeel, toch had ik er behoefte aan om te zeggen: 'Niet dat ik promiscue ben geweest. Ik ben serieel monogaam.'

'Een hoop argeloze mensen zijn in de val gelopen. Ik geloof zelfs dat de Regelaar minder aast op losbandige mensen, die weten hoe ze de dans moeten ontspringen.'

'Argeloos is het woord niet,' vond ik de moed om te zeggen en ik genoot van het gevoel dat ik terugvocht. 'Voorzichtig wel. Wie is er nou voorzichtiger dan een baby? Die houdt zich aan één seksuele partner.'

'Ja, maar wie was jouw vergissing?' Ze keek alsof ze de woorden terug wilde nemen.

Ik zei niets. Ik had zin om haar toe te blaffen dat ze haar kop moest houden en uit mijn ogen moest verdwijnen. Ik wilde tegen die zachte wangen slaan tot ze opzwollen. Ik wilde zeggen:

'Mijn moeder heeft me verraden,' maar wilde niet nog meer geheimen prijsgeven.

Ik was niet het domme mannelijke type; ik was niet van de kut van mijn moeder weggelopen. Ik wist dat die in me zat en zij een deel van mij bezat. Ik zou me nooit losmaken van die vreemde vrouw, van wie geen foto bestond en geen andere beschrijving dan het geijkte 'ze was een goed wijf'.

Mijn moeder had het grootste geschenk van me afgenomen dat ik van mijn familie had meegekregen: mijn gezondheid. Iedereen die het maar wilde horen wees ik erop dat de Schildpad een eeuw oud was en dat mijn grootvader er maar een of twee jaar vanaf was geweest. Waar het om ging was dat ze allebei zelden ziek waren geweest, in het ergste geval niet meer dan een griepje.

'En verder?' Ik wilde het gesprek dolgraag op een veiliger onderwerp brengen.

'Je kunt met een consulent praten en hij zal je vertellen dat de wereld niet vergaat. Dat je moet genieten van de tijd die je hebt. Dat je nog veel nuttige jaren voor je hebt en dat je nooit op moet geven. Maar ik denk dat er een betere weg is. Waarom word jij geen consulent?'

'Versta ik je goed?'

'Ach, als je de cursus volgt en consulent wordt, kijk je het beest recht in de ogen. Dan krijg je voortdurend met lijfeigenen te maken. Zij zullen jou hun verhaal vertellen en jij zult degene zijn die hun vertelt wat ze moeten doen.'

Zo was ik consulent geworden. Door over mijn pijn en de pijn van anderen te praten, haalde ik er de angel uit, waardoor hij draaglijker werd. Er was nooit gebrek aan mensen om mee te praten. In feite had ik voor de gemakkelijkere weg gekozen.

Ik voelde me aangetrokken tot cliënten die blijk gaven van zelfmoordneigingen. Dat was een van de redenen dat Sam Matete me zo interesseerde. We waren broeders in tijdnood. We deelden allemaal een gevoel van verraad door de eerste vrouw in ons leven. We wachtten allemaal op iemand die ons zou wreken. Dat was wat er van een passief, oppassend, ongewapend mens werd verwacht.

Ik liet dat gevoel van broederschap echter nooit te ver gaan. De getroffen mannen hadden kinderen. Zij konden de luxe hoop koesteren dat hun genen hen zouden wreken. Genetische vergelding zat er voor mij niet in. Op het gebied van de voortplanting was ik een mislukking. Als ik al iets had voortgebracht waren het bergen stront. Ik probeerde me af en toe de gigantische hoeveelheden fecaliën voor te stellen die ik in vijftig jaar had geproduceerd. Ik vond dat hoogst vermakelijk. Ik fantaseerde dat een grapjas na mijn dood zou zeggen: 'Man, die heeft wat je noemt zijn grafschrift in stront geschreven!' Voelde ik de druk om me op andere manieren te bewijzen? Nee. Ik voelde me alleen vrijer om risico's te nemen.

Amidakan hield haar woord en vroeg Zandberg Hommerts naar me toe te gaan. De afspraak vond plaats op een koude regendag en ik was gehuld in een overjas, met daaronder een colbert, een trui, een dikke broek en lang ondergoed. Ik verwachtte niet veel van de ontmoeting. Een witte progressieveling die mij wilde leren kennen stond niet hoog op mijn prioriteitenlijstje. Net als de meesten was het een voyeur die van buitenaf een kijkje naar binnen wilde nemen.

Zandberg Hommerts kwam aan het einde van de dag, als iemand die wist dat hij enorm veel tijd zou verslinden. De meeste mensen waren al vertrokken en hadden een stilte achtergelaten die het geluid van voetstappen versterkte. Afgaande op het lawaai dat hij maakte zou je denken dat er een reus was losgebroken. En hij floot ook nog. Ik kende niemand die floot. Dat was een gewoonte waaraan Bevertenaren zich niet overgaven. Er floot wel eens iemand in de trein, maar dan deed iedereen of de boosdoener onzichtbaar was.

Ik stond niet op toen Zandberg met zijn borst opgezet en de armen wijd binnenkwam. Dat hij klein van stuk was en ik hem met gemak kon oppakken, in de lucht zwaaien en tegen de grond smakken maakte de zaak er niet beter op. In die dagen taxeerde ik mannen op de kans die ik had om hen lichamelijk letsel toe te brengen of die zij hadden om mij tegen mijn ballen te trappen.

'Nog een lijk in de maak. Welkom bij de club,' zei hij uiterst opgewekt alsof hij het over een sportvereniging had.

Ik had een hekel aan dat soort goedkope familiariteit. Ik wilde het graag de kop indrukken. 'Zeg dat nog eens?'

'Ik heb die enorme bokkenpruik niet op je kop gezet, hoor. Als je goed kijkt hangt mijn naamkaartje er niet aan.' Hij glimlachte brutaal als een grote man die de draak steekt met een kleine, ongewapende man.

'Wie zegt dat ik de bokkenpruik op heb?'

'Een collega-lijk verwelkomt je in de stinkersclub en jij doet alsof hij een ton stront in je gezicht heeft gegooid.' Hij lachte beledigend hard zonder dat het hem iets kon schelen of ik hem grappig vond of niet.

'Ik geloof nou eenmaal niet in de eeuwige blabla van de vrienden van mijn vrienden...'

'Als je eenmaal lid bent van de stinkersclub heb je geen keuze. Elke stinker is je kameraad in ontbinding. Een scheutje humor kan onderweg naar het graf geen kwaad.'

'Is het werkelijk?'

'Maak je geen zorgen, je komt er gauw genoeg achter.' Hij glimlachte breeduit en verkneukelde zich om mijn verbijstering.

'De Regelaar is een zaak op leven en dood en toch maak jij er domme grapjes over!'

'Kom nou, het is belangrijker dan leven en dood!' Hij was zo met zijn kwinkslag ingenomen dat hij nog harder lachte. Hij keek om zich heen naar de posters aan de muur. De gebruikelijke blabla over de Regelaar. Hij keek alsof hij erop wilde spugen.

'Goh!'

'Mijn grootste liefhebberij is dingen op te blazen. Ik zou mezelf opblazen als ik zeker wist dat het stinkerprobleem daarmee de wereld uit was.'

'Misschien nog niet zo'n gek idee.'

'Het helpt altijd om kwaad te worden op de veroorzakers van een probleem.'

'Waar zou je die willen zoeken?' Ik zei het zo spottend mogelijk. Ik hoopte dat zijn komische nummer erdoor in het water zou vallen.

'En dat vraag je aan mij? Ik dacht dat jij consulent was!'

'Waarom zoek je niet in dierentuinen en in bossen?' Ik zag hem al opgesloten in een kooi met tien brullende apen.

Een van giftige hoon doortrokken schaterlach brak de beeldenstroom in mijn hoofd af. De woorden die erop volgden bezorgden me acuut hoofdpijn. 'Jij leeft zeker nog in de Middeleeuwen. Geloof jij nog in die apekool?'

'Wat is er zo leuk aan?'

'Vroeger deed ik net zo pathetisch als jij. Als je anderen voor je laat denken, zit je uiteindelijk alleen nog met drek in je hoofd.'

'Ik...'

'Lees jij wel eens?'

'Pardon?'

'Negentig procent van de mensen in dit land leest nooit. En als ze het wel doen lezen ze doorgaans troep. Daarom vraag ik het.'

'O.'

'Ik weet wat voor verhaal jij nodig moet lezen. Topklasse.

Het soort werk dat niet gemakkelijk te vinden is, geloof me. Heb je mensen als Pilger, Hersch, Geisler, Blum, Diamond, Van Dongen gelezen?'

'Een paar namen klinken me bekend in de oren.'

'De meesten komen uit grote landen, de grote zondaars. Dat wil niet zeggen dat de kleintjes enig moreel recht hebben om met het geheven vingertje te zwaaien. Ze zitten in de reet van de grote landen. Neem ons land. Ken jij één land dat zo bol staat van eigendunk? Ken jij één land waar de intellectuelen zo passief zijn?'

'Mmmm.'

'Ik heb *Aids, de grootste misdaad in de medische geschiedenis* van Johan van Dongen voor je meegebracht. Niemand durft het aan te pakken, zelfs niet met een tang. Blanken hebben er de pest aan. Zwarten willen het niet weten. Stel je voor, na twee wereldoorlogen zijn ze nog steeds bezig Europa's gescheurde maagdenvlies te beschermen. Ze doen alsof ze niet weten dat kernwapens en biologische en chemische wapens op mensen getest moeten worden. Honderden tonnen kogels met uranium- en plutoniumkoppen worden in sexy televisieoorlogen gebruikt, maar iedereen kijkt de andere kant op. Ze willen liever op een ander moment in de toekomst geschokt reageren.'

'Ik...'

'Weet je dat ik dit boek aan Amidakan heb gegeven?'

'Wat zei ze erover?'

'Dat het probleem haar pet te boven ging.'

'Keek je daarvan op?'

'Natuurlijk.'

'Dat is onterecht. Mensen die niet uit een consumptiemaatschappij komen, kunnen zich niet veroorloven sentimenteel te worden over hun leed, wat er ook de oorzaak van is. Het interesseert niemand, behalve een paar idiote randfiguren.'

Zandberg zei niets.

'Wat is de schrijver van beroep?'

'Microchirurg. Moordenaar van chimpansees, ontleder van virussen en bacteriën. Hij heeft het allemaal gedaan.'

'Zo.'

'Genoeg daarover.' Hij zweeg even en keek in het lelijke kantoor rond. 'Ik neem aan dat Amidakan je heeft verteld dat ik op mannen val. Ik vond dat we dat maar afgehandeld moesten hebben.'

'Geen probleem. Ik heb *Keizers van Rome* gelezen en ik weet dat Julius Caesar en de keizers Augustus, Nero en Caligula zich van achter lieten naaien. Toch zouden jullie op het slagveld alles kunnen doen wat heteroseksuele krijgsheren ook doen.'

'Dan weet je het nu officieel. Je weet niet hoeveel afgrijselijke heteroseksuelen hun billen bij elkaar knijpen als ze horen dat iemand op mannen valt. Ze zijn bang dat hun mythische maagdenvlies al door fysieke nabijheid wordt doorboord. Suffe sodemieters. Herinner jij je nog de discussie over homo's in het leger?'

'Natuurlijk.'

'Het leger is de grootste onderneming ter wereld. Wie wil er nou niet bij de bazen van de wereld horen.'

'Ik niet.'

'Jij bent lid van de stinkersclub. Wij zijn zelf de baas omdat we net als het leger met de dood zijn getrouwd.'

'Ik zie het anders. De wereld is opgebouwd door kwetsbare mensen die zich sterk bewust waren van hun inferioriteit, die ze uit alle macht hebben geprobeerd uit te wissen of te vergeten door de vrucht van hun arbeid. Zelf wil ik ook een paar dingen veranderen. Ik beschouw mezelf liever als een lid van de strijdende onderkant.'

'Doe wat je niet laten kunt.'

Op die koude dag deden Zandberg Hommerts en de onderzoeksjournalisten hun intrede in mijn leven.

De ontstaansgeschiedenis van de Regelaar was voor mij niet echt een verrassing, omdat hij binnen de grenzen van mijn levensfilosofie viel: a) schoonheid is lelijk en lelijkheid is mooi, b) systemen worden gebouwd en geolied met mensenbloed, c) niets is de man zo eigen als de gretigheid om zijn baas een genoegen te doen, d) hoe meer de wetenschap voortschrijdt, hoe meer de godin Bacterie aan macht wint, e) de ergste door mensenhand veroorzaakte catastrofes moeten nog komen.

Het intrigeerde me dat de Regelaar, net als het menselijk dier, het leven ontving uit een vrouwtje, een bacterie getrouwd met een virus, die de heren in witte jassen een bacteriofaag hadden gedoopt. Hij begon zijn aardse reis in Duitsland waar zijn aanwezigheid voor het eerst werd waargenomen in Hersfeld en Schweinsberg in 1900, waar hij zich te goed deed aan paarden. Vijf jaar later werden de bewoners van Trier met zijn aanwezigheid geconfronteerd en op dat moment besloot de Pruisische regering hem in te lijven in haar oppermachtige leger.

In de dagen van het paard wist elke generaal hoe groot de lichamelijke en psychologische verwoesting was die een onzichtbare vijand kon aanrichten. De kampioen in die militaire ondermijning was de Regelaar, die zich liet gelden door een eenvoudige buikloop, gewichtsverlies en algehele zwakte bij het slachtoffer. De Eerste Wereldoorlog verschafte de Regelaar een glansrol door verderf te zaaien onder duizenden paarden in Frankrijk en België. Hij toonde zijn macht in Amerika, waar hij, losgelaten door zijn africhters, korte metten maakte met tienduizenden paarden die waren bedoeld voor de export naar het Europese oorlogstoneel.

Na de oorlog nam de belangstelling voor de kampioen toe en

in 1920 werd ontdekt dat het bloed van besmette paarden de Regelaar kon overbrengen op het menselijk dier. Het onderzoek werd verwoed voortgezet, waarbij de legerleiding onderzoekers aanspoorde betere methoden te vinden om de effectiviteit van de Regelaar te verhogen.

Tegen de tijd dat de Tweede Wereldoorlog uitbrak was het onderzoek in een vergevorderd stadium gekomen aangezien er aan proefkonijnen geen gebrek was. Het was het tijdperk van de eugenetica waarin theorieën over raszuiverheid in Europa hoogtij vierden en onderzoekers absolute vrijheid genoten. Tijdens de oorlog spreidde de Regelaar zijn talenten tentoon door Russische paarden uit te schakelen.

Na de oorlog kochten wetenschappers als Joseph Mengele en Klaus Barbie hun leven af bij de geallieerden door onderzoeksgeheimen over eugenetica en de Regelaar prijs te geven. Vanaf die tijd werd er uitgebreid onderzoek verricht in high-tech laboratoria. De wereldbazen, het leger, gingen voorop met de nodige proeven in Oeganda, Zaïre en Zuid-Afrika. De heilige Graal? Geavanceerde biologisch-etnische wapens die de immuniteit van geselecteerde menselijke dieren konden breken.

Tegen het einde van het boek dook uit de zee van woorden de naam op van professor Best. Professor Best was een van de wetenschappers die het infame SV40-virus gebruikten om de godin Bacterie binnen te dringen en geavanceerde bacteriofagen voort te brengen. Als minister van Gezondheid zag hij de opzettelijke verspreiding van met het SV40-virus besmette vaccins in grutrepubliekjes door de vingers.

De schrijver daagde de eminente professor uit om het te ontkennen en zijn naam te zuiveren, een initiatief dat, naar ik vreesde, op niets zou uitlopen. Beroepsleugenaars als de vaderlandslievende professor Best zouden nimmer de waarheid erkennen voordat de Almachtige in Washington daarvoor toestemming gaf. President Clinton had zijn verontschuldigingen aangeboden voor het feit dat zwarte Amerikanen in het verleden als proefkonijn waren gebruikt en zou de strijd tegen de Regelaar tot een kwestie van Amerikaanse nationale veiligheid hebben gemaakt, maar hij had nooit toegegeven hoe hij was voortgebracht. Evenmin had hij het beroemde Memorandum 200 herroepen.

De intrede van professor Best in mijn leven had een wonder tot gevolg: ik genas van mijn zelfmoordneigingen. Ik had een hoop om voor te leven. Ik wilde de grote man in zijn eigen tempel ontmoeten, ver van de drukte van het werk. Het ging me er niet om de waarheid als een oude koe uit de sloot te halen. Hij zou wel geen tijd hebben voor dat soort bijzaken. Ik geloofde wat keizer Napoleon zei: 'Je hoeft de waarheid niet te begraven. Je hoeft haar alleen maar op de lange baan te schuiven tot niemand er meer om maalt.'

Als er iets was dat ik met hem wilde bespreken was het wel de ethiek. Bijvoorbeeld de ethiek van het afmaken van tientallen miljoenen apen bij wetenschappelijke experimenten. Was het menselijk dier als aap gerechtigd zijn broers en neven uit te roeien om er zelf beter van te worden? Was het eerlijk om geen gedenkteken op te richten voor de miljoenen gevallenen, wier dood ons leven zoveel beter had gemaakt? Verdiende Afrika een ereplaats aan tafel omdat ze allerlei proefkonijnen had geleverd? Waaraan zou de wereld ten onder gaan: hebzucht, wreedheid of zelfvernietiging? Als hij nog tijd had, zouden we het ook kunnen hebben over patriottisme, de vrijbrief om uit goede overwegingen de verkeerde dingen te doen. Dat had ikzelf ook gedaan. Het zou geen eenrichtingsverkeer worden.

Ik onderwierp Zandberg Hommerts aan een proef. Bij onze volgende afspraak zei ik tegen hem: 'Je moet me helpen om in de villa van professor Best in te breken.'

We zaten in een café op het Centraal Station van Amsterdam. Ik koesterde een glas appelsap en vroeg me af of Zandberg een hond was die wel blafte maar niet beet. Ik was bang dat hij tegen me zou zeggen dat ik mijn eigen zaakjes maar moest opknappen.

'Waarom?'

'Ik wil de sfeer daar proeven.'

'Wil je zijn verrotte lijk in zulke kleine stukjes opblazen dat er snuffelhonden aan te pas moeten komen om ze terug te vinden?'

'Nee.'

'O! Je bent alleen nieuwsgierig! Je moet het me eerlijk vertellen. Ik wil wel weten waar ik in stap.'

'Maak je geen zorgen. Ik ben niet het soort dat anderen de kastanjes uit het vuur laat halen. Ik wil alleen met alle geweld zijn huis van binnen zien.' Ik lachte. Met alle geweld was mijn samenvatting van het beroemdste boek van dr. Henry Kissinger: *Memorandum 200 for the National Security Study of Overseas Population Policy*, neergepend in 1975 en in 1990 beschikbaar gesteld aan het kleingrut van de wereld.

'Ik zal je helpen. Gun me alleen wat tijd. Ik moet te weten komen wat voor beveiliging hij heeft. Het heeft geen zin om bont en blauw geslagen te worden door gewapende bewakers.'

Een maand later konden we een kijkje nemen in het huis van professor Best. Hij bewoonde een villa in de bossen van het rijkeluisgetto Blaricum. Zoals de meeste Pingelandse politici was hij onvergeeflijk slordig met zijn eigen beveiliging. Hij had bodyguards noch bloedhonden en vertrouwde op een alarminstallatie die met overal verkrijgbare apparatuur onklaar gemaakt kon worden.

Zandberg had ons bezoek samen laten vallen met een dienstreis van de professor naar Brussel. We reden erheen in een witte bestelwagen, verkleed als elektriciens. We drongen 's middags het geïsoleerd gelegen huis binnen en kwamen alleen de huiskat tegen, die ons even aankeek en naar boven vluchtte. Vanaf de muur in de zitkamer keken Gods uitverkorenen op ons neer. Professor en mevrouw Best met kinderen en kleinkinderen. Professor Best met de koningin en leden van het koninklijk huis. Professor Best met de Amerikaanse president. Professor en mevrouw Best met de paus. Er hingen zoveel van die engelen dat het me een hele dag zou hebben gekost om op allemaal een naam te plakken. Je kon wel zien waarom er beweerd werd dat de Rolodex van professor Best de meest begeerde van het land was.

We liepen een brede trap met een koperen leuning op naar de eerste verdieping. Zandberg deed de slaapkamer open en ik liep achter hem aan naar binnen. Ik inspecteerde de kamer maar vond geen geweer of zwaard. We keken in een paar laden en een klerenkast. We vonden geen enkel vuurwapen.

Uiteindelijk kwamen we in het heilige der heiligen van de professor, zijn werkkamer. Zandberg vond geen enkel alarmapparaatje, dat verminderde onze gespannenheid, maar niet mijn gevoel dat ik me op gewijde grond bevond. De ruimte stond vol met in leer gebonden boeken, die er meer uitzagen als decoratie dan als leesvoer. Ik ging op het bureau zitten als voorproefje van het moment dat ik terug zou komen als de professor aanwezig was. Op een tafel die me aan een altaar deed denken stond een grote microscoop, een gouden bunsenbrander en één enkel maatglas.

De microscoop overschaduwde al het andere dat ik zag. Dat

was het zwaard waarmee deze engel de oorlogen van de Almachtige uitvocht in de mysterieuze wereld van micro-organismen. Als je je aan de verkeerde kant van dat wapen bevond was je er geweest. Toen ik me de grote man voorstelde terwijl hij voorover gebogen een organisme onderzocht, verbeeldde ik me hoe de Almachtige hem met Zijn vinger in zijn kont zalfde. Elke God, de Godin inbegrepen, penetreerde zijn engelen, tot aan de kut waaroverheen de menselijke genitaliën groeiden. Die was de zetel van wilskracht en gehoorzaamheid, het enige territorium dat goden de moeite van het veroveren waard vonden. Na die gewonnen te hebben gegeven en eeuwige gehoorzaamheid aan de Almachtige te hebben gezworen, werd de engel de wereld ingezonden om het Evangelie te verspreiden. Professor Best had zijn prijs genoemd en zich dan ook aan zijn deel van de afspraak gehouden.

Al met al bleven we twintig minuten in het huis, liepen uiteindelijk door de achterdeur naar buiten, stapten in onze bestelwagen en reden weg. We werden niet door politieauto's met zwaailichten gevolgd. In de buurt hield iedereen zich met zijn eigen zaken bezig.

'Ben je nu tevreden?'

'Ja, heel hartelijk bedankt.'

'Er bestaat een heel netwerk van voormalige actievoerders, die inmiddels eind veertig, begin vijftig zijn. Sommigen hebben zeer goed betaalde banen, sommigen zitten in de bijstand, maar er is maar weinig wat ze niet te pakken kunnen krijgen. Zelfs als je de agenda van een minister of een ton C4 zou willen hebben.'

'Wat is C4?'

Zandberg lachte. 'Een soort springstof. Heel krachtig.'

'Ik moet niets van springstof hebben. Ik wil laserboren en ontstekers om mijn vuur te ontketenen.'

'Dat is geen probleem zolang ik maar mag delen in de lol.'

Bogodisiba voelde zich een beetje schuldig dat ze voor de tweede keer mijn uitnodiging om mee naar Den Haag te gaan had afgeslagen. De volgende ochtend kwam ze naar het Moesigoela-huis. Ze liet zich met haar eigen sleutel binnen en zag dat ik nog lag te slapen. Toen ik mijn ogen opendeed zag ik haar op een meter afstand naar me staan glimlachen.

'Heb ik je wakker gemaakt?'

'Wat een leuke verrassing! Ben je hier al lang?'

'Vijf minuten.'

'Kom hier,' zei ik, en bedacht dat relaties tussen onafhankelijke mensen standhouden door zulke onvoorziene cadeautjes.

Ze ging op de bank zitten, drukte een stevige zoen op mijn lippen en zoog wat van mijn speeksel op. Ik snoof de vertrouwde knoflookgeur op. Voor ons was knoflook de geur van liefde, ontspanning, vrijheid.

Ik nam haar gezicht in mijn handen; het was niet mooi maar vertederend. Ik vond het heerlijk dat ze niet zeurde over een knap uiterlijk dat ze nooit had gehad. 'Heb je me zo gemist, Bogo?'

'Natuurlijk. Heb je goed geslapen?'

'Ja. Hoe was jouw nacht?'

'Als altijd, maar nu voel ik me goed. Was het leuk om de koningin te zien?'

'Nee, maar ik zal je vertellen wat er met de auto van Eugene Victor is gebeurd.' Ik diste alle bijzonderheden op, wat haar aan het schateren bracht. Ze hield van verhalen waarin materialisten in de puree belandden. Door het lachen viel haar haar voor haar gezicht en kwam het in mijn mond. 'Verwend jongetje. Laat 'm in z'n vet gaar smoren,' gierde ze opgetogen. Dat was haar vaste uitdrukking in dat soort omstandigheden. Haar lach bezorgde me een intens genoegen. Ik moest denken aan mijn overleden grootvader en de Schildpad. Wat kon die haar aan het lachen maken! Ik dacht vaak dat de obsceniteiten van de Schildpad een poging waren om grappig te zijn.

Praten werd moeilijker vanwege een ochtenderectie waartegen haar lichaam drukte. Oudere stellen kunnen worden opgedeeld in zij die 's nachts copuleren en zij die het overdag doen. Wij vielen onder de laatste categorie, met een voorkeur voor 's middags, maar we konden niet wachten. Ik opende de slaapzak en trok hem over haar heen met de woorden: 'Kom en blaas mijn smeulend vuur aan.'

'Ja, ja. Daar heb ik zin in.'

'Hoe lang hebben we?'

'Tot drie uur vanmiddag.'

'Waar zie je me voor aan? Een tantraspecialist?'

'Ik neem graag wat jij kunt geven,' zei ze hijgend terwijl ze intens bloosde.

'Vijf minuten en dan verdwijn je uit mijn bed.'

'Je bedoelt dat vermolmde ding vol vlooien en luizen.'

'Vijf minuten is een passende straf voor je verzet tegen je vaders plaatsvervanger op aarde.'

'Ik kom juist om het goed te maken. En maak een beetje voort anders bedenk ik me,' zei ze en bood me haar mond aan.

Ze trok haar wijde broek uit en ik mijn boxer, voorzichtig, om geen lawine van boeken vanaf de rand van de bank te veroorzaken. Meestal neukten we op de grond, maar bij tussendoortjes voldeed de bank ook en dan was het de kunst het te doen zonder de boeken te verstoren. Dat lukte ons aardig want in dit stadium viel er niets nieuws te ontdekken. Het was een zorgeloos wandelingetje over vertrouwd terrein, waarbij de opwinding rees en daalde op vleugen knoflook.

We pasten goed bij elkaar, twee lijfeigenen verenigd onder

het zwaard van Damocles. We hadden elkaar vijf jaar geleden in het Akoegoba-huis ontmoet. De schaduw van de dood tastte onze verhouding niet aan. Het was iets waar we zo min mogelijk aan dachten.

Ik bleef een uur in haar, een genoegen dat niet werd bedorven door de ejaculatie-heffing, zoals ik postorgastische vermoeidheid noemde. Bogodisiba kwam ettelijke keren klaar onder een regen van instortende boeken. Voor straf moest ze koken, wat voor mij ook een straf was, want ik kon beter koken.

'Heb je me nu vergeven?'

'Natuurlijk. Hoe kan ik boos zijn op de plaatsbekleedster van het Goede Wijf?'

'Ik ben je moeder niet. Zo oud ben ik niet.'

'Nou, dan ben je mijn grootmoeder.'

Ze richtte haar hoofd op, keek naar de foto van de Schildpad, trok een vies gezicht en barstte in lachen uit.

We bleven onder de slaapzak, waar ik door de warmte van haar huid lag te zweten. 'Zal ik je iets voorlezen? Wil je iets horen van dr. Barbara Thiering?' Ik las haar vaak stukken voor uit *Jesus the Man*, bijvoorbeeld over het huwelijk van Jezus met Maria Magdalena, zijn echtscheiding en zijn volgende huwelijk met een vrouw die Lydia heette.

'Nee, dank je. Ik wil alleen mijn ogen dichtdoen en van de stilte genieten.'

'Hoe staat het met de vrouwen?' Ze was in een strijd gewikkeld met de gemeente Den Haag, die een groep Ethiopische vrouwen op straat had gezet. Ze kampeerden al die tijd voor het stadhuis.

Met gesloten ogen zei ze: 'Het gaat goed met ze. We zullen zorgen dat ze daar blijven tot de gemeente haar beslissing herziet.'

'Terwijl de koningin het gisteren nog had over het uitzetten van mensen zonder papieren!'

'Ik zei dat ik even rust wilde en nu wil je dat ik in discussie ga.'

'Je gaat me toch niet vertellen dat je door een paar orgasmen uitgevloerd bent. Laat de ejaculatie-heffing maar aan de mannen.'

'Ik heb toch gezegd dat ik vannacht niet goed heb geslapen.'

'Sorry.'

Ze viel in een diepe slaap en begon ten slotte te snurken. Buiten namen de geluiden toe van de stad die tot leven kwam. Er vloog een straalvliegtuig over en het doordringende gegier schond de rust van het Moesigoela-huis. Drie keer per week konden vermoeide passagiers vanuit hun jumbojet genieten van een blik op onze stad. Ik was blij dat Bogodisiba doof bleef voor de muziek van de motoren. Ik wilde dat ze ten volle van haar rust genoot. Over een paar uur zou ik haar wakker maken, haar rug schrobben, ervoor zorgen dat ze haar medicijnen en haar eten naar binnen werkte en haar dan naar het station brengen.

❧

Twee dagen na Bogodisiba's bezoekje nam ik de trein naar Amsterdam. Ik ging naar het Akoegoba-huis voor het tweede gesprek met Sam Matete. Ik keek er echt naar uit en hoopte dat hij dit keer zijn hart zou luchten. In Amsterdam nam ik de metro. Het Akoegoba-huis lag aan de rand van een oud industrieterrein en bevond zich op de begane grond van een gebouw van vier verdiepingen.

Ik liep naar binnen in de hoop dat ik Amidakan zou tegenkomen, maar ze was op pad. Ik haalde bij de receptioniste een paar folders op en liep naar de kamer die ik als mijn kantoor gebruikte. Ik had er een stoel, een bureau en een archiefkast. Ik ging zitten, pakte mijn dossier en wachtte op Sam Matete.

Na een halfuur begon ik me af te vragen of hij nog wel kwam. Ik kon hem op geen enkele manier bereiken. Ik ging het kantoor uit om buiten van de zon te genieten. Ik begon heen en weer te kuieren over het parkeerterrein dat op één auto na leeg was.

Op *Ontbijt-tv* had ik gezien dat de Afghaanse Windhond de inmiddels overbekende foto's van Zandberg en mij bij het Centrum nog steeds gebruikte. De schrik om mezelf op televisie te zien was vrijwel verdwenen. Ik wist dat er een wonder nodig was om ons te kunnen identificeren. De interviewer bleef eindeloos op dat punt hameren, waardoor de Afghaanse Windhond herhaaldelijk ongemakkelijk met haar ogen knipperde. Ze zag eruit als iemand die niet meer geloofde in wat ze deed.

De vraag die de hele uitzending door mijn hoofd bleef spoken was: 'Wat nu?' Het gevoel van mislukking dat in Den Haag was begonnen was niet afgenomen. Ik wilde het voor mezelf goedmaken.

Na een uur parkeerwachten zag ik Sam Matete aankomen. Hij was een forse, lange, slungelige man. Hij droeg een spijkerbroek en een colbert. Hij slenterde als iemand die een avondwandelingetje maakt. Dat geslenter irriteerde me. Het was het loopje van een man zonder verwachtingen. Ik keek ijzig naar hem en wilde dolgraag mijn irritatie luchten. Ik hield me in omdat ik de jager was die de grillen van de prooi voor lief moest nemen.

'Goedemorgen, Sam,' zei ik vriendelijk.

'Goedemorgen.'

Ik wachtte tot hij een reden gaf dat hij zo laat was, maar hij zei niets. 'We hadden meer dan een uur geleden afgesproken.'

'Ik ben er toch?'

Zijn toontje stond me niet aan, maar ik slikte mijn ergernis in. Ik hield mezelf voor dat hij de laatste twee jaar niets had uitgevoerd. Niet bijster bevorderlijk om je punctueel aan afspraken te houden. Ik nam hem mee naar mijn kantoor en bood hem een stoel aan.

'Mijn grootste probleem is dat ik zoiets van tienduizend dollar schuld heb. Ik heb van mensen geld gekregen om ze auto's te sturen, maar het is op. Hoe moet ik het terugbetalen?'

'Die vraag kan ik niet voor je beantwoorden, Sam.'

'Met die schuld boven mijn hoofd heb ik geen rust. Ik weet niet eens waarom ik hier ben.'

'Het is mijn werk om naar je verhaal te luisteren en een oplossing te zoeken voor problemen waaraan dit huis iets kan doen.'

'Ik kan aan niets anders dan die schuld denken. Mijn leven kan me niet meer zoveel schelen. Als het te gek wordt maak ik er een eind aan.'

'Dat is niet nodig. Er zijn wegen die we kunnen bewandelen. Eerst moet je naar een dokter.'

'De Belgen hebben mijn vingerafdrukken genomen. Eén blik in de computer en mijn aanvraag wordt afgewezen. Je zult begrijpen waarom ik momenteel alleen maar aan die tienduizend dollar kan denken. Als ik aan dat geld zou kunnen komen, zou ik er niets op tegen hebben om naar huis terug te gaan. Maar hoe kan ik naar huis zonder geld en zonder auto's?'

'Zoals ik al zei hebben we niet meteen een antwoord op het geldprobleem. Het enige wat ik te bieden heb is de mogelijkheid om een dokter en een advocaat te raadplegen.'

'Best,' zei hij met tegenzin en uitgebluste ogen.

'Ik heb meer informatie nodig. Waarom ben je uit je land

weggegaan? Wat voor soort gevaar liep je er? Wanneer wist je dat je de Regelaar had opgelopen? Dat heb ik allemaal voor je dossier nodig.'

Sam Matete verloor alle belangstelling. 'Ik heb je verteld dat ik scheikundige was. Toen de invasie van Oost-Congo begon besloot ik naar België te gaan. Ik ken een paar mensen in Brussel, maar van dat plan kwam niets terecht. Het is een grote rotzooi.'

'Dat is het standaardverhaal waar iedereen mee aankomt,' zei ik enigszins gepikeerd. De rijkdom aan details die Wayne Madsen in zijn boek had opgenomen over de invasie maakte Sam Matetes kale versie tot een karikatuur van de werkelijkheid. Ik had zin om hem een klap in zijn gezicht te geven.

'Wat bedoel je met standaardverhaal? Het is míjn verhaal,' zei hij uitdagend.

We bleven twee uur lang over dat soort kleinigheden stechelen. Ik kwam tot de slotsom dat Sam Matete alleen was gekomen voor de nodige aanbevelingsbrieven. Volgens de regels had hij niet voldoende informatie verstrekt om aanspraak op hulp te maken. Maar ik gaf hem zijn zin.

Ik keek hem na toen hij met datzelfde lusteloze loopje mijn kantoor verliet. Ik had de pest in over die tienduizend-dollarriedel en over het feit dat ik met zoveel verwachtingen was gekomen die geen van alle waren uitgekomen.

Toen Sam Matete was vertrokken ging ik naar huis.

❦

Rampen kwamen in Pingeland nooit voor, omdat er zoveel middelen waren om ze af te wenden, maar de voorbode van de komende opschudding was de verschijning van de minister van Justitie op de televisie om een agressievere campagne in te luiden. Hij had zich gedeisd gehouden nadat hij het publiek niet had weten te verkopen dat een muilkorf een veilig middel was om te voorkomen dat gedeporteerden naar de Blonde Baretten gingen bijten, spugen en schreeuwen. Artikelen in de kranten, ingezonden stukken en oppositie in het parlement hadden hem doen besluiten het ding zelf op te zetten om te laten zien hoe veilig en humaan het was. Maar het beeld dat bij menigeen was blijven hangen was het bolle, in een muilkorf geperste gezicht van de minister met ogen die uitpuilden zodra hij probeerde te glimlachen. De aanblik was zo afzichtelijk geweest dat hij de strijd had verloren.

Dat was twee jaar geleden. Nu was hij terug op de buis. Het was kennelijk tot hem doorgedrongen dat de belofte om de brandstichters te grijpen niet voldoende was. Het publiek had echte afleiding nodig, die hun aandacht vasthield en hen geruststelde. Uiteindelijk was de belangrijkste functie van zijn ministerie het volk ervan te verzekeren dat gerechtigheid er iets toe deed. Bogodisiba noemde het dan ook graag het ministerie van Nationale Geruststelling.

Ik keek niet op van de acties van de minister, want ik huldigde niet het misleidende standpunt dat politici geen ruggengraat hebben. Als je geen roestvrij stalen ruggengraat had kon je niet het soort beslissingen nemen waar de minister van Justitie iedere dag voor stond, want welke kant hij ook koos, iemand kreeg klappen. Wilde je je dagelijks van je taak kwijten dan had je wel meer dan één ruggengraat nodig: hij moest met zo veel kiezers rekening houden, zo veel belangengroepen tevreden stellen of manipuleren of beide. In het beste geval zag ik de edelachtbare als een yogi die zich in de uitzonderlijkste bochten kon wringen zonder zijn kostbare ruggengraat te breken.

De Neushoorn, zoals ik deze heer met de omvang van een sloep en een stem als een misthoorn noemde, maakte zijn televisiedebuut op RTL 99, de grootste rivaal van RTL 55, in *Spervuur*, een actualiteitenprogramma met de reputatie politici en beroemdheden op de pijnbank te leggen tot ze niet meer wisten waar ze het moesten zoeken, hoewel er werd gefluisterd dat de meedogenloosheid gespeeld en goed gerepeteerd was en gasten vooraf een vragenlijst kregen om hen in staat te stellen goed uit de verf te komen.

Iedere keer als de grijzende journalist met zijn kleine oogjes en lange kin een aspect van de brand in het Centrum aanstipte, veegde de Neushoorn alle vragen met een 'Het onderzoek loopt' van tafel. Al snel zette hij de toon voor het vraaggesprek.

'Ik heb vanavond geweldig nieuws,' zei hij met zijn harde, heldere stem en een blik op de journalist alsof het hem niet kon schelen dat hij daar zat. 'Het aantal proteïnezoekers dat in ons land een verblijfsvergunning aanvraagt is gehalveerd. Dit is voor het eerst in twintig jaar dat het aantal aanzienlijk is teruggelopen. De dagen dat de Arbeidspartij heulde met mensensmokkelaars om ons land met proteïnezoekers te overspoelen liggen achter ons.'

'Excellentie, waarom komt het ministerie daar nu mee?'

De Neushoorn glimlachte met nauwelijks bewegende gezichtsspieren. 'We hebben zojuist de cijfers binnengekregen. Anders dan de Arbeidspartij doen wij nooit uitspraken die we niet kunnen staven. We wachten liever, ook al halen we ons daar beschuldigingen van traagheid mee op de hals. En ik kan u verzekeren dat we zeer binnenkort kampen gaan sluiten, omdat er al gauw heel wat leeg zullen staan. We starten deze fase van de operatie door Kamp Cabinda op te doeken. Wij bedrijven democratie op klaarlichte dag. De gebeurtenis zal rechtstreeks worden uitgezonden.'

'Mag ik...'

'Daarna lanceren we het charterproject onder de naam Operatie Stalen Kaken. Daarmee neemt deze regering een initiatief dat vruchten zal afwerpen. De Arbeidspartij heeft miljarden aan belastinggeld verspild door proteïnezoekers op commerciële lijnvluchten naar huis te sturen, met grote overlast voor de belastingbetalende reiziger. Dat is afgelopen. Binnenkort gaan Duitsland, Frankrijk en België chartervluchten inzetten. Met ieder vliegtuig worden minstens dertig mensen naar huis gebracht. Met elke vlucht zullen de aantallen worden opgevoerd. Dat bespaart tijd, dat bespaart geld en is een stimulans voor een nauwere samenwerking tussen de lidstaten van de vse.'

'Excellentie, probeert u op deze manier niet de aandacht van de brandstichters af te leiden?'

'De individuen op wie u doelt hebben geen dialoog tussen de lidstaten tot stand gebracht. Dat hebben wij gedaan. Zij hebben niet de naam Stalen Kaken bedacht. Dat hebben wij gedaan. Zij zitten hier niet met u aan tafel. Dat doe ik. We hebben de toestand onder controle.'

De Neushoorn sprak alsof hij nog zo'n tienduizend andere verrassingen achter de hand had. Hij suggereerde dat hij terughoudend was geweest bij de uitvoering van veel van de wetten waarover hij beschikte. Dat klopte, want in de afgelopen twintig jaar waren er duizenden wetten uitgevaardigd of geamendeerd om proteïnezoekers van hun rechten te beroven. Duitsland had het voortouw genomen en als Duitsland de weg wees, volgde de rest van Europa. Nu het Duitse schuldgevoel over de oorlog was verdwenen, was het een buitenkans voor Europa om met wetten te komen, proteïnezoekers uit te zetten en de xenofobische kaart te spelen.

De Neushoorn was in de eeuwige paneldiscussies een geduchte bedreiging voor linkse tegenstanders. Hij veegde de vloer met ze aan door veelzeggende statistieken te koppelen aan de gave van het woord. Terwijl ik naar zijn optreden keek, hield ik mijn hart vast voor de klanten van het Akoegoba-huis. En als ze, zoals Sam Matete, een hooghartige houding aannamen, zouden ze de grootste moeilijkheden krijgen. Deze man was er kennelijk op gebrand ze koste wat kost naar huis te sturen.

De Neushoorn voegde de daad snel bij het woord. Een week na zijn televisieoptreden zette ik RTL 55 aan en werd begroet door de stroblonde verslaggeefster die ons voor het programma mee zou nemen naar Kamp Cabinda. Ik kende de plek; ik was er tot twee keer toe geweest om met een cliënt te praten die we het proteïnezoekersstelsel hadden binnengeloodst.

Cabinda was een kamp in de rimboe op tweehonderddertig kilometer van Amsterdam. Het lag op een open plek midden in dichte bossen met bomen met rechte stammen en brede kruinen. Het was gebouwd als een kopie van het Duitse Zwarte Woudkamp, om zo proteïnezoekers te ontmoedigen naar Pingeland te komen. Overheidsplanologen dachten dat de geïsoleerde plek proteïnezoekers zou dwingen vrijwillig naar hun land terug te gaan. Dat was een lachertje en een grove onderschatting van de veerkracht van proteïnezoekers.

Kamp Cabinda was het grootste woonwagenkamp van Pingeland en uit de lucht gezien leek het of een importeur van caravans om een duistere reden zijn handel in de rimboe had achtergelaten.

RTL 55 toonde beelden van politieauto's die met megafoons binnenreden en de bewoners opriepen om binnen dertig minuten het kamp te ontruimen. Het was tien uur. Het licht van een mild zonnetje in een blauwe lucht gaf het bos een iets vriendelijker tintje. Politieauto's met zwaailichten op het dak reden over de paden tussen de caravans om hun boodschap uit te brullen.

Mannen, vrouwen en kinderen kwamen met sombere gezichten te voorschijn en begonnen met bundels in de hand of tegen zich aan gedrukt naar een bungalow met een wit dak te lopen dat dienst deed als administratiegebouw. Ze verzamelden zich in kleine groepjes die door de stroblonde vrouw op zoek naar een vraaggesprek werden verbroken. In haar kielzog volgden meer verslaggevers.

Terwijl ik probeerde te zien of er iemand bij was die ik kende, rukte de eerste colonne oproerpolitie op met enorme plastic schilden, glanzende knuppels, traangasgranaten en pistolen. Ze dreunden met hun grote laarzen over het asfalt, hun hoofd verborgen onder enorme helmen. Ze marcheerden door de poort en verspreidden zich naar de uiteinden van het kamp tot ze het hele terrein hadden omsingeld en iedereen ingesloten. De mannen hadden iets robotachtigs, wat hen onderscheidde van gewone politiemensen. Woorden gebruikten ze niet, behalve in de vorm van een bevel.

Ze voerden me terug naar mijn tijd als politieman, als we op het punt stonden een huis dat we lang in de gaten hadden gehouden te bestormen en een bende op te rollen. In die tijd had ik meer speelruimte dan deze mannen, van wie ik zeker wist dat de meesten nog nooit iemand hadden doodgeschoten. Hoe superieur ook, daarin waren ze inferieur; waarmee weer eens werd aangetoond dat waar je het eerste aantreft algauw het laatste zult vinden. Ik had ze een paar keer met die gladde knuppels naar voetbalvandalen zien uithalen. Ik vroeg me af wat er vandaag zou gebeuren.

Ik zag dat een groep blanken, vier mannen en twee vrouwen, met borden zwaaiden waarop de sluiting van het kamp machtsmisbruik van de Neushoorn werd genoemd. Een stel zwarte mensen, vijf in getal, sloot zich met geheven vuist en luide stem bij hun blanke collega's aan. Het 'We Shall Overcome...' steeg een tikkeltje onvast naar de hemel op, alsof de zangers maar al te goed wisten hoe weinig ze konden uitrichten.

Een halfuur na de komst van de eerste politieauto, stopten bulldozers voor het hek, hun tanden gericht naar de plompe witte caravans. Daarmee kwam een einde aan alle waarschuwingen en de oproerpolitie begon de kring te verkleinen, de strop aan te trekken. Op hetzelfde moment klonken er schoten. Een paar man van de oproerpolitie schoot met hun pistool in de lucht. Dat was de eerste keer in de geschiedenis van de proteïnezoekers dat er schoten werden gelost om ongewapende mannen en vrouwen die geen openlijk verzet pleegden te intimideren.

In het verleden hadden politieagenten, mannen, vrouwen en transseksuelen, op messentrekkende proteïnezoekers geschoten, maar dit was een niet uitgelokt vertoon van geweld, symbool van de kruistocht voor Blaatpans normen en waarden. Oproerpolitie marcheerde door het kamp, klopte op deuren en zorgde ervoor dat iedereen naar buiten kwam.

Toen de cirkel zich sloot, werden er nog meer schoten in de lucht gelost om de paar proteïnezoekers te verwijderen die met de pers stonden te praten of bij de poort wachtten. Met hun bundels tegen zich aan geklemd vluchtten mannen, vrouwen en kinderen voor het gedaver van de ijzerbeslagen laarzen uit. De oproerpolitie vertrok in lange colonnes en duwde in hun opmars de proteïnezoekers door de poort naar buiten, gevolgd door cameraploegen en de helikopter van RTL 55 die al hun bewegingen registreerden.

Ik zag de eerste bulldozer langzaam oprukken en zijn tanden in de betonnen fundering zetten. Met het grootste gemak lichtte hij de witte caravan op, waarvan de zwarte schoorsteen als een verlamde arm in zinloos protest was geheven. Het geluid van krakend metaal vulde de luidsprekers. Daarop volgde het geluid van klappende en juichende regeringsaanhangers. De camera bracht de extatische gezichten in beeld die wachtten tot de volgende caravan werd vermorzeld. De andere bulldozers zetten zich in beweging en een voor een werden de fragiele huizen door de krachtige grijpers opgepakt, omver gegooid en verpletterd. Door het lawaai dat de machines voortbrachten klonk de stem van de stroblonde vrouw als het onbeduidend gepiep van iemand die in een storm staat te praten. Woorden waren overbodig. De daden spraken voor zich.

Het administratiegebouw was voor het laatst bewaard. Het werd aangepakt met een gigantische ijzeren sloopkogel die van een vrachtwagen zwaaide. Hij beschreef wijde bogen, ramde tegen de muren en ontlokte luid gejuich aan de kelen van de regeringsaanhangers. De ronde gaten werden steeds groter, tot er een muur instortte en het dak naar beneden kwam. Het gejuich zwol aan en overstemde bijna het gegier van de motor. Tien minuten later was het gebouw verleden tijd. Bulldozers maakten zich meester van het puin.

De laatste fase vormde het opbreken van de asfalt- en betonlaag die de eerste ronde had weerstaan en het keren van de lichte grijze grond. Kamp Cabinda werd teruggegeven aan de natuur; er zouden bomen worden geplant en struikgewas zou zijn plek weer opeisen.

Het was altijd een afknapper wanneer er een eind kwam aan dit soort live reportages. Je had het gevoel dat je bord werd weggehaald nog voor je was uitgegeten. Je bleef zitten met een gierende eetlust die schreeuwde om meer. Er bleven veel vragen onbeantwoord: Wat zou er met de proteïnezoekers gebeuren? Welk kamp was nu aan de beurt? Hoe lang zou dit doorgaan?

Ik pakte de afstandsbediening en keek hoe de verslaggeefster met vochtige ogen en een wanhopig gezicht aankondigde dat de uitzending was afgelopen. Kennelijk nam ze met tegenzin afscheid. Maar ik wilde niet zappen, al wist ik dat er op andere netten schietpartijen, ontploffende bommen, belegerde criminelen, oorlogen, hongersnood, koks die fotogenieke maaltijden bereidden en nog heel veel andere interessante dingen te zien waren.

Ik bedacht dat de Neushoorn een overwinning had geboekt. Hij had zijn doel bereikt. Hij had bij het publiek de eetlust gewekt voor de start van Operatie Stalen Kaken. Ik keek ernaar uit, want dan kwam majoor Aarssen in actie.

Ik zette mijn beste vriend uit en besloot een wandeling te gaan maken. Televisiekunst is zinloos tenzij je het voorgeschotelde kunt herkauwen. Dat had ik nodig nu de toekomst zich ontvouwde.

❧

Aan weinig dingen beleefde ik zoveel plezier als aan mijn dag in de BV Zoethouderij, zoals ik het kantoor van de bijstand noemde. Het was een regelrechte drama-injectie waardoor mijn bloed ging bruisen van energie en mijn gedachten zich verrijkten met woorden en beelden. Proteïnezoekers noemden langdurige uitkeringstrekkers 'bijstandsratten' en tijdelijke 'bijstandsmuizen'. Ik was een bijstandsrat. Net als een rat zaaide ik niet, maar oogstte ik. Ik mocht graag van andermans zweet eten in ruil voor het hooghouden van de fakkel van verzet tegen de grootschalige verspillingscultuur, waardoor alles kort na aankoop al verouderd was. De ware betekenis van een verzorgingsstaat is andere mensen voor de verandering eens voor jou te laten zorgen. Per slot van rekening wordt hij ook in stand gehouden door miljarden straatarme mensen die hun natuurlijke rijkdommen afstaan en als proefkonijn dienen voor zijn politieke, biomedische, economische en andere experimenten.

In mijn tienjarige chauffeursbestaan werd ik achterna gezeten door de belastinginspecteur, die dreigbrieven stuurde als ik achterstallig met betalen was en met de stok van beslaglegging op mijn eigendommen zwaaide als ik in gebreke bleef. Het was een legale vorm van afpersing en ik zwoer dat ik ertegen in opstand zou komen. Nu waren de rollen omgedraaid: van een kale kip kon hij niet plukken.

Er waren weinig plaatsen waar je minder- en meerwaardigheidscomplexen zo aan het werk kon zien als in de BV Zoethouderij. Onder de absolute bovenlaag van het leger speelde zich een enorm getouwtrek af om tot de subsuperieure lagen te behoren, waarbij elk individu om de kruimels en zo veel mogelijk ondergeschikten vocht.

De meerderheid van de bijstandsmuizen en -ratten liep in kringetjes rond op zoek naar een uitweg uit de doolhof. Ze bevonden zich aan de onderkant van de samenleving, waar ze gelijk of bijna gelijk stonden met proteïnezoekers en verstandelijk gehandicapten, niet bij machte om ten volle deel te hebben aan de massaconsumptie. Ze waren mislukkelingen omdat ze in dit tijdperk van het kind geen Nikes en geen hightech mountainbikes voor hun dierbare kroost konden betalen. Evenmin konden ze zich laten verleiden tot nieuw speelgoed voor zichzelf. De orgastisch anorectisch-boulimische vrouwen in de advertenties glimlachten niet naar hen; de steroïde slikkende atleten die talloze producten aanprezen richtten zich niet tot hen. Creditcardmaatschappijen en banken zeurden hen niet aan hun kop om vandaag contant geld op te nemen en morgen pas te betalen. Het was een persoonlijke ramp voor iemand met onbevredigde lusten, onvervulde dromen en een gammel gevoel van eigenwaarde.

Blaatpans regering had de bijstandsmeesters, of 'reptielen' zoals wij ze noemden, voorzien van een overvloed aan instrumenten om hun 'improductieve' kudde in het gareel te houden.

Dat stond in schril contrast met de jaren zeventig en tachtig, toen armoede nog geen strafbaar feit was. Maar nu het najagen van rijkdom nog de enige grote godsdienst was en ongelovigen het gevoel werd aangepraat dat ze melaats waren, legden de reptielen je telkens wanneer je kwam opdraven het vuur na aan de schenen. Wanneer ga je nou eens uit de steun? Wanneer kan je naam uit het dodenboek worden geschrapt? Wil je geen held worden? Hoe lang wil je nog als buitenstaander, als maatschappelijke mislukking aan de kant blijven staan?

Voor de bijstandsratten hadden ze een speciale afkeurende blik waaruit af te lezen viel: 'Ben je daar weer, schaam je je niet om door de samenleving te worden onderhouden tot er aan je ellendige bestaan een einde komt? Ben je blind? Ben je lam? Heb je geen zelfrespect?'

Ik was een expert geworden in het lezen van zulke veelzeggende blikken en kon hun gif met één vingerknip verdunnen, wat de reptielen pisnijdig maakte.

In de krant van gisteren stond een voorstel van de Arbeidspartij om bijstandsmuizen en -ratten die zichzelf vergaten en zich misdroegen door op tafels te slaan, dreigementen te uiten of te vloeken gedurende drie maanden hun uitkering te onthouden om ze een lesje te leren. Dat was geen verrassing, aangezien de Arbeidspartij in Pingeland onder druk stond om zijn tanden te laten zien en te bewijzen dat het niet langer de partij was van socialistische watjes en defaitistische saloncommunisten, maar van no-nonsense kapitalisten die ook graag uit de rode cijfers bleven.

Ik vond het vermakelijk dat politici, die ook gewoon reptielen waren, de armen een gevoel van minderwaardigheid probeerden aan te praten. Volgens mij was de bijstand gewoon een zoethoudertje in een keten van zoethoudertjes die de overheid uitdeelde om de status quo te handhaven, met name haar monopolie op machtsgeheimen. Iedereen profiteerde ervan: de overheid gaf bijstand aan de gezondheidszorg en haalde de angel uit de ziektekosten, die hele gezinnen aan de rand van het bankroet zouden hebben gebracht; de overheid keek een andere kant op terwijl er voor miljarden werd gefraudeerd in de zorgverzekering, vaak door respectabele geneesheren, tandartsen, ziekenhuizen en patiënten; de overheid gaf bijstand aan het onderwijs om kinderen selectief feiten voor te kauwen en er voor eeuwig pleitbezorgers van de Macht van te maken; de overheid gaf bijstand aan het leger, de grootste oplichtersbende, om de superieuren zoet te houden met het allerduurste speelgoed en staatsgrepen te voorkomen.

Na het leger plukten de rijken de meeste vruchten van dit systeem. Ze werden op alle mogelijke manieren in staat gesteld hun vaginanijd om te zetten in pompeuze, egovergrotende projecten. De overheid hield hen zoet met alle mogelijke ondernemerssubsidies, protectionistische handelspolitiek, wegen, vliegvelden, vergunningen, belastingverlichting, propaganda en allerlei andere vormen van steun.

De criminele klasse kon vrijelijk stelen, roven, drugs verhandelen om er vervolgens met weinig of geen straf vanaf te komen; het was bijstand van het zuiverste water voor eenieder die het lef had de oogst binnen te halen. Wie schreef voor dat de overheid die bijstand in de zak van iedere ontvanger moest stoppen? Zoethouderij, de vicieuze voor-wat-hoort-watcirkel, was niet altijd een kwestie van verwennerij.

De slotsom was dat iedereen te eten had en tot op zekere hoogte tevreden was. Het nettoresultaat was dat er in Pingeland geen extremistische partijen waren. De burgers bemoeiden zich niet met overheidszaken en negeerden misdaden van de regering in binnen- en buitenland om de zoete stroom van de bijstand gaande te houden.

Terwijl bedrijven zich te buiten gingen aan een orgie van fusies met als boodschap dat groot goed was, stroomlijnde Blaatpans regering haar wapenarsenaal. De bijstand was niet langer in handen van stedelijke overheden, hij werd gecentraliseerd.

Ik nam de trein naar Haarlem en merkte dat niet alleen op stiptheid maar ook op properheid werd bezuinigd. Afvalbakken waren overvol; rokerscoupés, die spoedig zouden worden opgeheven, stonken als varkenshokken. Een stel ondernemende jongeren had het leer van banken gesloopt en de wanden bespoten met obsceniteiten die de Schildpad haar verzorgers maar wat graag naar het hoofd had geslingerd.

Alsof ze de passagiers vanwege de smerigheid wilden ontzien, liepen de conducteurs wezenloos en apathisch door de gangpaden zonder de kaartjes te controleren. De arme drommels waren over veel dingen ontevreden. Ze organiseerden vaak stakingen, eisten betere werkomstandigheden, klaagden over treinen die zo vol waren dat je nog geen mes tussen twee reizigers kon schuiven, ze eisten grotere veiligheid op de trajecten, vooral 's nachts, omdat gevallen van geweld en belediging, vaak tegen hen gericht, waren toegenomen. Het was een enorme afgang voor hen die bij de vroegere spoorwegen hadden gewerkt, die met weemoed de 'Rolls Royce' van Pingeland werden genoemd.

Het viel me op dat tegenwoordig steeds meer vrouwen de kaartjes knipten, sommigen ouder dan Bogodisiba, sommigen jong genoeg om haar dochter te zijn. Er waren een paar gekleurde conducteurs, mannen en vrouwen wier tongval door de coupés schalde en soms op de lachspieren werkte als ze moesten omroepen welk station in aantocht was.

Vanaf het station nam ik een bus, die schoner en rustiger was, wat niet betekende dat bussen van geweld verschoond bleven. In de grote steden deden incidenten met messen en vuurwapens zich juist op de bussen voor. Busreizigers hadden ook nog andere grieven. Duizenden lijnen waren aan het begin van het jaar opgeheven. Het begon een nieuwjaarsgebruik te worden om buslijnen te schrappen. De overheid, die alles op alles zei te zetten om het openbaar vervoer aantrekkelijker te maken, had in haar grote wijsheid en hang naar normen en waarden besloten om als eerste stap in die richting het aantal bussen terug te brengen.

Mijn bus zette me veilig af, bij het optrekken rekte de balgverbinding gevaarlijk op.

Het kantoor van de bijstand zat in een nieuw, glanzend gebouw dat er uitzag alsof het van nat glas was opgetrokken. Het had tien verdiepingen en straalde de macht uit van een sterke arm van de overheid.

Dit deel van de stad bruiste van energie, alsof iedereen op weg was naar een belangrijke afspraak. Hoge glanzende gebouwen, kennelijk ontworpen door architecten met hetzelfde glasfetisjisme, waren erg in zwang. Sommige waren blauw, andere zilver, weer andere rood. Als je de architectuur zag, kon je moeilijk het gevoel onderdrukken dat gebrek aan fantasie en een onvermogen om los te komen van haar Amerikaanse meesters overheerste. Ik hield meer van de oudere gebouwen, omdat ze er traditioneel uitzagen en ontvankelijker waren voor de vernietigingskracht van benzine.

Ik keek uit naar mijn binnenkomst in het bijstandskantoor. Ik genoot altijd van de eerste, onbevooroordeelde indruk van een ruimte. De uitdrukkingen op de gezichten, de lichaamstaal, het licht, de temperatuur, de geur; dat subtiele mengsel van factoren dat een ruimte uniek maakte of in elk geval onderscheidde van een andere.

Het bijstandskantoor was in tweeën verdeeld: een afdeling met blankhouten balies, waarachter de reptielen als halsrechters troonden, en een grote afdeling met knipperende computer-schermen met personeelsadvertenties. Op de banenmarkt was het sleutelwoord in de vette jaren 'ervaring' en in de magere jaren 'leeftijd'.

Ik heb geen werkervaring en ik ben leeftijdloos, dacht ik met een grijnslach naar de schermen op de blankhouten tafels met aluminium poten.

Ik keek om me heen naar de rusteloze, bloedeloze gezichten; de bijstandsmuizen, die verwachtten dat ze de molensteen van de armeluissteun snel af konden leggen, haalde je er meteen uit. Op hun gezicht stond groot geschreven: ik-hoor-hier-niet-thuis-dit-is-een-tijdelijke-terugslag. Doorgaans kwamen ze vroeg, in de hoop dat ze niet door bekenden werden gezien. Ze zorgden ervoor dat ze een goed pak en keurige schoenen droegen, alsof de reptielen zich lieten intimideren of imponeren door iemand die zijn uiterste best deed op vergane glorie te teren.

Ik kreeg zin om te giechelen, vooral toen een paar bijstands-muizen naar me keken alsof mijn nabijheid hen zou besmetten met de vitusdans. Ik vond het niet te moeite om hun kwaadwilligheid te beantwoorden en evenmin om te gaan zitten. Ik bleef staan waar ik stond en wachtte.

Toen ik aan de beurt was, werd ik geholpen door een wat oudere, kalende man met waterige, groene ogen, die eruitzag of hij aardig wat tijd besteedde aan de studie van de inhoud van drankflessen.

'Waar zijn uw laatste sollicitatiebrieven?' Zijn ogen kwamen niet eens van het scherm af, waardoor het leek of hij niets had gezegd en alleen hardop dacht. Hij tikte op het toetsenbord, pruilde, tikte en bleef naar het scherm turen. Hij deed me denken aan een besluiteloze biljarter die een strategische stoot moest maken.

Groenoog nam de belangrijkste persoonlijke gegevens door: specificaties van geldopnamen, rechtstreekse overboekingen, huursubsidie en nog veel meer. Hij controleerde of ik Bevert had verlaten en lang op reis of op vakantie was geweest.

De overheid verwachtte van me dat ik in Bevert bleef en haar geld daar uitgaf. Ik was een gevangene van het systeem, onder toezicht en onder de duim van overheidsambtenaren. Maar wie niet? Ik begreep best waarom veel aan gemeenplaatsen en zelfmisleiding gekluisterde bijstandsmuizen die situatie niet aankonden. Ik begreep waarom veel voormalige bazen een hartaanval kregen nadat ze waren ontslagen. Als je deze mate van controle niet met een harde instelling tegemoet trad, kon je in elkaar klappen.

Zo te zien verliepen de zaken voor Groenoog niet lekker. De computer weigerde zijn bevelen te gehoorzamen of gehoorzaamde niet snel genoeg. Hij keek naar zijn collega's, die kennelijk ook de medewerking van het computersysteem probeerden te krijgen. Daarop volgde iets dat als een lange inademing klonk. Dat kwam van het apparaat. Het scherm was leeg geworden.

De uitdrukking op het gezicht van de man was komisch en hij keek alsof hij zojuist te horen had gekregen dat hij de Regelaar had opgelopen.

'Hij flikt het weer. Het spijt me.' Groenoog zag eruit of hij op zijn donder had gehad, bijna weer menselijk.

'Wie?' Ik probeerde belangstellend te klinken in de hoop dat ze met een saboteur te maken hadden uit de gelederen van wat Rekken Trent de planten van Pingeland noemde.

'Het computersysteem. Amper een jaar oud, maar...' De laatste woorden kon hij kennelijk niet over de lippen krijgen. Misschien besefte hij dat iemand die van een uitkering leefde, op zijn best een lastpak, niet de aangewezen persoon was om tegen te zeggen dat computersystemen van tweehonderd miljoen euro het ook wel eens lieten afweten, wat nog niets was vergeleken bij het computernetwerk van de politie dat twee miljard euro had gekost maar was afgeblazen nadat het niet aan de praat te krijgen was.

'Het spijt me, maar u zult geduld moeten hebben tot we hem weer in orde hebben.' Groenoog leek oprecht van streek. Ik nam aan dat hij tot het uitstervende mensenras behoorde dat hun baan als de spil van hun bestaan beschouwde.

Ik probeerde onverschillig te kijken in een poging een lach en een scheet te onderdrukken, dat laatste zonder succes. Je moest het de autochtonen nageven: ze maakten er nooit ophef over hoezeer de scheet ook stonk. Ze waren ware aanbidders van de god Rectum. Ik vond dat we nu quitte stonden. Ik liep weg en liet het kantoor over aan zijn technische verwarring.

Mannelijke en vrouwelijke reptielen fluisterden of spraken samenzweerderig, alsof ze een publiek geheim wilden bewaren. Een of twee van hen keken boos. Ze hadden midden in belangrijke bezigheden gezeten die gestaakt en weer helemaal overgedaan moesten worden. Het kon wel uren duren voor ze weer aan de slag konden en het superioriteitsgevoel zouden hervinden dat hun hart en geest streelde. Ik hoorde een paar bijstandsratten vloeken, het slag dat zich maar beter kon gedragen als ze niet wilden dat hun uitkering voor drie maanden werd ingetrokken. Ik zou willen dat Bogodisiba, ook een bijstandsrat, mee was gegaan. We zouden er samen hartelijk om hebben gelachen.

Het was twee uur. Ik liep naar buiten de zon in, ging op de trappen zitten en slikte met veel water wat medicijnen weg. De BV Zoethouderij had prachtige toiletruimten, ook ten behoeve van de lastpakken die ze moesten afhandelen, dus ik was niet bang dat ik gekweld zou worden door een overvolle blaas. Ik zat daar te kijken naar de weg, de schriele bomen en de helderblauwe lucht waarin geen wolken of vogels langskwamen.

Auto's snorden voorbij, allemaal buitenlandse merken. Bogodisiba zou me verfoeien omdat ik dat feit constateerde. Zij deed of auto's geen identiteit hadden.

Na een uur liep ik naar het bijstandskantoor terug. Ze hadden de computers nog steeds niet aan de praat. Groenoog verontschuldigde zich weer. 'Ze zijn er nog mee bezig. Misschien kunt u morgen terugkomen.'

Ik vond het niet erg om te wachten. Ik vond het niet erg om toe te kijken hoe de wereld in de weer was. Ik had geen andere ambitie dan te leven en over mijn tijd te beschikken zoals het mij uitkwam. Ik had ervoor gekozen de resterende uren daglicht zo nodig met hen door te brengen.

Twee uur na onze eerste ontmoeting was Groenoog weer in zijn element. De kwetsbaarheid was uit zijn ogen verdwenen. 'De sollicitaties. Ik had u gevraagd om recente sollicitatiebrieven over te leggen, meneer.'

'Ik ben nu eenmaal ongeschikt voor een betrekking.'

'We hebben buschauffeurs nodig, tramconducteurs en bedieningsmachinisten. U kunt toch wel in een tram kaartjes stempelen?' Er sloop een luchtige klank in zijn stem, bijna ongerijmd met de strenge houding die zijn baan tegenwoordig vereiste, maar die hij volgens mij als vriendelijk beschouwde. Hij moest moeite doen om over te schakelen naar de harde aanpak. Dat hoorde bij zijn werk en er wachtte een fikse premie voor hen die het grootste aantal bijstandsratten weer aan het werk kreeg.

'Ik ben niet inzetbaar.'

'Het regeringsbeleid is heel helder op het punt van uitkeringen. Het doel is om een partnerschap te vormen. Niet om één partij voor altijd afhankelijk te maken. Ik hoop dat u dat begrijpt. In vrijwel alle sectoren is er een tekort aan mankracht. Het is onze taak u te helpen die gaten te dichten.' Hij klonk autoritairder, maar volgens mij ook een tikkeltje wanhopig, alsof hij te veel aan de premie dacht. Ik was een bijstandsrat; hij wist toch wel dat ik alle blabla over dat vermeende partnerschap van buiten kende.

'Ik ben niet inzetbaar.'

'Als u blijft tegenwerken, ben ik gedwongen u naar een andere overheidsdienst te verwijzen, meneer. Daar zult u een nieuw medisch onderzoek moeten ondergaan en als dat verkeerd voor u uitvalt, houden ze uw uitkering in, en de huursubsidie. U weet dondersgoed dat u de sollicitatiebrieven van de afgelopen maand mee had moeten brengen.'

'Ik ben niet inzetbaar.'

Groenoog keek me strak aan alsof hij zijn oren niet kon geloven. De stress die de omgang met onverbeterlijke bijstandsratten met zich meebracht stond op zijn gezicht te lezen. Hij kreeg vaak met verslaafden, schizo's en catatoniepatiënten te maken die het zat waren om van de ene sociale dienst naar de andere gestuurd te worden. Dan kwamen ze hier, begonnen te schreeuwen, te dreigen en met hun vuist op tafel te slaan.

In de krant had ik gelezen dat ze in Amsterdam en Rotterdam van plan waren kogelvrije, machetevrije plastic hokjes met microfoons te installeren van waaruit de reptielen veilig met bijstandsmuizen en -ratten konden praten en via schuifladen formulieren konden ontvangen en overhandigen.

Groenoog bekeek me goed om te zien of ik onder de 'gevaarlijke' categorie viel. Onder de tafel zat een knop waarop hij kon drukken om de bewakingsdienst te waarschuwen. Hij leek het te overwegen, maar besloot toen om het nog een keer te proberen. 'U moet aan het werk, meneer.'

'Ik ben niet inzetbaar.'

Hij zocht weer op het scherm, alsof alle antwoorden daar te vinden waren. 'Op de computer zie ik dat u op woensdag twee weken geleden in Rotterdam geld heeft opgenomen. Wat deed u midden in de week in Rotterdam?' Reptielen waren waakhonden, afgericht om uitkeringsfraude uit te roeien. Uitkeringsfraude, in proteïnezoekerstaal ook wel 'bijstand-in-de-bijstand' genoemd, was een keurige bedrijfstak waarin per jaar honderden miljoenen omgingen. Ondernemende lieden trokken bijstand en namen dan los of vast werk aan. Het enige risico dat ze liepen was een forse boete.

'Rotterdam.' Ik zei het zoals een mohammedaan Mecca zegt, er zat een encyclopedie aan informatie in dat ene woord.

'Ja, Rotterdam. Ik wil graag weten wat u daar midden in de week deed, meneer.' Ambtenaren verdienden een pluim voor het larderen van veel zinnen met 'meneer', terwijl ze in stilte 'lul' bedoelden. Ik had een keer te maken met een vrouw die me zo vaak 'meneer' noemde dat ik na afloop niet wist wat ze me twintig minuten lang had proberen te vertellen.

'Het is een heel aantrekkelijke stad.'

'Wilt u alstublieft antwoord geven op mijn vraag? Op die bewuste woensdag heeft u tweehonderd euro opgenomen, wat vrij veel geld is voor iemand...' Hij maakte de zin verder niet af, zich ervan bewust dat ik intelligent genoeg was om te weten wat hij bedoelde. Om me heen zag ik bijstandsratten en bijstandsmuizen komen en gaan; ik scheen de enige te zijn die niet erg opschoot.

Ik was in geen tijden in Rotterdam geweest. Ik wist dat er een vergissing in het spel was, maar het was niet aan mij om daarop te wijzen. Misschien was vandaag zo'n dag waarop alles fout ging en men geen steek verder kwam hoe bescheiden de onderneming ook was. Het goede was dat ik me kon veroorloven hier uren te blijven. Ik hield ervan om naar lelijke dingen te kijken en het gezicht van Groenoog hield me bezig. Er zat een wijnvlek op zijn rechterslaap die leek op een ruwe schets van Italië. Terwijl hij aan het woord was probeerde ik er beroemde steden als Rome en Turijn op in te vullen.

'Ik ben niet inzetbaar.'

'Ik vroeg u iets, meneer, en u heeft me nog geen enkel antwoord gegeven. U bent naar Rotterdam geweest waar u een groot bedrag heeft opgenomen en toch weigert u op al mijn vragen in te gaan. Er zal een onderzoek naar u ingesteld worden. De overheid zal iemand naar u toesturen om uw financiën grondig te controleren. U zult een medisch onderzoek moeten ondergaan.'

'U weet heel goed dat ik niet inzetbaar ben.' Wat hield ik van de klank van dat woord!

'Ontkent u dat u naar Rotterdam bent geweest en tweehonderd euro heeft opgenomen? Nee, dat ontkent u niet. Laat me u nog één kans geven. Ik ga er een chef bijhalen.' Hij benadrukte elk woord met een knikje. Ik kreeg de indruk dat hij zijn best deed om aardig te zijn; misschien deed hij wel te veel zijn best, om redenen die hijzelf het beste kende. Ik denk dat hij niet afgeschilderd wilde worden als racist, alsof ik van plan was hem dat naar zijn hoofd te slingeren.

Hij stond langzaam op, trok met veel omhaal zijn stropdas recht, wierp me een snelle blik toe en liep weg.

Ik vond het wat slordig van hem dat hij zijn bril en zijn computer op een paar centimeter van me af onbewaakt achterliet. Ik kon ze allebei kapot maken en chaos in het kantoor teweegbrengen.

Aan het andere eind van de ruimte stond een Noord-Afrikaan te bakkeleien met een vrouwelijk reptiel. Zijn handen zwaaiden als razende molenwieken. 'Dit is geen stijl. Denk vooral niet dat we met ons laten sollen. Ik heb twintig jaar gewerkt. Heeft u ooit in een staalfabriek gewerkt? Weet u hoe warm het daar is?'

Ik zag twee potige kerels op hem af lopen. De vrouw keek gelaten, met iets van volslagen hulpeloosheid. De twee mannen tikten de Noord-Afrikaan op zijn schouder. Ik was bang dat hij zich zou omdraaien en een van de mannen een uppercut op zijn brutale kin zou verkopen. Dat deed hij niet. Hij was kennelijk overdonderd door de twee bomen van kerels achter hem, die alle licht en lucht leken weg te nemen. Hij kwam tot bedaren en de vechtlust ebde zichtbaar uit hem weg. Op het gezicht van de vrouw brak een bijna onprofessionele glimlach door. De twee mannen spraken heel langzaam alsof ze zojuist een ingrijpende tandartsbehandeling hadden ondergaan. Het maakte deel uit van hun optreden om geschreeuw over te laten aan de lagere mannen. Ze vroegen de man mee te komen naar een ander kantoor. Hij gehoorzaamde.

Groenoog kwam terug met een vrouw van middelbare leeftijd in een chic kantoorpak. Het leek me geen slecht idee als Haarlem ook voor deze mensen hokjes zou bouwen. Als er vaak getergde mannen hun hand naar hen ophieven, kon dat wel eens op doodslag uitlopen. De vrouw ging tegenover me zitten met een gezicht zo kalm als stilstaand water. Zij wist dat ik wist dat ze niet machteloos was.

'Uw naam, meneer.'

Ik gaf haar mijn kaart. Ze keek ernaar zonder dat haar gezicht iets prijsgaf. Ze schoof achter de computer met Groenoog naast zich. 'Dis-mas Moe-si-goe-la.'

Ik knikte.

'Maar dit hier is Does-man Moe-goe-la,' zei ze wijzend op de gegevens die Groenoog had gebruikt. 'Er is een vergissing in het spel, meneer. Onze excuses.'

Groenoog trok zijn wenkbrauwen op en hief zijn handpalmen op. 'Afrikaanse namen...'

'Het is belangrijk alle namen goed te controleren,' zei de vrouw terwijl ze opstond, eerst mij en daarna haar collega aankeek.

Groenoog verontschuldigde zich weer en bestudeerde mijn gegevens. Zonder verdere omhaal liet hij me gaan om weer dertig dagen van mijn uitkering te kunnen genieten.

Het rituele uit eten gaan in vegetarische restaurants hield me bezig op de terugweg naar Bevert. De perrons stonden bomvol pendelaars. Door de luidsprekers schalden aankondigingen van uitgevallen treinen die gevloek en geschuifel ontlokten aan passagiers die te horen kregen dat ze langer moesten wachten of de bus naar Amsterdam moesten nemen voor een betere aansluiting.

De Zieke Man kwam en we vertrokken zowaar. Lisa June had gelijk over de knoflook, want in mijn coupé hing een zware walm, die wel wat leek op een ongewassen vagina. Mijn neus had de grootste waardering voor de geur van seksuele organen die ongewassen de strijd aangingen en in andere ongewassen organen doken, zodat er een hybride reukwerk ontstond dat ik onweerstaanbaar vond.

Ik waste me nooit na het vrijen. Bogodisiba ook niet. Ik genoot van de schoonheid van mannelijke en vrouwelijke sappen die vermengd hun geur afgaven. Ik mocht graag in zo'n ambiance verkeren, een boek opslaan en andere werelden, andere inzichten, andere mythes ontdekken om af en toe terug te keren naar het hier en nu met het gelukzalige gevoel dat ik me in de hemel bevond.

Bogodisiba was een knoflookexpert die alleen at wat zij 'schone knoflook' noemde, gekweekt en gedroogd aan de Bosporus. 'Knoflook uit het gebied dat de Zwarte Zee met de Zee van Marmara verbindt heeft iets magisch,' doceerde ze vaak als we in een vegetarisch café muntthee zaten te drinken. Ze was teleurgesteld dat ik die mystieke eigenschap niet wist te waarderen omdat voor mij knoflook nu eenmaal knoflook was. 'Dat kun je niet zeggen, lief,' wierp ze dan heftig tegen. 'Dat is alsof je tegen een Fransman zegt dat wijn niet meer is dan uitgeperste druiven.'

De Zieke Man bracht me veilig naar Bevert. Ik liep naar huis samen met de uiteenvallende forenzenclub. In de Rectumtempel aangekomen, keek ik of er post was en nam de lift. Ik vroeg me af wat voor onderzoek Groenoog in gedachten had toen hij me ermee dreigde. Een ding stond als een paal boven water: de artsen die voor de BV Zoethouderij werkten zeiden altijd dat je simuleerde. Als je met gebroken benen op een brancard binnenkwam zeiden ze nog dat je toneelspeelde. Onder proteïnezoekers werden ze Blaatpans bloedhonden genoemd die, met welke kwaal je ook kwam, 'woef, woef, woef' zeiden.

Ik maakte een kop thee voor mezelf voor ik mijn post inkeek. Ik had een hekel aan nieuws op een nuchtere maag. Dat had ik van de Schildpad. Wanneer er een vreemde naar haar huis kwam, vooral als ze verwachtte dat hij slecht nieuws meebracht, stak ze na de begroeting haar hand op, wees op haar buik en zei: 'Geen woord verder. Eerst de tol betalen.' Toen ze nog niet zo opstandig was vertelde ze eens dat ze na het overlijden van haar vader een hele week niet had gegeten. Ze kon niets binnenhouden. Ze weet dat aan het feit dat ze het nieuws voor het eten had vernomen. 'Goed nieuws klinkt nog beter op een volle maag,' zei ze vergenoegd ter staving van haar principe.

Er was alleen reclamepost: nog meer ijskasten, waterkokers, auto's, computers en honderd en een andere dingen die iedereen al had. In *De Bevertse Courant*, een van de drie nieuwsbladen die in en rond de stad verschenen, stonden interessante nieuwtjes: politieoptreden om illegale marihuana-aanplant te vernietigen; een vrouw die ervan werd beschuldigd haar eenjarige dochtertje cocaïne, heroïne en methadon te hebben gegeven om haar te laten ophouden met huilen; de Australische regering die haar bewoners maande niet naar Pingeland te reizen vanwege de kans dat ze beroofd werden; een natuurproduct om borsten te vergroten en te verstevigen; een natuurproduct om prostaatvergroting tegen te gaan; een natuurproduct dat in 95% van de gevallen tegen snurken werkte en nog een natuurproduct om te vermageren. Het werd een echte natuurdag, want tijdens het natuureten met Bogodisiba zou ik haar natuurwijn zien drinken.

Tegen zeven uur stond ik voor het Wierookhuis, zoals ik Bogodisiba's flat had gedoopt. Ze woonde op de begane grond van een flatgebouw met tien etages. Het grote raam was behangen met haar mandala's, oranje gordijnen en decoraties van Zuid Amerikaanse ponchostof die al op een afstand je blik vingen. Soms spoot er iemand groene graffiti op haar raam als een soort protest tegen zoveel vrolijkheid in een gebouw dat bekendstond om zijn treurigheid.

Bogodisiba's huis rook sterk naar wierook. De geur sloeg op je keel en wilde niet meer weggaan. Ze had een dikke houten plank waarin ze tien stokjes tegelijk zette, die het huis met een geurmengsel van bloemen, bomen en nog zo het een en ander vulden. Ze had een grote kist, haar 'olfactorische bibliotheek', met duizenden wierookstokjes, deels met korting in natuurwinkels gekocht, deels als verjaardagscadeautjes van vrienden gekregen.

Op dagen dat de reptielen bij haar op controle kwamen, stak ze stokjes aan die naar een open riool stonken, en als bijwerking hadden dat oningewijden er voortdurend van moesten hoesten. Het hoge bezoek bleef nooit lang.

Op weg naar haar voorkamer omzeilde ik bungelende Indiase fluiten, cimbalen, een bestofte saxofoon en een kapotte gitaar. De kamer lag vol met boeken, kleren, teddyberen en dozen met allerlei spullen van de liefdadigheid. Een opklapbare muziekstandaard stond naast haar enige bank, die met oranje Indiase katoen was bekleed. In haar vrije tijd speelde Bogodisiba hobo. Af en toe sloot ze zich bij een groepje aan om voor een of ander liefdadig doel muziek te maken.

Bogodisiba begroette me vanuit de badkamer. Ik liep naar de keuken. Die puilde uit van verpakkingsdozen, pannen en andere zaken. De gootsteen stond boordevol en grijsblauw water druppelde op de grond. Ik vluchtte snel, blij dat ik niet lang genoeg zou blijven om te kunnen helpen.

'Ach, mijn keuken. Ik stapel de boel liever op om er dan in één keer flink tegenaan te gaan. Zo'n Bogo-marathon geeft me een goed gevoel.'

'Je moet er met een bootje naartoe peddelen.'

'Niet overdrijven, lief,' zei ze en bood me haar lippen aan, waarachter het geheim van vijf ontbrekende kiezen lag, gesneuveld door een vroegere snoepverslaving.

Geamuseerd keek ik toe hoe ze allerlei dingen opzij schoof om voor mij een zitplaats vrij te maken en tegelijk kohl opbracht. De koningin had haar eeuwige blauwe oogpotloden; Bogodisiba stelde er kohl tegenover. De vorige dag had ze haar haar met henna geverfd en het vlamde net zo fel als haar gordijnen. Kohl combineerde goed met haar vurige krullen. Als ze in de stemming was gebruikte ze ook henna voor haar schaam- en okselhaar. Dan was het een fraai gezicht haar naakt op haar oranje beddensprei te zien liggen.

'Hoe is het gegaan?' Ze wilde alles horen, zoals zij op haar beurt alles vertelde wat haar overkwam.

144

'Het was prachtig.' Ik vertelde haar over de computers, Groenoog, Rotterdam, de tweehonderd euro en de mysterieuze Doesman Moegoela, van wie ik de naam net als de dame in het blauwe mantelpak flink oprekte. Ze lachte hartelijk, kwam naar me toe en gaf me een slobberzoen. Ik zag dat haar nagels ook met henna waren bewerkt. Ze noemde me Does-man Moe-goe-la en zei dat het een muzikale naam was.

Ze ging door met het precieze werk van haar ogen kleuren, waarbij ze haar lippen tuitte en haar bovenlijf spande.

Ik keek naar haar hobo en het verhaal erachter kwam weer in me op. Als kind droomde Bogodisiba ervan viool te spelen. Toen ze dat tegen haar vader zei, kocht hij een mondharmonica voor haar en las haar meer dan een uur lang de les over de zonde van de ijdelheid. 'Zo lang ik leef wordt het woord met de V in mijn huis niet uitgesproken.'

Ze vertelde me dat ze hem gewurgd zou hebben als hij niet zo'n gespierde man was geweest. Ter compensatie kocht haar moeder een hobo voor haar. Zo begon haar liefde voor dat instrument.

Bogodisiba woonde in Hemskert, een stadje dat grensde aan Bevert. Doorgaans ging ik te voet naar haar toe over de goed onderhouden fietspaden. Dit keer was ik echter met de fiets gekomen om de kruidenierswaren die ze in de natuurwinkel voor me had gekocht mee te nemen. Natuurproducten was ook een gebied waarop ze deskundig was. Ze wist op een kilometer afstand een natuurtomaat aan te wijzen. Ik was ook niet helemaal achterlijk. Ik kon zien of sinaasappelen, aubergines en paprika natuurproducten waren, omdat ze kleiner waren en niet zo opgepoetst als hun tegenhangers uit de supermarkt.

'Hoe zie ik eruit?' Ze poseerde of ik een fototoestel in de aanslag had en deed me aan Lisa June en haar schuifloopje denken.

'Wat ik zie bevalt me.' Ik kuste haar en dacht: twee bijstands-ratten, twee lijfeigenen, twee rebellen. Tot de dood ons scheidt. 'Zullen we gaan, lief?'

Bogodisiba woonde in een woontorencomplex. We liepen over de klinkerwegen die ze met elkaar verbonden, met aan weerskanten bomen in de groene perken. Hier en daar zagen we hondenpoep in verschillende stadia van versheid. Ik was be-nieuwd wanneer de wetgevers in Brussel het parlement zouden vragen hondenbezitters te dwingen tot het kopen van poep-schepjes.

Het vegetarische restaurant waar we naartoe gingen zat in een vervallen gebouw dat met sloop werd bedreigd. Het was verlopen, een protest tegen de antiseptische steriliteit van chi-que middenklasserestaurants. Hier gold geen kledingvoor-schrift, wat de explosie van kleuren en stijlen verklaarde. Bogo-disiba was in een wijde zwarte broek, een ruim vallende blauwe bloes en een rood jasje gekomen. Ze nam het op tegen mensen in roze knickerbockers, wijd uitlopende spijkerbroeken en met krankzinnig lange derdewereld-sieraden.

Het restaurant werd gedreven door een jong echtpaar dat, zo vertrouwde zij ons toe, jaren in India had gewoond. De vrouw, met tussen haar wenkbrauwen een stralende rode stip, droeg een rode sari en sandalen. Ze hield haar handen dicht tegen haar borst, glimlachte en verwelkomde ons. Haar man in een katoe-nen broek en een knielang overhemd, bediende een groep rechts van ons.

'Eindelijk!' zei Bogodisiba enthousiast toen we aan een klein tafeltje gingen zitten.

Er stond Indiase muziek op, met onmogelijk schelle stem-men die gaten in het plafond en in onze trommelvliezen boor-den. Het zou een lange avond worden want de hoofdattractie was een groep die zigeunermuziek speelde. Bogodisiba was dol op zigeunermuziek en beweerde dat het mooier was dan westerse klassieke muziek. Ze hemelde de pit, de complexiteit en de tijdloosheid ervan op. Ik hield van klassieke muziek, dat feest van muziekinstrumenten, terwijl het weinige dat ik van zigeunermuziek had gehoord me koud liet.

'Hoe meer je ernaar luistert, hoe meer je ervan gaat houden. Je moet je er niet tegen verzetten. Je moet je eraan overgeven, overgeven, overgeven,' spoorde ze me voor de zoveelste keer aan. Tevergeefs, was ik bang.

Bogodisiba bestelde muntthee, de olie op de golven van onze verhouding als we uit eten gingen. Ik greep de gelegenheid aan om haar het grappigste uit de krant te vertellen: 'Wist je dat de Australische regering haar burgers een negatief reisadvies voor Pingeland heeft gegeven?'

'Negatief reisadvies? Wij zijn toch niet wat westerlingen een terroristisch land noemen, wel?'

'Niet als je het over het gooien van bommen hebt. Maar behalve voor Afghanistan, Iran en Pakistan worden de Australiërs gewaarschuwd voor de kans dat je in dit land vrijwel overal wordt beroofd.'

Bogodisiba kon heerlijk lachen. Haar lichaam schudde van de pret en ze klapte in haar handen om er nog een schepje bovenop te doen. Ze lachte nog toen de dame in de sari onze muntthee en een pot honing bracht.

'Hoe gaat het met je Ethiopische vrouwen? Zullen ze je vanavond niet missen?'

'Iemand valt voor me in. Ik zou deze avond voor geen goud willen missen. Ik wil die groep al jaren zien.'

'Jaren!'

'Er zijn mensen die echt wat om cultuur geven.'

'O.'

Ik genoot van de muntthee, waarschijnlijk het enige dat ik

vanavond smakelijk zou vinden.

Er kwamen meer mensen binnen, nog kleuriger gekleed dan degenen die er al zaten. Er waren vrouwen bij met gele rasta-lokken, groene vlechten, fosforescerende broeken, poncho's, nog meer sari's en kurtahemden. Als er ook nog Indiase musici waren uitgenodigd was India allesoverheersend geweest.

Ik was er zeker van dat er yogi's waren die de hele nacht op hun hoofd of op één been konden staan. Ik zou ze graag hebben ontmoet omdat je altijd weer iets nieuws kan leren. Helaas zag ik er niet één.

Bogodisiba herinnerde me aan onze eerste ontmoeting. 'Weet je nog wat ik aan had?'

Dat wist ik, maar ik wilde haar plagen. 'Een rode poncho?'

'Mallerd, ik droeg toen nog zigeunerstijl.' Ze glimlachte van oor tot oor.

'Je droeg in elk geval niet de kleren die ik verwachtte van mijn moeders vertegenwoordiger op aarde,' gekscheerde ik.

'Ooo!'

Tussen de conservatief geklede zwarte mensen in het Akoe-goba-huis had Bogodisiba eruitgezien als een brandende struik. Soms plaagde Amidakan me met haar.

Onder veel gejuich werd ons eten gebracht, waarbij Bogodi-siba een karaf natuurwijn dronk. Ik kende geen van de gerechten. Sommige waren groen, sommige bruin, sommige een mengsel van felle kleuren. Het eten smaakte voor de helft naar medicijnen, bitter, zuur. In het oranje licht en te midden van dit zeldzame vertoon van vrolijkheid, maakte het weinig uit wat je at. Eten was niet de hoofdattractie; muziek en veelkleurigheid, daar draaide het om. Bogodisiba genoot van het eten en de wijn en dat was voor mij genoeg.

Bogodisiba sprak met de dame in de sari, toen die de tafel af-ruimde. Ze spraken over de toekomst. 'Op een dag zal de helft van de schappen in de supermarkt vol staan met natuurproducten,' profeteerde de sarivrouw.

'Verwatert daardoor niet wat we nu hebben, denk je?' vroeg Bogodisiba zich af. 'Ik vind het leuk zoals het nu gaat.'

'Maar het betekent wel lagere prijzen!'

Ze glimlachten naar elkaar. Ik had in lange tijd mensen niet zoveel naar elkaar zien glimlachen. Ze glimlachten ook op momenten dat ze elkaar niet goed konden verstaan. Ik kon bijna niets meer horen en dat bleef zo tot de musici opkwamen.

Ik herinnerde me weinig van de muziek, behalve de voortdurende aanslag op de oren en de zintuigen. Ik herinnerde me draaiende, springende, stampende en elkaar omhelzende mensen. Met Bogodisiba aan mijn hand aapte ik hen springend en stampend na, tot groot plezier van haar.

Om middernacht gingen we naar huis en de kille lucht bracht Bogodisiba weer met beide benen op de grond. Ze glimlachte terwijl ze hoogtepunten aanhaalde en wreef haar handpalmen tegen elkaar, wat ze altijd deed als ze een beetje aangeschoten en opgetogen was. Ze zag er absoluut niet uit als iemand die een doodvonnis boven het hoofd hing. Ik trouwens ook niet. Die gedachte beviel me en ik borduurde er een tijdje op voort terwijl ik maar half luisterde naar haar lofzang op de zigeunermuziek. 'Daarbij vergeleken klinkt onze muziek meer als het gekletter van vorken.'

Ik wilde niet in discussie over de regionale muziek of cultuuruitingen. Dan zaten we voor je het wist bij de Italiaanse schilders, haar favoriete kunstenaars. Vroeger sleurde ze me om de twee weken mee naar een museum om me een of ander genie te laten zien, tot ik tegen haar zei dat ik het nogal doodse en deprimerende gebouwen vond. Sindsdien ging ze met haar vriendinnen.

Bogodisiba, die niet bang was voor politie of de gevangenis, was panisch voor straatrovers. Een vreemde angst, aangezien er van haar niet veel te stelen viel. Bovendien was ze ook niet helemaal weerloos. Met haar soepele benen, waarmee ze een volmaakte spagaat kon uitvoeren, kon ze ongenadig uithalen, maar de angst bleef. We liepen in de milde schaduwen, luisterden naar onze ademhaling en onze voetstappen en letten scherp op of we iemand achter ons aan hoorden komen. We kwamen veilig bij het Wierookhuis aan. Haar angst zat tussen haar oren, zoals bij veel mensen in Pingeland. Ik kuste haar, stopte haar in en liep de deur uit.

❧

In het vlakke Pingeland vergde fietsen aangenaam weinig oplettendheid, behalve als de wind opstak, zijn klauwen in je lichaam zette en je eraan herinnerde dat lucht de grootste kracht op aarde was. Deze nacht was de wind matig, zodat ik onder het fietsen aan andere dingen kon denken. De geur van nachtbloemen zweefde in de lucht en riep vragen en herinneringen op.

In mijn eentje over de verlaten paden fietsend, waarop de schaduwen van bomen allerlei vormen aannamen, voelde ik me als een kano die losgeslagen op een meer dreef. Datzelfde gevoel had ik vaak in mijn jeugd, wanneer er iets gebeurde en niemand me kwam verdedigen. Dat zette me aan het piekeren over de kwetsbaarste plek van de stad. Om de veertien dagen stonden treinwagons met ammoniak onbewaakt op het station te wachten om naar de staalfabriek gebracht te worden. Wat de stad voor een ramp behoedde was dat ondergetekende niet van zins was de lading met benzine en ontstekingsmiddelen te lijf te gaan. De gedachte dat ik de macht bezat om honderden mensen van het leven te beroven maar dat niet deed streelde me. Dat was het bewijs dat ik van Bevert hield. Ik kon niet anders want het was het enige thuis dat ik had.

Ik was tot die conclusie gekomen op de dag dat de Schildpad zei dat mijn moeder een goed wijf was. De ontmoeting waarop ze zo had aangedrongen had me geen goed gedaan. Ik had Kateta in geen twintig jaar gezien. Ik wist meer over het leven van snookerspelers dan over het zijne. Mijn tante had me verteld dat hij een lijfeigene was die aan het hoofd stond van een organisatie die probeerde het leven van de lijfeigenen te verbeteren. De voornaamste reden dat ik met een bezoek aan hem had ingestemd was de vage hoop dat we onze verkilde verhouding konden vergeten, dat ik zijn mensen over mijn laatste bevindingen kon vertellen en zelfs een tijdje als consulent kon optreden. Ik verwachtte er niet veel van, maar ik had in elk geval iets om op tafel te leggen.

Kateta woonde vijf kilometer van het huis van de Schildpad af. Ik ging erheen met een motorfietstaxi. Toen ik aankwam zag ik tot mijn verrassing hoe goed het huis van mijn overleden oom was onderhouden.

Op het erf speelden kinderen die heen en weer holden, elkaar met dingen bekogelden en volop genoten van de tijd die hen nog restte met hun ouders.

Kateta's vrouw kwam het huis uit om me te begroeten. Ze was bijna net zo mager als Lisa June, met een glanzende huid. Ze stuurde een van de kinderen weg om haar man te halen die ergens in de tuin was. 'Ook een lijk in de maak,' zei ik bij mezelf, terugdenkend aan Zandbergs woorden bij onze eerste ontmoeting. Ik vroeg me af hoe Kateta zou reageren als ik hem zo begroette.

Het ging door me heen dat er een geheim moest bestaan, want Kateta zag er niet als een lijfeigene uit. Kwam dat omdat hij nog in een vroeg stadium verkeerde? Twintig jaar geleden zou hij onder de zweren en de uitslag hebben gezeten, met vuurrode ogen en het uitgemergelde uiterlijk van de paarse diarreeschijters.

Net als bij zijn vrouw glansde zijn voorhoofd; anders dan bij haar was zijn lichaamsomvang normaal voor iemand van zijn lengte.

Toen onze blikken elkaar ontmoetten wekte hij echter de indruk dat hij naar een volslagen vreemde keek. We hadden in hetzelfde huis gewoond, hetzelfde gegeten, in hetzelfde kinderbed geslapen en toch keek hij dwars door me heen. Dat beviel me helemaal niet omdat het me in de verdediging drong. Kateta begroette me en wilde een eind gaan wandelen, onder veel protest van zijn vrouw die drankjes voor me had klaargemaakt.

Weg van zijn vrouw en kinderen, wandelend over het terrein van de vroegere koffieplantage dat nu vol stond met bananenbomen, begon hij te klagen: 'Niet één brief. Niet één telefoontje. We zijn vreemden voor elkaar.'

'Als mensen volwassen worden gaan ze hun eigen weg,' kaatste ik terug om mijn ongenoegen te uiten over zijn gebrek aan beleefdheid.

'Van jou had ik het niet verwacht.'

'En ik had van jou niet verwacht dat je geen enkele moeite zou doen erachter te komen waar ik was.'

'Er was sprake van een hoop woede, verwarring, problemen.'

'Dat spijt me.'

'De familie is uit elkaar gevallen.'

'Dat is niet mijn schuld.' Waar wilde hij naartoe? Een soort verzoening? Dat we ieder de helft van de schuld op ons namen?

'We redden ons wel. Ik ben nu een leider. Ik heb zestig man onder me. Die zullen me niet in de steek laten. Vreemden zijn trouwer dan familieleden als je ze goed behandelt.'

'Zijn jullie geïnteresseerd in de oorzaak van de Regelaar? Ik beschik over alle informatie.' Ik klonk optimistischer dan ik me voelde. Ik bood ongevraagd een zoethoudertje aan.

Kateta liep voor me uit en raakte zijn bananenbomen aan. 'Je bent blank geworden, broeder. Jij denkt dat mensen achterlijk zijn. Ze kennen de oorzaak van de Regelaar. Die kenden ze al van begin af aan. Het was geen plaatselijke ziekte. Dat weten we. Dat hoeft niemand ons te vertellen. We houden ons gedeisd omdat we een klein volk zijn. Wij beschikken niet over de wapens om de machtigen mee te bedreigen. Zij maken geneesmiddelen en zij maken ziekten. Iedereen weet dat. Jouw kennis is zinloos. Wat we nodig hebben zijn geneesmiddelen. Hoe verklaar je jullie weigering om ons geneesmiddelen te geven? Ik wil niet dat je mijn mensen ophitst. Wat moeten ze doen? Weet je wel wat er gebeurt als ze een paar ambassades platbranden? Nee, het ligt niet in ons vermogen om te handelen.'

'Ik...'

'Jij bent blank geworden, broeder. Je vergeet dat de realiteit van onze landen anders is. De waarheid maakt je niet vrij; die legt je zwakte bloot. Denk vooral niet dat we plaatselijke verspreiders niet haten. We maken ze af zodra we kunnen. Maar we kunnen God niet afmaken. Wij zijn niet zoals jouw grote vader.'

Hij refereerde aan het feit dat blanken vóór de Tweede Wereldoorlog God werden genoemd en het ondenkbaar was om een van hen te doden. Mijn vader die vier Fransen had gedood werd daardoor een held. 'Hou hem er alsjeblieft buiten. Ik dacht...'

'Ben je vergeten dat ik net als jij geschiedenis heb gestudeerd? De geschiedenis herhaalt zich. Wat de Romeinen in Europa deden, doet Europa met zijn slachtoffers. In de Tweede

Wereldoorlog zou je alle antwoorden moeten vinden. De zogenoemde koude oorlog was niet meer dan een volgende fase van dezelfde oorlog. Het gaat vandaag de dag nog steeds door. Wij zijn het wrakgoed.'

Ik had grondig de pest in over zijn houding. De manier waarop hij me behandelde beviel me niet, temeer daar ik eigenlijk niet van plan was geweest hem op te zoeken. Ik vond het vreemd dat hij me blank noemde. Niemand had me ooit eerder voor blank uitgemaakt. Misschien had hij me een zwarte piet moeten noemen; het zou leuk zijn geweest te horen dat mij het woord werd opgeplakt dat ik voor zwarte parlementsleden gebruikte. Nee, zelfs dat was ik niet; ik was blank. Het was bedroevend.

'Zie je deze velden? De koffie is verdwenen. Waarom nu? Waarom niet dertig jaar geleden? We weten het wel. Niemand hoeft het ons te komen vertellen.'

'Alle dingen waar jij het over hebt...'

'Ik vind dat wij het goed doen,' viel hij me in de rede, alsof ik geen recht had hem van repliek te dienen. 'We hebben hier medicijnmannen die uitstekend werk verrichten. Die een manier hebben gevonden om deze moordenaar te bestrijden. Hun medicijn geeft mij kracht en ik zie er goed uit. Ze houden de hoop levend. Jij niet.'

'Ik ben je houding spuugzat.'

'Ik heb je niet uitgenodigd, broeder. Je had bij je grootmoeder moeten blijven aan wie je alles geeft. Ze noemt je je man, niet? Waarom ook niet, jij zorgt beter voor haar dan wijlen haar echtgenoot.'

'Ik ben de erfgenaam van onze overleden grootvader.'

'We hebben mensen als jij niet nodig in deze streek. We kunnen het best alleen af. Ik hoop dat je niet helemaal uit Europa bent gekomen om die loze ideeën rond te strooien. En ik hoop dat je niet met fantasieën kwam om mijn mensen voor jouw karretje te spannen. Wij en onze kinderen kunnen voor onszelf zorgen.'

'Neef, ik moet hier helemaal niets van...'

'Mijn vader heeft ons een goede ondergrond gegeven. We kunnen voor onszelf denken. Op een dag zal men inzien dat mensen die zich gedeisd houden daarom nog niet achterlijk zijn.'

'Al dat gepreek van je bevalt me helemaal niet,' zei ik en dacht terug aan mijn overleden oom, een mild gestemde ambtenaar.

'Vergeet niet dat ik je niet heb uitgenodigd, broeder. Ik wil met niemand van jouw vrienden praten. Jij wilde die van mij ontmoeten. Ze worstelen; maar wat is het leven anders dan een worsteling? Jullie worstelen met je gewicht, je eigenwaan en je handicap met golfen. Wij worstelen met het leven. Daar hebben we onze handen vol aan.'

'Ik heb hier genoeg van.'

'Dat kan ik je niet kwalijk nemen. Maar dit is alles wat ik wilde zeggen. Als je weg wilt, wens ik je een goede reis terug naar het huis van je vrouw.'

Tijdens zijn hele preek keek hij me niet één keer recht in mijn gezicht. Hij had net zo goed tegen zijn bananenbomen kunnen praten. Ik draaide me om en liep weg. Hij negeerde mijn vertrek. Weer bij zijn huis excuseerde ik me bij zijn verbijsterde echtgenote en keerde terug naar de Schildpad, die ook geen moeite deed me te helpen.

Ik was naar Oeganda gevlogen in de hoop een aantal lijfeigenen te ontmoeten en hun te vertellen wat ik had ontdekt. Maar de lijfeigenen die ik in het ziekenhuis had gezien voerden een wanhopige dagelijkse strijd en waren niet geïnteresseerd in intellectuele discussies. Op dat moment besefte ik dat mijn thuis en mijn toekomst in Bevert lagen.

Terwijl ik naar huis fietste en het idee dat ik binnen een uur zou slapen me vleugels gaf, zag ik het gezicht van mijn neef weer voor me en hoorde ik zijn woorden. Ze sneden als een mes door mijn ziel. Hij was ervan uitgegaan dat ik achterlijk en nutteloos was. Hij had elke mogelijkheid tot contact afgekapt. Hij had een monopolie van kennis opgeëist. Zijn jaloezie en zijn gerechtvaardigde woede konden me niet schelen. Wat me tegenstond was het vakje waar hij me in had gestopt. Ik voelde me geblameerd, mijn zelfbeeld was aangetast. De brandstichtingscampagne had niets uitgehaald. Mijn enige redding lag in de kunst. Maar in welke vorm? Ik wist dat ik daar deze nacht geen antwoord op zou krijgen. Ik liet de vraag in de koude nachtlucht hangen.

Ik zag mijn bank, omgeven door boeken en aangestaard door de televisie, al voor me. Ik wilde nog één ding voor ik onder zeil ging. Ik wilde naar een video kijken, iets scatologisch dat mijn huidige stemming zou omgooien. Het deed er niet toe wie wat met wie deed, waar het om ging was door te dringen in het leven van die kunstenaars en zo mezelf op te laden. Ik onderwierp video's aan hetzelfde principe als boeken: ik haalde er die ene minuut uit die van de overige negenenvijftig minuten donzig vruchtbekleedsel maakte dat het zaadje beschermde.

Er waren heel wat redenen waarom ik groot genoegen beleefde aan het bekijken van scatologisch pornografische kunst. Om te beginnen was het een vorm van kunst waarin oudere vrouwen uitblonken, omdat ze een levenslange ervaring inbrachten. De leeftijdsdiscriminatie en het seksisme die de gewonere pornografische kunst aankleefden waren afwezig. Het contemplatieve element overheerste, het mysterie van het leven en seks nam een grotere plaats in, de overwinning van de walging, immers de kern van de liefde, was tot het uiterste gevoerd.

Om deze kunstvorm te waarderen moest je over meer hersens en meer zelfkennis beschikken.

Scatologische kunst bracht me terug naar mijn kindsheid en vroege jeugd en naar het ogenblik van mijn geboorte, toen het Goede Wijf me overspoelde met haar stront en urine. Het feit dat ik haar gezicht nooit had gezien, hielp me het masker van de kunstenaars te doorgronden, die algauw haar gezicht en gestalte aannamen, en door te dringen tot de kern van hun creativiteit. Dat was belangrijk, omdat ik nooit zoals de meeste andere kinderen de kans had gekregen de rollen met het Goede Wijf om te draaien; ik heb haar nooit mijn stront en urine geschonken. Die behoefte liet ze onbevredigd, waardoor anderen het voorwerp van mijn wraak werden.

Er was iets sacraals aan een volwassene die zich met wederzijdse instemming op een ander ontlastte. Uiteindelijk was het lichaam de tempel van de godin Bacterie, die haar macht liet gelden via de lagere god Rectum.

Vlak bij het Moesigoela-huis besloot ik dat ik een halve minuut videotape zou bekijken, hem dan stopzetten en terugspoelen om zo steeds verder tot de kern door te dringen. Ik wilde streven naar sublieme beschouwing, die net als echte meditatie een gave was van tijd en inspanning.

Ik stapte van mijn fiets en diepte mijn sleutels op, een spannend moment omdat de kans dat je dan werd beroofd groter was dan onderweg. Het negatieve reisadvies van de Australische regering schoot door mijn hoofd en ook al moest ik om de absurditeit lachen, toch greep de angst me naar de keel. Ik probeerde er niet aan te denken dat iemand me vanachteren op mijn kokosnoot kon slaan of een mes voor mijn gezicht zou houden en zou opeisen wat hij wilde. Pingeland liet zich voorstaan op specialisten in fietsendiefstal die er per jaar met honderden fietsen vandoor gingen. Ik wilde geen doelwit zijn.

Ik keek om me heen terwijl ik de sleutel in het slot stak, hem omdraaide, de deur opendeed en naar binnen ging. Ik zuchtte opgelucht toen ik door de muren werd opgeslokt en me tegen de gevaren van de nacht beschermd voelde als een kind in de moederbuik. Toen ik uit de lift kwam zag ik dat de poes van mijn buurvrouw niet voor het raam zat. Ik miste het dikke lijf, want het raam zag er vreemd leeg uit wanneer zij niet de wacht hield.

Ik ging naar binnen en zette een kop thee, waarmee ik ritueel de kruimels van het onsmakelijke eten uit mijn mond en de zigeunermuziek uit mijn hoofd spoelde. Ik was net klaar, dacht erover om af te wassen, een band uit te zoeken en aan mijn meditatie te beginnen toen de bel ging. Woede steeg diep in me als een rookkolom op. Op dit uur!

Soms stond er buiten een groepje jongeren, waarvan er een op alle bellen drukte, achter elkaar, zodat je een koor van gerinkel in de tempel hoorde, gevolgd door het gevloek van de gezichtloze bewoners die waren gewekt. Het was niet verstandig dat soort aanbellers te lijf te gaan omdat ze depressief, dronken of stoned waren.

Ze hadden zich eens op een oude man gestort die ziedend van ergernis in zijn nachtgoed naar beneden was gelopen. Ze hadden hem helemaal uitgekleed, zijn kleren in een boom gegooid en toen de draak met zijn lichaam gestoken. 'Walnoot, walnoot, deze man is een walnoot,' brulden ze midden in de nacht, waardoor iedereen wakker werd.

Ik was er heilig van overtuigd dat een dronkelap aandacht probeerde te trekken of een mogelijkheid zocht om uit zijn depressie te komen. Ik begon een band uit te zoeken, maar de bel ging opnieuw, dit keer hardnekkiger. Ik negeerde het, maar hij rinkelde opnieuw.

Ik liep naar de gang en legde de intercom tegen mijn oor. Ik zoog hard op mijn tanden zodat aan de andere kant duidelijk werd hoe kwaad ik was.

'Wie is daar?'

'Ik ben het.'

'Wie is ik?'

'Sam Matete.'

'Wie?' Natuurlijk wist ik wie hij was. Ik kon deze wandelende, sprekende zuil van schuld niet wegsturen. Ik moest er *De geest van Leopold II en de plundering van de Congo* van Adam Hochschild nog maar eens op nalezen. Ik vroeg me af of Sam Matete het boek had gelezen. Hoe dan ook, Congo was nog steeds de speeltuin van oorlogsstokers en schatgravers. Ik stelde me voor dat Sam Matete in mijn huis gek zou worden en me uit opgekropte nationale woede dood zou steken. Hij kon natuurlijk elke willekeurige autochtoon doodsteken, maar wat als hij een gemakkelijk doelwit zocht?

'Ik ben een cliënt van je. Ben je me vergeten?'

Ik zei niets en dacht aan onze laatste ontmoeting en zijn weigering om met me te praten. Wat mijn woede temperde was dat ik hem zelf mijn adres en telefoonnummer had gegeven. 'Wat kom je hier doen, Sam?'

'Ik wil je spreken.'

'Op dit uur?'

'Wees maar niet bang, ik ben alleen.' Zijn stem gaf te kennen dat hij wist dat ik hem niet kon terugsturen naar waar hij vandaan kwam. Daar moest je ongehoord wreed voor zijn en hij wist dat ik dat niet was. Of dat mijn taakopvatting me ervan weerhield mijn toevlucht te nemen tot zulke laakbare redmiddelen. Ik drukte op de knop en hij ging naar binnen.

Sam Matete zag eruit of hij een paar dagen in een greppel had gelegen. In zijn ogen lag de opgejaagde blik van een man die moordlustige vijanden op de hielen had. Hij zag eruit als een man wiens surplus aan vaginanijd weinig had bijgedragen aan het bereiken van zijn doel. Of wat hij had bereikt was in vlammen opgegaan.

'Wat heb je een hoop boeken!'

'Ze houden me gezelschap.'

'Je huis lijkt wel een boekwinkel!'

'Eerder een boekenmuseum. O ja, snurk jij trouwens?'

Hij lachte gele tanden bloot die een grondige poetsbeurt nodig hadden. Ik legde mijn vinger tegen mijn lippen om aan te geven dat hij niet zo hard moest lachen. We hadden buren en een kat die hun slaap nodig hadden.

'Nee, ik snurk niet.'

'Ik snurk als een nijlpaard,' fluisterde ik. Ik verwachtte dat hij zou vragen of snurken schadelijk was voor boeken. Misschien was hij te zenuwachtig om dat soort grapjes te maken.

'Ik slaap als een...' hij zocht naar het woord. 'Een boom.'

'Blok, meestal zegt men als een blok.'

'Natuurlijk, is ook zo.' Hij wilde kennelijk in de smaak vallen en duidelijk laten merken dat hij niets kwaads in de zin had.

In de woonkamer bood ik hem een stoel aan en vroeg wat ik voor hem kon doen.

'Ik heb onderdak nodig en, als het niet te veel gevraagd is, iets te eten.'

Ik dacht even na en zei toen: 'Ik heb een bed en ik kan wat eten maken. De rest bespreken we morgen wel.'

'Ik ben je erg dankbaar. Je zult er geen spijt van hebben.'

Ik liep naar de keuken en popelde om hem te vragen of hij ooit aap of chimpansee had gegeten. Smaakte het vlees lekker? Rook het lekker? Ik wilde hem dat vragen omdat Oegandezen en Zuid-Afrikanen die geen aap aten er toch van werden beschuldigd zo de Regelaar te hebben opgelopen, niet door vaccinatie en andere wetenschappelijke middelen. In zekere zin bezondigde ik me aan clichés, maar ik koesterde niet meer de illusie dat het menselijke dier zich met een ander kon verstaan zonder eerst door die poort te gaan. Geen enkele uitwisseling begon met een schone lei; wat erop geschreven stond was vrijwel altijd cliché.

'Ben je een grote eter?'

'Ik heb grote honger.'

Hoewel mijn plan erdoor werd gedwarsboomd, was zijn komst ook een welkome afleiding van mijn eerdere stemming. Ik wist zeker dat hij me morgen alles zou vertellen wat ik wilde horen. Dat was het ongemak waard. Ik ging thee zetten om hem wat warms in zijn buik te geven. Ik keek naar hem vanachter een doos die op het muurtje tussen de keuken en de woonkamer stond. Hij leek op zijn gemak, blij dat er aan zijn meest urgente problemen iets werd gedaan. Ik wilde hem een paar persoonlijke vragen stellen. Hield hij van muziek? Wat vond hij van Congolese muziek? Vond hij de schilderijen van Cheri Samba mooi? Had hij ooit een van de boeken van Georges Nzongola-Ntalaja over de Congo gelezen?

'De thee is klaar.'

'Dank je wel. Ik hoop dat ik je niet te veel overlast bezorg.'

'Hou je van spaghetti?'

'O ja, zeker.' Hij schudde heftig met zijn hoofd om te laten zien hoe serieus hij het eten van spaghetti nam.

'Ik zal wat voor je maken.'

Ik gaf hem wat witbrood, niet het grove volkoren van Bogodisiba, dat veel Afrikanen niet te eten vonden. Ik sneed een tomaat en wat uien en zette een pan op de blauwe gasvlam. Ik goot natuurlijke bakolie in de warme pan en snoof het aroma op. Ik stond op het punt Sam Matete het een en ander te leren over het gebruik van natuurlijke olijfolie, à la Bogodisiba, maar bedacht me: laat de man maar zijn eigen gedachten volgen. Als je voor iemand eten klaarmaakt geeft dat je nog niet het recht om een preek af te steken. Als hij meer wil weten, moet hij het maar vragen.

De bleekgele, ergens in Spanje geperste olie siste toen ik er rode uien in gooide. Ik dekte de pan af en zette een grote pan water op een andere pit. Ik strooide er zout in en kneep er een beetje tomatenpuree in. Bogodisiba moest niets van die vieze puree hebben en gaf de voorkeur aan Italiaanse tomaten, in de zon gedroogd tot er niet veel meer van over was dan een gerimpeld velletje. Als ik eraan dacht wat volgens haar allemaal wel en niet kon, moest ik lachen. Ik voegde stukjes tomaat en uien aan de olie toe en roerde die met een houten spatel om.

Het voelde goed om voor een vreemde te koken, dat had ik al lang niet meer gedaan. Ik vond het idee leuk dat ik mijn gast chanteerde om zich van zijn beste kant te laten zien. Of anders maakte hij misbruik van mijn gastvrijheid.

Ik voegde bonen toe aan de pan met olie, uien, tomatenpuree en blokjes tomaat. Ik roerde, snoof diep in en herinnerde me dat ik er wat knoflook bij moest doen. Ik verkneukelde me bij de gedachte dat Sam Matete met de stank van mijn schone knoflook misschien het kantoor van een advocaat of de spreekkamer van een dokter zou vullen. Ik deed twee teentjes in de pan. Ik trok een pak spaghetti open en zette een schoof sprieten in het water. Ik hield de droge einden vast en duwde de natte einden omlaag. Die werden zacht, bogen door zodat steeds meer van de droge einden in het water zakten. Ik had het trucje van een Brits kookprogramma afgekeken. Voorheen brak ik de sprieten doormidden en gooide ze botweg in het water.

Ik pakte een rode, gebutste en rimpelige natuurappel en gaf hem aan Sam. Ik sloeg hem gade terwijl hij er argwanend naar keek, alsof hij bang was dat ik hem speciaal voor hem uit de vuilnisbak had gevist. Even leek het of hij hem niet zou opeten, toen bedacht hij zich kennelijk.

'Wil je nu douchen of na het eten?' De meeste Congolezen spraken Frans. Ik wilde Sam vragen waar hij Engels had geleerd. Had hij soms lang in Oeganda gezeten net als sommige Congolezen die het regime van Moboetoe waren ontvlucht?

'Liever nu.'

'Eet je appel op dan laat ik je zien waar het is.' Ik genoot van dit overwicht waar ik doorgaans schamper over deed. Het was voor zijn eigen bestwil, hij had de vitaminen nodig.

'Ik ben zover.' Aan zijn stem hoorde ik dat het gerimpelde appeltje hem niet goed was bekomen.

Ik deed de deur naar de badkamer open en knipte het licht aan. 'Daar moet je het mee doen,' zei ik terwijl ik hem liet zien hoe hij de douche moest aanzetten.

'Prima toch.'

Ik liet hem alleen en liep naar de slaapkamer voor een handdoek, die al dertien jaar meeging, en een paar oude sandalen, die te klein waren voor zijn Olympische zwemmersvoeten. 'Oud maar schoon,' zei ik over de handdoek. 'Daar kun je van op aan.'

'Schoner dan ik in tijden heb gezien.'

'In dit huis zul je niets nieuws tegenkomen. Zelfs de boeken zijn tweedehands.' Ik brak mijn preek af omdat ik niet wilde klinken alsof ik hem waarschuwde dat er niets te stelen viel.

Ik gaf hem mangoshampoo, waardoor de hele badkamer en de gang naar een mangobos roken. Ik ging terug naar mijn pannen.

Sam maakte aardig wat geluid terwijl hij zijn lange lijf waste; het leek wel of hij aan het zwemmen was. Ik zei niet dat hij het rustiger aan moest doen; hij had het recht om van zijn eerste echte douche in lange tijd te genieten.

Ik roerde in mijn pannen en snoof de geur op, vooral de onmiskenbare geur van knoflook en bedacht dat ik de vrolijke vegetariërs in het restaurant een paar dingen kon bijbrengen over hoe je een smakelijke maaltijd moest bereiden. Ik haalde een emaillen bord uit het keukenkastje, waste het en droogde het af. Ik pakte een schone vork, een oudgediende van honderden maaltijden van mij en eerdere eigenaren, en veegde hem zorgvuldig af. In een vergiet goot ik de spaghetti af. Daarna stortte ik de slierten in de pan terug, maakte een jampot open, schepte er een klont Indiase boter bij en dekte de pan af. Ik proefde mijn bonensaus en gaf mezelf een achtenhalf voor mijn kookkunst.

Ik wachtte tot mijn gast kwam opdagen. Hij nam de tijd, die plassende bader, zodat ik overwoog hem vanaf de gang te roepen. Ik had net zo'n hekel aan koud eten als aan een aanval van aambeien.

'Ben je zover?' vroeg ik toen hij weer opdook en er tien jaar jonger uitzag, met een glanzend hoofd en zijn lichaam ontspannen.

Ik schepte zijn bord goed vol, de spaghetti leek een berg gekookte wormen waarin de Indiase boter bijna nog verleidelijker geurde dan de knoflook. Ik gaf hem zijn bord aan; hij rook eraan, zei een gebed en begon het eten naar binnen te proppen. Ik sloeg hem gade zonder mijn dampende bord aan te roeren en hoopte maar dat hij zich de volgende ochtend niet te geconstipeerd zou voelen. Misschien moest ik hem aanraden veel water te drinken. Maar van de andere kant had constipatie het voordeel dat hij een dag lang geen honger zou voelen.

Sam at met veel smaak en waarderende geluiden die diep uit zijn keel opwelden. In de supermarkten lag zoveel voedsel dat het bijna walgelijk was. Vrachtwagens vol aardappelen, aardbeien, tomaten en andere producten werden in zee gedumpt om de prijzen op peil te houden. Toen ik nog op de vrachtwagen zat had ik dat ook een paar keer moeten doen. Onlangs was er voor vierhonderd miljoen euro in de Noordzee gedumpt, waarvan in vier regeltjes in *De Bevertse Courant* melding werd gemaakt.

Na het eten ruimde ik de borden af en waste ze om. Het was vier uur in de ochtend. Voor we gingen slapen besloot ik een paar vragen te stellen. 'Vertel me nu eens wat er is gebeurd.'

'Toen ik uit het Akoegoba-huis vertrok heb ik me medisch laten onderzoeken en ten slotte wat medicijnen gekregen.'

'O ja.' Tot op dat moment had ik niet aan zijn gezondheidstoestand gedacht. Ik duimde maar dat hij niet over zijn schulden begon, want ik was moe en het kon me niet schelen waaraan hij dat geld had uitgegeven en hoe hij het terug wilde krijgen.

'Het probleem is onderdak. Door de sluiting van de kampen zijn alle opvanghuizen vol. Ik ben het zat om steeds afgewezen te worden.'

'Er zijn nog twee opvangcentra waar je heen kunt.'

'Als alles fout gaat, ga ik terug naar België.'

'Wat wil je daar doen? Ze hebben je vingerafdrukken toch?'

'Ja.'

'Zit er maar niet over in. We vinden wel een plek voor je.'

'Ik weet een hoop van chemicaliën. Ik kan in het uiterste geval altijd wel een oplossing voor het probleem vinden.'

'Daar hebben we het laatst al over gehad. Alles is nog niet verloren.'

'Ik had het niet over zelfmoord.'

'Waar had je het dan wel over?'

'Als ze me er niet op een nette manier inlaten, zal ik ze dwingen.'

'Hoe?' Ik probeerde niet te sceptisch te klinken. De mannen

van Blaatpan lustten types als Sam rauw; hoe wilde hij de rollen omkeren?

'Dat kan ik nog niet zeggen.' Hij leek in gedachten verzonken. Zijn schouders zakten alsof ze gebukt gingen onder het gewicht van ijzeren staven. Door de concentratie vernauwden zijn ogen zich, alsof hij naar een minuscuul insect tuurde. 'Toen je thuiskwam stond ik vlak om de hoek. Ik zag je om je heen kijken en besloot je niet te storen. Ik wilde je eerst de tijd geven om rustig thuis te komen.'

'Maak je geen zorgen. We vinden wel een organisatie voor je.'

Het onderdak geven aan een illegale buitenlander was een strafbaar feit, maar dat werd door het ministerie van Justitie zelden op de spits gedreven. Veel buitenlanders droegen bij aan de groei van het nationaal product en het zou dom zijn ze allemaal uit te zetten.

Onlangs had ik gelezen dat de Franse regering haar burgers aanmoedigde om verdachte personen bij de politie of de Grensbewaking aan te geven. Ook Pingeland mocht zich verheugen in de nodige burgersurveillance, grotendeels dankzij huisvrouwen die in hun buurt iedereen kende en met argusogen vanachter de gordijnen vreemdelingen in de gaten hielden en de nodige stappen ondernamen.

'Waar was je dan al die tijd voor ik thuiskwam?' Ik vroeg me af wat hij van de zigeunermuziek zou hebben gevonden als we de avond samen hadden doorgebracht.

'Rondgelopen en in cafés gezeten. Ik heb in twee cafés vijf euro uitgegeven op twee bestellingen waar ik uren aan gezeten heb.'

'Wees gerust, morgen trekken we een plan. Ga nu maar slapen.'

Ik nam me voor om Bogodisiba over hem te vertellen. Met zijn tweeën konden we Sams problemen vast wel oplossen. Bogodisiba had een aantal vrienden die het een kick vonden om mensen te helpen onderduiken; ze hadden netwerken die zich tot over Pingelands grenzen uitstrekten. Ze konden iemand naar België en Luxemburg brengen en net zo lang verkassen tot er een oplossing was gevonden. Zelden riep ik Bogodisiba's hulp in, maar ik bedacht dat ik wel iets uitzonderlijks voor Sam Matete mocht doen om mijn schuld uit te wissen.

'Heb je alsjeblieft tien euro voor me?'

Ik wilde hem vragen waarvoor, maar bedacht me. Misschien had hij het geld nodig voor sigaretten of om zich minder kwetsbaar te voelen. Ik liep naar de plek waar ik mijn geld bewaarde en gaf hem het biljet. Hij bedankte me zonder uit te leggen wat hij ermee wilde doen.

Ik ging naar de badkamer om me gereed te maken voor de nacht. Ik zag dat er druppels pis op de vloer voor mijn geliefde troon lagen. Waarom had hij die niet weggeveegd? Had hij ze niet gezien of kon het hem domweg niet schelen? Ik zou het er morgen met hem over hebben. Als hij hier een tijdje wilde blijven, moest hij zich wel aan mij aanpassen. Ik poetste mijn tanden en liep naar de slaapkamer om zijn bed op te maken.

Er had sinds lange tijd niemand geslapen. Ik stopte de kleren in zakken, schudde de dekens uit, haalde schone lakens voor de dag en maakte het bed zo comfortabel mogelijk op. Ik riep hem om het hem te laten zien. Hij bedankte me en ik wenste hem welterusten. Kort daarna viel ik in slaap met de gedachte: wat een nacht!

❦

'Dismas, neem de telefoon op, mén, ik weet dat je thuis bent. Victor Eugene Buzz hier. Ik moet je spreken. Ik moet je iets heel belangrijks vertellen. Het is een zaak van nationaal belang. Neem op, mén.'

Aanvankelijk dacht ik dat ik droomde, maar omdat ik nooit meer had gedroomd sinds ik lijfeigene was en een droom nu betekende dat ik klaarwakker op mijn bank over de werkelijkheid lag te piekeren, wist ik dat er iemand aan de telefoon was. Ik deed mijn ogen open, die nog loodzwaar waren van de slaap. Ik had de telefoon moeten afzetten, mompelde ik. Ik haalde de doppen uit mijn oren en pakte de hoorn beet.

Op dat moment keek ik op de klok en zag dat het al midden op de dag was.

'Eugene Victor, ik heb nog zo gezegd dat je nooit voor acht uur moest bellen.'

'Ik wist wel dat je thuis was. Wat goed om je stem te horen, mén!' Hij negeerde mijn sneer volledig, een teken dat hij wat van me wilde. Misschien had hij problemen met het Lisa-loopje en wilde hij kankeren. Dat zou ik afkappen. Ik wilde geen vergaarbak worden van huiselijk leed en ongenoegen.

'Ik ben geroerd,' zei ik zuur en nog vechtend tegen de slaap.

'Je hoeft niet zo sarcastisch te doen, mén. Ben jij de laatste tijd nog wel eens in een hartelijke bui? Is er iemand in dit land die je zo lang kent als ik?'

'Blaatpan. Ik had zijn essay *Democratie met de ijzeren vuist* al lang gelezen voor jij naar Pingeland kwam.'

'De boodschap is duidelijk, mén. Lisa doet je de groeten. Ze vindt je een heel wijze man.'

'Je hoeft me niet te vleien. Zeg nou maar waarom je me belt, dan kunnen we het daarna over je vrouw hebben.'

Ik stond op en liep naar de balkondeur, terwijl ik me een hongerende Lisa June voorstelde die in short en een kinderT-shirt en met suikervrije frisdrank in haar hand door de kamer van Eugene Victor haar loopje oefende. Dat ontlokte me een grijns. Ik keek naar het balkon aan de overkant. Het spandoek was verdwenen. De vlaggen ook. Ik probeerde me de poeha voor te stellen waarmee de komst van Eugene Victors eerste kind omgeven zou worden. Hoogstwaarschijnlijk zou hij een website openen, advertenties in de luxe bladen zetten en elke bezoeker een exemplaar in handen duwen.

'Ik ben nog steeds kwaad op die dieven, mén. Ik wil ze de bak in hebben. Door hen ben ik nu vaster dan ooit besloten om in de politiek te gaan.'

'Ik denk dat je zwaarwichtiger redenen moet hebben dan alleen de wens om vandalen te straffen.'

'De politiek zit me in het bloed. Mijn voorvaderen hebben er in Oeganda aan gedaan. Ik doe er nog een schepje bovenop door hier de familievlag te laten wapperen. Ik ga het echt doen, Dismas.'

'Koop een hondje; blanken houden van zwarte politici met hondjes. Kom met een hartverscheurende tragedie om jezelf aan het publiek te verkopen.' Ik zuchtte en zweeg even. 'Ik voel me niet lekker. Kunnen we later over de rest praten?'

'Het spijt me dat te horen. Ik belde om je te vragen of je me een paar boeken kunt lenen.'

'Een tijdje geleden zei je dat boeken iets voor sukkels waren.'

'Die woorden neem ik terug, als ik ze al heb gezegd. Ik word lid van de Conservatieven en ga me in mijn vrije tijd serieus aan het lezen zetten.'

'Het zou geen kwaad kunnen als je eens wat geld aan boeken ging uitgeven.'

'Ik heb net een kapitaal aan Rok uitgegeven! Ik geef bendes uit aan Lisa en haar droom. Ik geef per maand duizenden uit aan het huis. Ik moet even pas op de plaats maken, mén.'

'Ik zal kijken wat ik kan doen.'

'Dat waardeer ik.'

Toen Eugene Victor had opgehangen, liep ik naar de slaapkamer om te zien of Sam Matete al op was. Hij zou wel wakker zijn en met een van mijn boeken op bed liggen te wachten tot ik opstond. Hij wist hoe dan ook dat ik de dienst uitmaakte en zou waarschijnlijk niets doen om het wankele evenwicht te verstoren.

Ik begon te fluiten toen ik de woonkamer uit liep, omdat ik hem niet naakt wilde aantreffen. Niet dat ik ermee zat om mannelijke geslachtsdelen te zien; daar kreeg ik tijdens mijn meditatie genoeg van onder ogen en ik was niet een van die gijzelaars van de maatschappij die in doodsangst leefden om voor homoseksueel te worden aangezien.

Ik klopte op de deur en toen er geen antwoord kwam draaide ik de klink om en liep naar binnen. De kamer was leeg. Sam Matete had het bed opgemaakt met het bovenlaken keurig omgeslagen en onder de matras ingestopt.

Ik liep naar de badkamer en klopte hard. Er kwam geen antwoord, maar dat wilde niet zeggen dat hij er niet was. Misschien had hij een hartkwaal of had hij een beroerte gekregen toen hij op mijn troon zat. Wie weet lag hij wel bewusteloos op de grond uit beide monden te lekken. Toen ik de deur opende bleek de badkamer leeg te zijn.

Ik vond het vreemd dat iemand midden in de nacht bij je aan kwam en dan 's ochtends weer vertrok zonder even gedag te zeggen. Wat zou hij zeggen als hij terugkwam? 'O, het spijt me dat ik je niet heb laten weten dat ik vertrok, want ik had zo'n haast.' Had hij een briefje achtergelaten?

Ik liep naar de slaapkamer, maar er lag geen briefje. Als hij er wel een had achtergelaten zou het op het bed hebben gelegen waar ik het meteen zou zien. Niemand schrijft een briefje om het vervolgens onder het bed of achter het dressoir te gooien.

Ik doorzocht mijn spullen om te zien of hij iets had meegenomen. Een kwartier lang keek ik alles na waarvan ik dacht dat iemand er belangstelling voor kon hebben. Alles was er nog.

Hij was geen dief. Hij had gevraagd wat hij nodig had. Maar wat kon hij met tien euro doen? Hij kon er niet verder mee komen dan Amsterdam.

Ik was boos dat ik hem niet het Moesigoela-huis uit had horen sluipen. Ik, een voormalige stille nota bene! Een man die vroeger niets anders deed dan kogels en scherpe messen ontwijken? Een man die er prat op ging dat hij zo licht sliep als een kat!

Ik was dankbaar dat Sam zijn dode landgenoten niet had gewroken door mij dood te steken of te wurgen. Het was een goede vent die het te druk met zijn lijfsbehoud had om in te zitten over zulke mistige dingen als schuld. Of wel, maar dan moest hij hebben beseft dat president Moboetoe's Congo verantwoordelijk was geweest voor de dood van veel mensen in omringende landen als gevolg van de wapens die de dictator dertig jaar lang naar guerrillastrijders had doorgesluisd. Als voormalig gekoloniseerde wist ik dat als Sam echt wraaklustige gevoelens koesterde, hij meer bevrediging zou putten uit het doden van een Belg dan van een Oegandees.

Ik belde het Akoegoba-huis om hen in te lichten over Sams bezoek en daarop volgende verdwijning. Ze beloofden dat ze de advocaat en de dokter zouden bellen met wie hij contact had gehad, om te zien of die iets wisten.

Het was niet ongebruikelijk dat proteïnezoekers kwamen en gingen, opdoken en weer onderdoken in de onderbuik van de samenleving waar een netwerk bestond dat hen kon opnemen. Je vond er de zwarte-banenmarkt, wat gesjoemel met auto's, een seks- en drugssyndicaat, wegen om over andere grenzen de droom van legalisering en beter zwart werk na te jagen, en weer stiekem terug te komen wanneer de plannen spaak liepen of wanneer politie-invallen roet in het eten gooiden.

Tot dusver had nog niemand mijn huis in zijn reisroute opgenomen. Vandaar dat ik Sam Matete niet uit mijn gedachten kon

zetten. Ik zag zijn grote gestalte voor me, nu eens als een zout-
zak, dan weer kaarsrecht als een eucalyptus. Ik zag zijn gezicht,
het ene moment vol levenslust glimlachend, het andere moment suf en door onzekerheid geplaagd. Het leek of hij rond-
hing om het huis tot hij voor het ontbijt zou worden geroepen
en naar een opvangcentrum gebracht.

Ik wilde dat hij terug zou komen, zodat ik een onderkomen
voor hem kon gaan zoeken. Nu ik het brandstichten had stilge-
legd, was hij mijn excuus om wat onrust te stoken en mezelf te
ontdoen van de passiviteit van de oppassende burger.

Na het telefoontje begon ik aan mijn yogaoefeningen. Zonder dat ritueel was een dag niet compleet, vooral niet zonder de
wereld een tijdje op zijn kop te hebben bekeken. Ik was met yoga begonnen uit angst voor impotentie en aftakeling, de twee
belangrijkste bedreigingen die voor een ouder wordende man
op de loer lagen. Inmiddels maakte het een onmisbaar deel van
mijn leven uit. Ik vond het prettig dat je het overal kon doen.
Meer dan een matje of een handdoek had je er niet voor nodig.
Dat soort eenvoud was een kolfje naar mijn hand.

Het werd een rusteloze dag. Om een of andere reden verwachtte ik dat Sam Matete zou telefoneren of beneden zou
aanbellen. Ik maakte mijn dagelijkse wandeling in de hoop hem
bij thuiskomst voor mijn deur aan te treffen. Toen ik hem niet
zag, bleef ik lang op het balkon staan staren, nadenken en naar
de muziek van auto's en straalmotoren luisteren. Op een gegeven moment leek het of iemand 'Hoera!' naar me riep en schoot
me het spandoek te binnen en de dag dat ik mijn zaadleiders
had laten doorknippen.

Het idee om een vasectomie te laten doen was langzaam ge-
groeid. Herhaaldelijk had ik de vragen van de zelfbedachte Vasectomie Quiz beantwoord, die als volgt luidden: Wilt u zich
met alle geweld voortplanten? Zou u een vruchtbaarheidsbe-

handeling willen ondergaan als u of uw vrouw zich niet normaal kon voortplanten? Hoort u stemmen van ongeboren kinderen die u beschuldigen van moord en wreedheid? De uitkomst was altijd dezelfde, ook al omdat een man door zich niet voort te planten bijna het lot en de hand van woeste krijgsheren tartte. De vette bonus zou zijn dat er een einde kwam aan de ejaculatieheffing.

Een maand voor mijn veertigste verjaardag maakte ik een afspraak met een uroloog. Het was een schriel mannetje met een witte jas, die twee maten te groot was, en een bijna slaapverwekkende blik. Hij zat op zijn stoel naast zijn spinnende computer en vroeg waarom ik de ingreep wilde ondergaan.

Dat vond ik een vreemde vraag voor iemand die zijn beroep had gemaakt van het afknijpen van zaadleiders. Waarom wilde een man zijn zaadleiders laten doorsnijden? Om een keer in die ronde door Siemens vervaardigde operatiekamerlampen te kunnen staren?

'Heeft u kinderen?' Hij sprak zachtjes, alsof hij door de woorden op zijn computerscherm was gehypnotiseerd. 'De ingreep kan na vijf jaar niet meer worden teruggedraaid.'

'Zijn er dan mannen die willen dat hij wordt teruggedraaid?'

De uroloog glimlachte ondoorgrondelijk en liet een balpen tussen zijn vingers draaien. 'Ja.'

Het soort dat om de vrouwelijke kunne te pesten uit hartzeer de zaadleiders liet doorsnijden, dacht ik.

Hij bleef zwijgen, met zijn balpen draaien en naar het scherm turen.

'Ik lijd niet aan hartzeer,' merkte ik op. 'Integendeel.'

Dit was allemaal inleidende bla-bla. De vraag die ik hem wilde stellen was: 'Hoeveel vasectomies voert u per week uit?' Ik hield van het woord 'uitvoeren', dat acrobatische toeren en een mate van complexiteit impliceerde. 'Doen' klonk te gewoon, paste niet bij een ingreep die de meeste mannen de stuipen op het lijf joeg.

De uroloog zweeg een tijdje. Ik was verbaasd dat hij voor dit soort stiltes zoveel tijd kon uittrekken. Misschien dacht hij dat ik bang was dat hij misschien de verkeerde buisjes zou doorknippen en me impotent zou maken. Behalve de regering, het openbaar vervoer en het zakenleven maakte ook Pingelands gezondheidszorg zware tijden door. Enige tijd terug had een chirurg bij een patiënt het verkeerde been afgezet, wat een schandaal had veroorzaakt. Maar daaraan dacht ik niet. Mijn nieuwsgierigheid was puur getalsmatig.

De man gaf zijn minuscule glimlachje ten beste, dat vermoeidheid, medelijden met de onwetenden en mogelijk een lichte dosis vermaak verried. 'Tien ongeveer.'

Tien keer tweeënvijftig. Een dikke vijfhonderd zaadleiders per jaar! In Bevert! Ik glimlachte en moest giechelen toen ik me probeerde voor te stellen wat de Schildpad over dat soort mannen zou zeggen.

Ten slotte nam de uroloog me mee naar de onderzoekskamer en betastte mijn ballen, op zoek naar de buisjes die hij zou doorknippen. Na een tijdje hield hij ermee op en deelde me mee dat er geen belemmering was om de ingreep uit te voeren. Hij stelde als datum eenendertig dagen later voor, alsof hij me ruim de tijd wilde gunnen om van gedachten te veranderen, wat geen probleem zou zijn omdat er nog zoveel kandidaten op zijn diensten wachtten.

Hoeveel vasectomies werden er in steden als Haarlem en Amsterdam uitgevoerd? Ziekenhuizen waren eigenlijk fabrieken; aan de lopende band hysterectomies, bypassoperaties, orgaantransplantaties en talloze andere dingen die op het menselijk lichaam konden worden uitgevoerd.

Op de grote dag gaf de schriele chirurg, bijgestaan door een

174

vrouwelijke assistente in het groen, me twee injecties in mijn lies en begon te snijden en te hechten. Lichamelijke oefening is belangrijk voor toekomstige kandidaten. De lange verdovings- naald zou pijn doen als hij in slappe spieren werd gestoken. De operatietafel was smal, de Neushoorn zou er slechts een van zijn enorme billen op kwijt kunnen. Werd dat soort mensen het dubbele in rekening gebracht?

Ik vond mijn bloed prachtig. Zo licht! Zo helder! Het was interessant om daar te liggen en twee vreemden gade te slaan die met je ballen speelden. Zijn de meeste urologen hetero- of homoseksueel? Ze zijn hoogstwaarschijnlijk heteroseksueel, net als de meeste hoeren lesbisch zijn.

Aan de overkant gaf de vrouw op de derde verdieping haar baby de fles. Toen bedacht ik dat ze uitroeptekens op het span- doek 'Hoera! We hebben een zoon!' hadden gezet, omdat die man zijn vasectomie met succes had laten terugdraaien.

Ik liep terug het huis in.

❧

BOEK DRIE

Mandril

De recente gebeurtenissen hadden voor meer innerlijke spanning gezorgd dan ik had vermoed. Het gevolg was dat mijn ratten uit hun sluimer ontwaakten en me tot diep in mijn keel en ver in mijn rectum met satanisch plezier folterden. Ik kreeg heftige aanvallen van braken en diarree. In onze knusse behuizing moet ik mijn arme buren uit hun slaap hebben gehouden met mijn furieus tetterende anus. Omdat ik uit onbezonnen ijdelheid niet graag de dokter inschakelde, maakte ik mezelf wijs dat ik de storm kon laten uitrazen en er met iets van een overwinningsgevoel uit zou komen. Dus hield ik mijn ratten zoet met drankjes en pillen, rende met de regelmaat van een stadsbus van de bank naar de troon, en was twee slapeloze nachten bezig met het doorsmeren van branderige slijmvliezen.

Bogodisiba verplaatste haar hoofdkwartier naar het Moesigoela-huis en bood alle steun die ze kon geven, op het zingen van slaapliedjes na. Bang dat er veel meer met me aan de hand was dan de twee grote kwalen, dreigde ze aan het eind van de eerste dag de dokter te bellen, maar ik wilde er niet van horen. Dat maakte haar woedend, want ze dacht dat ik haar verpleegwerk saboteerde om een masochistisch trekje te bevredigen.

Net als de meeste mensen in een machtspositie eiste ze volgzame medewerking. Ze verwachtte dat ik alles opdronk wat ze me voorzette, dat ik ging liggen wanneer zij het nodig vond en dat ik at, ook al ging ik bijna gillen zodra ik eten rook. Kortom, ze wilde dat ik me gedroeg als een kind dat blij moet zijn met zo'n liefhebbende moeder.

'Je doet altijd bazig wanneer ik ziek ben. Waarom weiger je nu zelf de bittere pil te slikken?' schreeuwde ze getergd.

'Ik knap wel weer op. Ik kom uit een familie van mensen die zelden ziek worden. We zijn uit ijzersterk hout gesneden.'

'Heb je al eens in de spiegel gekeken? Vind je dat je er fris uitziet?'

Ik wou zeggen dat ze niet zo hysterisch moest doen, maar was zo verstandig het in te slikken. Alleen een dwaas beledigt zijn verpleegster. 'Maak je geen zorgen. Het komt allemaal goed, schat.'

'Wat doe ik hier eigenlijk als je niet naar me wilt luisteren?'

Als ik dacht dat ze het daarbij zou laten, had ik het mis. Ze brak mijn verzet door te zeggen dat het verstandig zou zijn om een testament te maken. Ik wilde uitleggen dat ik niets had om na te laten, maar hield me opnieuw in. Misschien zag ik er veel slechter uit dan ik dacht. Ik zei, niet zonder afbreuk te doen aan haar overwinning: 'Je hoeft niet zo te schreeuwen. Ik ga al naar de dokter.'

'Je moet eens leren vaker het hoofd te buigen.'

'Voor een vijftiger ben ik al krom genoeg,' zei ik grinnikend.

Vroeg in de ochtend van de derde dag belde ik op. Ik was verrast dat er al na twee keer overgaan werd opgenomen, maar algauw bleek dat het niets met geluk te maken had. Het antwoordapparaat liet me weten dat er voor één dag werd gestaakt. Voor spoedgevallen verwees het me naar het ziekenhuis, dat naar ik vreesde overstroomd zou worden door mensen die niet naar hun dokter konden. Hoe dan ook associeerde ik spoedgevallen met gebroken ledematen, gapende wonden en vallen van de trap. Dat was mij allemaal niet overkomen. Ik besloot nog een dag te wachten.

'Een staking!' siste Bogodisiba toen ze het nieuws hoorde. Ze balde haar vuisten met een gezicht of ze iemand een opdoffer wilde geven. 'Waar moet een dokter in dit land voor staken?'

'Meer geld, minder werk, betere pensioenvoorzieningen?'

'Waarom vandaag?'

'Dat is onze schuld. We hadden naar het nieuws moeten kijken.' Ik had plezier in mijn rol van nuchtere partij.

'Hoe hadden we het nieuws kunnen zien terwijl jij de helft van de tijd met je hoofd in de wc-pot hing en ik je de helft van de tijd fysiek moest dwingen om te doen wat ik zei?'

'Ik neem alle verantwoordelijkheid voor die misser op me.'

'Ze moesten stakingen van dokters strafbaar stellen. Waarom? Omdat ze volkomen zinloos zijn. Ze kunnen beter tanks met etter naar het Parlementscomplex sturen en dreigen die tot de laatste druppel leeg te storten als... Die boodschap zou duidelijker overkomen dan patiënten straffen.'

'Ze hebben het recht om te staken. Ze zijn hun apathie zat. Ze willen meer aan hun leven hebben. Vandaar dat hoe meer dokters ze opleiden, hoe meer er naar het buitenland vertrekken waar de omstandigheden beter zijn. Zou jij niet hetzelfde doen als...'

'Als wat? Als ik aan de ratrace had meegedaan? De ondankbare honden! Met alle voordelen en zoethouders hebben ze nog het lef om te staken! Het communistische systeem was beter. Een dokter zat daar zijn hele leven vast.'

'Het communisme is dood, lief. Samen met zijn verbond van schreeuwerige salonsupporters.'

'Communistische landen hadden uitstekende medische voorzieningen.'

Ik bestreed haar bewering niet en vroeg haar ook geen voorbeelden te noemen. Ik was op mijn hoede, want als ik te veel tegen haar in ging, zou ik een preek van een uur krijgen. Toen er geen tegenspraak kwam, bekoelde ze en begon ze zich weer zorgen te maken hoe ze me in leven moest houden tot de dokters hun instrumenten weer opnamen.

De volgende dag kon ik een afspraak maken. Ik voelde me al beter, de ratten waren uitgeraasd, ik hoefde minder snel en minder vaak naar de troon te hollen en het eten rook niet meer naar het riool. Ik kon een kwartier op mijn hoofd staan voor we vertrokken, voldoende bewijs dat het doktersbezoek een formaliteit was. Ik wilde Bogodisiba een plezier doen en de goede dokter eraan herinneren dat plichtsverzaking een strafbaar feit was.

We gingen vroeg van huis, maar de wachtkamer zat al bomvol. Twee uur later werden we naar de spreekkamer geroepen.

De dokter, een kaalhoofdige man met twee slierten gepommadeerd haar over zijn knikker geplakt als een talisman tegen het ouder worden, had zijn dikke lijf in een zwarte leren stoel geplant en zijn grote, gevlekte handen op een schrijfblad gelegd. Zijn gezicht verried geen enkele emotie, wat hem het voorkomen van een opgezet beest gaf. Hij zag eruit als iemand die tot niets anders in staat was dan in die stoel te zitten, die met hem vergroeid leek.

Terwijl ik hem beschreef wat ik had doorgemaakt, zonder te overdrijven, maar ook zonder iets achter te houden, deed hij me onweerstaanbaar denken aan een katholieke priester die de biecht hoort. Hij wekte de indruk dat hij boven de alledaagse wereld stond en worstelde met complexe organismen als gekloonde virussen, carcinogene bacteriofagen en andere wetenschappelijke termen die zo ingewikkeld waren dat maar weinig patiënten zelfs de eenvoudigste uitleg konden volgen. Door hem herinnerde ik me dat ik er ooit van had gedroomd om arts te worden, het witte ambtskleed en de stethoscoop te dragen en met bovennatuurlijke macht hiërogliefen te krassen op receptenbriefjes, hét symbool van hoop en verlossing van pijn.

De dokter, die zich niet verweerde tegen de zware stank die uit mijn mond wolkte, onderbrak mijn gedachten met de vraag: 'Nog andere klachten?'

Wat viel er nog meer te vertellen? Hij scheen het allemaal al te weten, het al duizenden keren eerder te hebben gehoord. Als ik hem over tropische ziekten had verteld, die de meeste huisartsen niet konden behandelen en herhaaldelijk naar tropeninstituten doorverwezen, zou hij levendiger uit zijn ogen hebben gekeken en ik meer mijn best hebben gedaan.

Elke patiënt kreeg maximaal tien minuten toebedeeld en met een blik op de klok zag ik dat ik er nog zes had. Toen de stilte over de kamer daalde, greep Bogodisiba in en begon de goede dokter alles te vertellen wat ik hem al had verteld, alleen met meer nadruk op de pijn en op haar angst dat de ziekte 's nachts zou verergeren.

Voor het eerst kwam er beweging in het opgezette beest. Hij boog zich voorover en begon woorden neer te krabbelen. Hoogst eigenaardig. Wat was het verschil tussen ons? Was het mogelijk dat hij niets had begrepen van wat ik tegen hem had gezegd?

Als ik in zijn schoenen had gestaan, zou ik er de pest over in hebben dat Bogodisiba niets nieuws vertelde. Bij dit soort dubbel werk zou mijn gezicht van ongeduld zijn vertrokken, maar de goede dokter bleef luisteren en aantekeningen maken. Als ze een voor mij onbegrijpelijke taal hadden gesproken, zou ik hebben gedacht dat ze een onderonsje hadden. Was het mogelijk dat de knoflookstank de dokter zo had afgeleid dat hij niets had verstaan? Of reageerde hij op de charme van Bogodisiba?

Ten slotte nam hij mijn bloeddruk op, die goed was, en mijn temperatuur, die weer normaal was. Hij onderzocht mijn rectum met een endeldarmspiegel. Ik had geen behoefte te horen wat hij daarin zag en ook Bogodisiba vroeg, tegen haar gewoonte in, geen nadere bijzonderheden.

Ik nam me voor haar voortaan mee te nemen als ik naar de dokter ging. Ik had er plezier in dat ze hem honderduit vroeg en dingen twee of drie keer opnieuw liet uitleggen. Maar toen ik op het recept keek, zag ik dat hij hetzelfde medicijn had uitgeschreven als de vorige keer.

We liepen de spreekkamer uit en bleven bij de buitendeur staan om te zien hoe lang het zou duren voor de volgende patiënt werd geroepen. Minuten verstreken. We liepen achterom en zagen de dokter met opengesperde neusvleugels voor het raam staan. Ik klopte Bogodisiba op haar rug en we lachten.

'Je bent te braaf,' mopperde ze toen we weggingen. 'Je praat alsof je een verhaaltje vertelt. Zo'n man kan je niet serieus nemen. Je moet laten zien dat het een zaak van leven of dood is.'

'Hij is arts. Hij zou dat moeten weten.'

'Dat zou hij ook als jij zijn zoon was. Hoeveel mensen ziet hij op een dag? Jij was gewoon een homp vlees op een hakblok. De homp die het hardst schreeuwt krijgt de beste behandeling. Ik wil de volgende keer absoluut weer mee.'

'O, wat lief van je!'

'Ik heb je al zo vaak gezegd dat ik weet hoe je zoiets aanpakt, maar jij bent zo dwars als een geit.'

'Waarom gaan we niet naar het strand? Het is hier maar zes kilometer vandaan,' stelde ik voor om van onderwerp te veranderen.

'Daarin ben ík nou een koppige ezel. Ik val nog liever dood dan dat ik deze vleeshomp meeneem naar die hedonistenbroedplaats.'

'Volgens hen ben jij de hedonist: je weigert betaald werk te doen.'

'Dat noem ik opstandigheid, lieve Dismas.'

'Laten we dan maar naar huis gaan.'

We wandelden langs veel te dure huizen, de meeste met twee of drie verdiepingen en trappen zo steil als skihellingen. Ik genoot van het licht dat door de overhuiving van de bomen langs de weg sijpelde en van de momenten dat er geen auto's van en naar het strand scheurden.

In de Koopvirusstraat haalden we bij de eerste de beste kiosk een gratis Metrokrantje. Ik zocht naar een grappig verhaal. Toen ik er een had gevonden, vroeg ik aan Bogodisiba, die in de drukke straat om zich heen stond te kijken:

'Heb je ooit gehoord dat er mensen aan stront overlijden?'

'Doordat ze erin verdrinken, ja,' antwoordde ze, terwijl ze naar de drukte bleef kijken.

'Nou, deze is doodgegaan aan ammoniakdampen die uit papegaaienstront opstegen.'

'Papegaaien?'

'Ja. Hij had een hele kolonie lange tijd in het huis van zijn vader opgesloten en toen hij ging kijken hoe het met ze was en om zijn excuses aan te bieden, zakte hij dood neer.'

Het viel me tegen dat ze niet lachte. Ik wist dat ze geen lachmachine was, maar ik vond dat ze een poging had moeten wagen. Ze stelde voor om de trein te nemen, maar ik wilde per se de vier kilometer naar het Moesigoela-huis lopen. Ik wilde haar laten zien dat ik weer beter was.

We liepen door de Koopvirusstraat, waarvan de handelsgeschiedenis vele eeuwen overbrugde en de zilveren lokroep zowel winkelier als klant verleidde tot dromen van winst en aanwinst bekroond met geluk. We waren doof voor de taal van deze straat, haar luxeartikelen waren als parels voor onze gehoefde voeten en opgetrokken snuiten.

'Weet je zeker dat je niet naar de wc wilt?' Bogodisiba's vraag haalde me ruw uit mijn gedachten. 'Na deze straat is er geen gelegenheid meer.'

'Ik heb nergens last van. Zo nodig pies ik wel tegen een boom,' zei ik met een valse grijns en dacht terug aan alle bomen die ik in Oeganda had bewaterd.

'Dismas, toe!' riep Bogodisiba met een vies gezicht uit.

Ik bedacht dat ik gedurende mijn huizenbrandcampagne dezelfde fouten had gemaakt als andere bescheten lieden. Ik had mijn ogen naar de beul opgeheven en hem verzocht mijn zaak serieus te nemen, alsof hij niets beters te doen had.

Ik had de clou van het machtsverhaal gemist en me vastgeklampt aan propaganda en valse hoop. Ik verwachtte niet meer dat anderen de macht afstonden; ik was bereid om voor mijn deel te vechten.

'Ben je aan het bidden?' vroeg Bogodisiba snibbig en geërgerd. Ze geloofde niet in de Godin. Ze vond godsdienst verachtelijk, zelfs zo'n universele als die van mij.

'Wie weet.'

'Of liep je soms aan de dokter te denken?'

'Waarom zou ik?'

'Ik weet het niet. Je keek zo tobberig.'

'Ik dacht aan hoe vrij ik me voel.'

'Weet je waar ik aan liep te denken?'

'Nee.'

'Aan wat ik over tien jaar zou doen.'

'Weet je zeker dat je dat haalt?' Ik glimlachte om de klap te verzachten.

'We hebben de beste medicijnen ter wereld, en vergeet niet dat er nog een hoop vechtlust in dit karkas zit.' Ze gaf me een klap op mijn rug.

'Ik plaagde je maar. Je hoeft niet ongerust te zijn. Er zullen altijd mensen zijn die jouw hulp nodig hebben.'

'Het drama houdt me op de been, maar uiteindelijk blijft er niets van over.'

'Een in stront geschreven grafschrift voor jou en mij, lief. Verzoen je er maar mee. Trouwens, van bijna ieders werk blijft weinig over. Neem de goede dokter. Hij kan de dood alleen uitstellen. Uiteindelijk zal zijn werk voor niets zijn geweest.'

'Daarom kan ik er nog wel over nadenken.'

'Ik denk dat je het verkeerde beroep hebt gekozen,' antwoordde ik, verontrust dat uitgerekend Bogodisiba de drang had om herinnerd te worden. 'Je bent niet voor roem in de wieg gelegd. Dat zijn maar weinig mensen.'

'Dat zal ook wel.'

'Je kunt bij de brandstichters gaan. Die zijn voortdurend op de tv.'

'Ze verspillen hun tijd. Die maskers maken ordinaire misdadigers van ze. Revolutionairen laten hun gezicht zien.'

'Zoals Baader en Meinhof?'

'Ja.'

Haar woorden raakten me diep en ik had ineens hoofdpijn. Ik was blij dat ze niet wist dat ik een van het tweetal was. Ik was blij dat ik het nooit had opgebiecht, wat ik aan het begin van de campagne bijna wel had gedaan. Ik had haar reactie kunnen voorspellen: ze had de branden volkomen genegeerd.

We verlieten de Koopvirusstraat en wandelden door woonwijken en langs sportvelden naar huis.

Terug in het Moesigoela-huis ging ik naar de keuken om een lichte maaltijd van witte rijst met bonen en spinaziesaus klaar te maken. Het gaf me een heerlijk gevoel van controle als ik over de pannen gebogen stond te roeren, te ruiken en te kruiden. Bogodisiba wilde helpen, maar ik zei dat ze beter wat kon rusten. Naarmate het huis zich met aangename geuren vulde, groeide mijn minachting voor de mannen en vrouwen die niet voor zichzelf konden koken. Het was een kortstondig moment van zelfgenoegzaamheid, dat opkwam om de pijnlijke woorden van Bogodisiba te verdringen. Door voor haar te koken herwon ik mijn waardigheid en ik nam me voor de volgende keer een daad te verrichten waarvan ze achterover zou slaan.

'Ik denk dat het tijd wordt dat je naar Den Haag gaat om te kijken hoe het met je vrouwen is.'

'Vind je dat niet erg?'

'Natuurlijk niet. Moet je mij zien! Weer helemaal de oude!'

'Goed om te horen, maar een volgende keer luister je naar me als ik je wat zeg.'

'Ik heb de afgelopen drie dagen niks anders gedaan dan gehoorzamen,' zei ik, schmierend in de rol van het onbegrepen jongetje.

'Pas na de nodige dreigementen. Dat is niet goed genoeg.'

'Ik zal mijn leven beteren, oma.' Ze keek even naar de foto van de Schildpad, deed haar mond open en bedacht zich toen.

Een halfuur na onze thuiskomst gingen we eten. We aten altijd informeel, met het bord op schoot, naast elkaar op de bank tegenover mijn beste vriend. Ik wist dat het Bogodisiba's enige maaltijd van de dag zou worden. Net als veel kinderloze mensen had ze de neiging om te hard te werken zodra ze de geest had, een beetje als compensatie, en dan schoot eten er vaak bij in. Een van de dingen die ik haar had geleerd was zich te ontspannen, maar dat vergat ze regelmatig en dan beulde ze zich genadeloos af. Na drie dagen bij mij leek ze te snakken naar zo'n slopende periode. Ik zag het aan de afwezigheid waarmee ze at. Ze vergat zelfs mijn kookkunst te prijzen.

Toen ze weg was ging ik op mijn bank liggen. Ik was blij dat ik het Moesigoela-huis weer helemaal voor mezelf had. Ik zette de televisie aan die drie dagen uit was gebleven. Ik wilde Rekken Trent en professor Best zien. Ik miste de schandalige uitlatingen van Rekken Trent. Een maand eerder was de nationale luchtvaartmaatschappij opgeslokt door Air France. Een week voor mijn ziekte had ik gelezen dat Pingeland een overeenkomst met België had gesloten om de M33 te maken, de meest sexy landmijn, die zichzelf na vijftig jaar vernietigde. Ik wilde horen wat Rekken Trent van die gebeurtenissen vond.

Ik wilde het gezicht van professor Best zien en zijn kille autoriteitenstem horen. Nu ik aan hem dacht kreeg ik voor het eerst zin wat emotie in zijn optreden te brengen. Ik wilde hem van angst in zijn broek zien schijten. Ik wilde hem horen gillen en smeken. Ik wilde de zachte kern bereiken die hij met zijn harnas van macht beschermde.

Ik probeerde alle netten maar nergens werd een programma uitgezonden dat ook maar iets met het duo te maken had. Ik zette mijn beste vriend uit en besloot me te ontspannen door me te verwonderen over het werk van de Godin. Ik sloeg Matt Ridley's *Genome* open en las de volgende citaten: 'Het is waarschijnlijker dat een man die een of meer oudere broers heeft homoseksueel is dan een man die het enige of het oudste kind is, dan wel een of meer oudere zussen heeft.' 'In de geschiedenis van de wetenschap zijn weinig debatten met zoveel stompzinnigheid gevoerd als die over intelligentie.' 'Het gen dat het meest bepalend was voor de kans op astma bij zwarten was niet hetzelfde gen dat het meest bepalend was voor de kans op astma bij blanken...' 'Zeewier is je broer, miltvuur een van je naaste bloedverwanten.' Ik ging op mijn rug liggen, deed mijn ogen dicht en overdacht al die complexiteit die voortkwam uit de evolutie van één bacterie tot ik in slaap viel.

Dagen gingen over in weken en nog steeds was er geen nieuws over Sam Matete. Ik belde het Akoegoba-huis een aantal keer om te horen of zij al iets meer wisten. Steeds kreeg ik hetzelfde ontmoedigende bericht: niemand wist waar Sam Matete uithing. De keer dat ik Amidakan sprak, zei ze: 'Hij is ondergedoken. Dat doen ze voortdurend. Als we ons over elk geval zorgen zouden maken, waren we allang gek geweest. Dat weet je, Dismas.'

'Waarom horen we helemaal niets?'

'Hij komt wel weer boven water. Dat doen ze allemaal, zelfs als ze dood zijn.'

'Maar toch...'

'Herinner je je niet meer die klant die na vier jaar opdook? Sam komt terug wanneer het hem schikt. We zijn geen fabriek waar hij moet in- en uitklokken. Hij zit waarschijnlijk in België.'

'Ik weet het niet.'

'Hij heeft jou toch verteld dat hij daar vrienden heeft. Onderschat nooit de aantrekkingskracht van het gemeenschapsgevoel.'

'Je zult wel gelijk hebben.'

'Je voelt je waarschijnlijk gebruikt. Dat is te begrijpen. Het hoort bij het werk. Zij gebruiken ons, wij gebruiken hen.'

Ik gaf het op.

Op een ochtend ging de telefoon en ik nam op zodra ik de bekende stem hoorde. 'Lisa June, hoe is het ermee?'

'Victor heeft me gevraagd je te bellen,' zei ze snel. 'Ik moest je vragen of je naar zijn kantoor kunt komen.'

'Ben ik nou gek? Ik herinner me niet dat ik met hem had afgesproken.'

'Het is een spoedgeval.'

'Is er iemand dood?'

'Bijna.' Ze stokte even en haalde zo diep adem dat ik voor haar ribben vreesde. Ik meende ze van inspanning te horen kraken. Misschien versterkte de telefoon het geluid. Het was misschien niet aardig van me, maar ze klonk als een hyperventilerende gewichtheffer. Toen schoot me te binnen dat ze zwemster was en goede longen had. 'Gisteren heeft een groep jongeren een Oegandese vrouw in elkaar geslagen en een klein hakenkruis in haar arm gekrast. Dat was in Den Haag.'

'Ken je haar?'

'Nee.'

'Wat willen ze dat ik doe?'

'Ik weet het niet.'

'Is dat alles?'

'Ik geef alleen maar de boodschap door.' Ze klonk kribbig.

'Ik zal zien wat ik kan doen.'

'Victor wilde graag een ja of nee van je.'

'Waarom heeft hij me gisteren niet gebeld?'

'Het nieuws is een uur geleden binnengekomen.'

'Vandaar.' Ik zweeg in de hoop haar weer een grote hap lucht te horen nemen. Maar nee. 'Goed, ik zorg dat ik er ben.'

Ze bedankte me en hing op. Eugene Victor was zo tactvol geweest haar niet te vragen of ze me eraan wilde herinneren de boeken mee te nemen die hij zo dolgraag wilde lenen. Dat vond ik netjes van hem. Ik zou Gordon Thomas, Christopher Hitchens, Seymour Hersch, Jared Diamond en de essays van jazzkenner Stanley Crouch voor hem meenemen. Misschien zouden ze hem helpen ooit één goede daad in het parlement te verrichten.

Ik trok me het lot van de hakenkruisvrouw nog even niet aan. Je kon niet voorzichtig genoeg zijn. Je moest verschillende kanten van het verhaal horen om een eigen mening te vormen, want zulke verhalen uit de tweede hand waren vaak overtrok-ken.

Naar mijn vaste overtuiging was iedereen een racist omdat stamgevoel van allerlei aard, sociaal, economisch, seksueel, zelfs in de meest verfijnde geesten bestond, om de eenvoudige en voornaamste reden dat het menselijke dier de slaaf was van het sadomasochisme van de hiërarchie. Er was altijd een underdog en een prijskaartje dat erbij hoorde. Het dunne laagje ruimdenkendheid, dat gemakkelijk standhield wanneer de economie gunstig was en je positie niet werd bedreigd, verdween zodra het kritisch onder de loep werd genomen. Straatracisten speelden gewoon uit wat de rest in stilte bezighield.

Persoonlijk was ik beduchter voor de institutionele wreedheid die het leed van de Ander tot een kunstvorm maakte die als erfstuk van generatie op generatie werd doorgegeven. In dat kader werden oorlogen, hongersnood en epidemieën natuurlijke verschijnselen die genegeerd en gerechtvaardigd konden worden. Hoe kon een individu zich tegen zo'n overweldigende macht verdedigen?

Ik was door het incident met de hakenkruisvrouw niet geschokt. Waarom zou ik, als de politie maar zo'n twintig procent van de misdaden oploste? Kon er op elke straathoek een politie-agent worden neergezet? Ze waren er om burgers gerust te stellen, niet om op ze te passen. De straatclowns in kwestie trokken eigenlijk emotionele bijstand door gebruik te maken van de mazen die altijd in de maatschappij voorhanden zijn.

De enigen die hun recht op geschoktheid actief opeisten behoorden tot het uitstervende ras van de verstokte blanke progressieven, die de wet en het algehele niveau van sociale vooruitgang idealiseerden en hun idealisme gebruikten als toorts en zoenoffer, zoals de zwakkere chimpansee het dominante mannetje een slap handje aanbiedt om het te breken of een paar billen om ze te bestijgen. Misschien waren ze door hun positie in het centrum gevoeliger voor de krachten der verandering en daarom stuurlozer. Geworteld in de eigen grond lieten andere lagen van de maatschappij zich niet zo gemakkelijk bang maken. Zeker niet de taaie, zuur gehouden klassen, veteranen van menige strijd, of de ijzige heersende klassen, die op de stoomwals van de macht aan het stuur zitten.

Ik had in ieder geval genoeg in het leven gezien en gedaan om niet aan zo'n kwaal ten prooi te vallen. Ik voelde mee, maar begon niet uit kwaadheid mijn kleren te verscheuren of tegen de muur te beuken. Ik moet toegeven dat het nieuwsgierigheid was die me naar Amsterdam dreef, een voyeuristische spiraal in mijn onderbuik, opgewonden door het incident en smachtend om door nieuws en sociaal contact te worden afgewonden.

Ik verheugde me op een bezoek aan Klein Oeganda, waar het gevaar niet van racistische bendes kwam, maar van drugsdealers en straatrovers die erop gespitst waren hun deel van de bijstand in de wacht te slepen. Rivaliteit tussen Surinaamse en West-Afrikaanse of Antilliaanse bendes leidde nu en dan tot schietpartijen. De kogels waren voor elkaar bedoeld, al kwamen ze wel eens in de woonkamer van buitenstaanders terecht.

Straatrovers waren kleurenblind, ze letten niet op het ras van hun slachtoffers. West-Afrikaanse straatrovers hadden een even groot zwak voor de machete als de Surinamers en Antillianen voor kleinere messen. De politie, doodsbang voor het mes, liet de machete-artiesten na arrestatie meteen weer vrij, meestal bij gebrek aan bewijs. Slachtoffers wilden geen aangifte doen omdat de wet machteloos was als represailles zonder getuigen werden uitgevoerd.

Ik was vaak in Klein Oeganda en andere getto's geweest. Geen enkele machete-artiest had ooit belangstelling getoond voor mijn schrale bezittingen. Ze konden ruiken wie geld had.

Ze zagen het aan patsergedrag, dat aangemeten air van zelfver-
zekerdheid.

Ik nam de Zieke Man naar Amsterdam en dit keer was hij op
tijd. Ik vond dat de conducteur zijn kin wel erg in de lucht stak
om iedereen die instapte te laten zien hoe trots hij was. Uit zijn
hele houding sprak iets van: 'Het is ons gelukt! Dat kunnen we
best vaker!' Ik had zin hem een schouderklopje te geven, zoals
je een dom kind prijst dat iets goed heeft gedaan, in de egoïsti-
sche hoop dat het vaker en beter zijn best zal doen.

Het Centraal Station trilde onder het geweld van drommen
mensen met een missie: honderden bejaarden trokken zingend
en scanderend, tikkend met wandelstokken en zwaaiend met
spandoeken onder de wijde bogen door. Ze vulden het hele
voorplein, hun kabaal was oorverdovender dan het gegier van
straalvliegtuigen. Ze marcheerden naar het paleis van de koningin. Aan hun vastberaden manier van lopen was te zien dat ze er
plezier in hadden. En wie zou ze ongelijk geven? Het hele land
keek mee. De helikopter van RTL 55 cirkelde in de lucht, de
stroblonde verslaggeefster interviewde beroemde demonstranten. Journalisten van alle radiostations en kranten waren ter
plaatse. Een horde cameramensen rende langs de marcherende
gelederen heen en weer, op jacht naar sexy beelden.

Aangestoken door dit ongewone vertoon van levenslust sloot
ik me bij de menigte aan. Het was een prettig gevoel, want gewoonlijk bleef de stad koud voor andere dan de eigen zaken.
Nu leek er beweging in te komen, als een bevroren rivier die
ontdooide en de berg af gutste.

Bij het koninklijk paleis, waar de nationale vlag wapperde en
een groep commando's op wacht stond, richtten de organisatoren zich met megafoons tot de duizenden mensen die de gebruikelijke toeristen, jongleurs, duivenvoerders en lanterfanters

van het plein hadden verdrongen. Tegenover het paleis stond de dikke, afgetopte penis die doorging voor nationaal oorlogsmonument, stralend wit dankzij een recent bezoek aan Duitsland voor een opknapbeurt. Demonstranten hadden er spandoeken omheen opgehangen.

Toen ik naar dat oorlogsgedenkteken keek, vroeg ik me af of het een komende generatie nog iets zou zeggen. Voor mij had het geen betekenis en detoneerde de magie van zijn vormentaal. Misschien was het esoterisch bedoeld; misschien was ik niet fijngevoelig genoeg. Als ze een roestig kanon met een gebroken loop of een hoop lege granaathulzen op een sokkel hadden geplaatst, zou ik het pakkender hebben gevonden. Afgezien van zijn voet, die de billen van sufgeblowde toeristen tot zitplaats diende, en zijn nijlpaardenmiddel, dat de bejaarde relschoppers van een vlaggenmast voorzag, was het een mislukte poging om kunst en oorlog te verenigen.

Te midden van de geheven vuisten, hoopvolle gezichten, glimmende rolstoelen en verwachtingsvolle atmosfeer, ging er ineens een golf van verdriet door me heen. De oudjes deden het beter dan de lijfeigenen van de Regelaar. Als iemand alle lijfeigenen had opgespoord en massaal had gemobiliseerd om een dag woedend de straat op te gaan, waren de spekkonten en schertsfiguren van de macht misschien uit hun coma ontwaakt. Als iemand inferieure mensen als ondergetekende kon organiseren, mensen die verandering wilden en weinig te verliezen hadden, viel er een hoop te bereiken. De huidige passiviteit was de passiviteit van superieure lieden, die levenloos waren in hun volmaaktheid. De droevigheid ebde weg toen ik het koninklijk paleis de rug toekeerde en de muur van lawaai achter me hoorde als gerommel van de donder.

Ik was op weg naar het hoofdkwartier van Rekken Trents imperium, een eindje verderop. Het bedrijfslogo, een zilveren torpedo of raket op een blauwe achtergrond, zweefde als een bewakingscamera boven de stad. Het stond op een splinternieuw rood glazen gebouw, uniek van ontwerp en glans, dat hevig vloekte met de oude monumenten uit Pingelands Gouden Eeuw. Amsterdam was een stad waar de corruptie welig tierde: onwillekeurig bekroop me de gedachte dat Rekken Trent hier en daar wat handen moest hebben gesmeerd om die roze poedel van een gebouw op deze plek neer te mogen zetten.

Rekken Trent had vlak bij de Effectenbeurs gebouwd en als Eugene Victor uit zijn kantoorraam keek, zag hij allerlei banken en verzekeringsmaatschappijen met elkaar om de suprematie wedijveren. Dit werd vaak het financiële hart van Pingeland genoemd. Het was gunstig gelegen naast de rosse buurt en de hoge concentratie van cafés en restaurants die oneerbiedig Luilekkerland werd genoemd.

Ik stond voor het soort restaurant waar je zoveel kon eten als je wilde in één sessie zonder toiletbezoek. Het was een nieuw verschijnsel, kennelijk overgewaaid uit Duitsland, waar restaurants zo gul met eten en drinken waren dat ik op mijn reizen altijd maar de helft at van wat er werd opgediend.

Ik keek naar de glazen boten die late zomergasten door de grachten voeren. Ik bestudeerde de parkeerverbodsborden, een soort statussymbool, rond het gebouw van Rekken Trent en vroeg me af hoe vatbaar zijn hoofdkwartier voor de verlokking van benzine en ontstekingen was.

Het schoot me te binnen dat Zandberg Hommerts Amsterdam een kameleon had genoemd. Drugshoofdstad, Sekshoofdstad en Zakkenrollershoofdstad. Meer had je niet nodig om bezoekers te trekken, afgezien van Australiërs, die door hun regering bang gemaakt waren dat ze beroofd zouden worden terwijl ze een condoom om hun dikke pik wurmden.

Eugene Victor moest me vanuit zijn raam hebben gezien; hij was naar buiten gekomen en stond naar mijn smaak nogal gewichtig op de stoep te zwaaien. Hij liep stijfjes de stoeptreden af, waardoor ik vermoedde dat zijn leren schoenen iets te krap zaten. Het kon ook zijn dat hij zijn motoriek aan het bijwerken was om met het Lisa-loopje te kunnen concurreren.

Eugene Victor, een van de vele opgeprikte jonge kwasten, droeg een antracietgrijs pak, een sneeuwwit overhemd, een rode stippeldas en zwarte schoenen die glommen als biljartballen. Zijn schedel en gezicht straalden meer dan die van de anderen, want hij was de enige zwarte man in deze golf van pakken en echt lederen diplomatenkoffertjes. Hij stak de straat over nadat hij veelvuldig links en rechts had gekeken en hield zijn koffertje zo stevig vast dat je zou denken dat er een kilo plutonium in zat.

'Neem me niet kwalijk dat ik je heb laten wachten.' Hij keek op zijn horloge, wat hem de kans gaf zijn fonkelende manchetknopen te showen. 'Ik moest een belangrijk verkoopverslag afmaken. We hebben vorige maand duizenden computers en beveiligingssystemen verkocht. Ik heb er zelf ook een. Het is fantastisch. Ik heb camera's die alles in en rond mijn huis zien. Ik heb mijn privé-ruimte volledig onder controle.' Hij keek daarbij niet naar mij maar naar de kwasten in pak, in de vurige hoop dat iemand zijn naam zou roepen. Dat deed niemand.

'Gefeliciteerd.' Ik had geen belangstelling voor zijn nieuwe aanwinsten, mijn gedachten gingen terug naar de oude mensen die vochten voor hun deel van het nationale zoet.

'Rekken Trent is een genie, mén. Al die lui daar werken voor hem!'

'Ik zou iemand die me morgen kan ontslaan niet zo ophemelen.'

Hij wuifde mijn woorden weg alsof ze de lucht vervuilden. 'Zit over mij maar niet in. Mijn baan is zo zeker als wat.'

Ik wilde hem vragen waarom hij dan niet zijn eigen boeken kocht, maar bespaarde hem de gêne en de moeite om de zoveelste tegenstrijdigheid te verklaren. 'Goed.'

'Lisa is een gisse meid. Ik wist wel dat ze je kon overreden om te komen.' Hij grijnsde, mogelijk ook om indruk te maken op de stroom yuppen die voorbijkwam, wat niet gemakkelijk was, want het was alsof hun gezichtsspieren uit het marmer waren gehouwen dat ook de ingang van Rekken Trents hoofdkwartier sierde.

'Ze zei dat het een spoedgeval was.'

'Ik ben blij dat Lisa je heeft laten komen.'

'Ik wilde er gewoon even uit. Ik ben blij dat ik het gedaan heb. Ik heb nog nooit zoveel bejaarden bij elkaar gezien.'

'Wat zou het voor een politicus hartverwarmend zijn als ze in zulken getale naar de stembus kwamen!'

'Ik denk niet dat de koningin ingenomen was met hun bezoek.'

'Zij is geen gekozen ambtsdrager,' herinnerde hij me bits.

Ik overhandigde hem de plastic tas met de boeken in het trotse besef dat ik de kennis doorgaf die ik van Zandberg had opgedaan. Hij nam hem met tegenzin aan, als een corrupte ambtenaar die zich verlaagde door minder smeergeld aan te nemen dan was afgesproken. Ik wist zeker dat hij de boeken liever in een dure tas had gekregen, die beter bij zijn koffertje en zijn leren schoenen paste.

'Bedankt, mén. Ik denk dat we maar eens naar de parkeergarage moeten lopen. Wat een bezoeking om met de auto te komen! Geen wonder dat de jongens die het echt gemaakt hebben de heli nemen.'

'Koester je plannen om een helikopter aan te schaffen of te huren?'

'Zodra ik ook goed ben voor een miljoen euro.'

'Het gaat je zeker voor de wind. Ik hoop dat Rekken Trent je niet bij zijn wapenhandel betrekt.'

'Hij is *hot*. Hij spekt de schatkist met miljarden. Als puntje bij paaltje komt, klaagt geen mens erover dat zijn salaris of uitkering naar buskruit stinkt.'

'Ik merk dat er een goede politicus in je zit. Je weet wat je moet slikken en wat je moet uitspugen.'

'De wereld heeft resolute mensen nodig, mén.'

We liepen vanaf de straat een ondergrondse garage in, die me erg deed denken aan een stel dat ik nog niet zo lang geleden in de hens had gezet. Bij het zien van zoveel als haringen in een ton bijeengepakte auto's, begonnen mijn handen te jeuken om een paar benzinetanks door te prikken en plassen, zo niet stromen te veroorzaken. Ik volgde Eugene Victor en zag dat hij zijn auto aan de voor- en achterkant inspecteerde voor hij instapte. In de auto, met die verstikkende bosgeur, werd mijn nieuwsgierigheid getemperd door het vooruitzicht straks in het verkeer vast te zitten en uitlaatgassen in te ademen. Het was maar zes kilometer rijden, maar we zouden bijna een uur nodig hebben om er rond deze tijd van de middag te komen.

Eugene Victor probeerde de verveling te verdrijven door met zijn elleboog uit het raampje te poseren en de aandacht van bestuurders van goedkopere auto's te trekken. Met zijn mondhoeken omlaag en lippen getuit, was hij het schoolvoorbeeld van schaamteloosheid. Maar geen automobilist ging op zijn uitdaging in, misschien omdat ze hem voor een goedgeklede machete-artiest hielden die beroemd wilde worden met een heftige verkeersruzie.

'Weet jij iets over die hakenkruisvrouw?'

'Ik geloof dat ik haar één keer heb gezien. Vluchtig. Dat soort mensen zou actiever in de politiek moeten zijn. Ik vind onze mensen nog steeds erg passief. Ze wachten tot blanken al hun problemen oplossen. Het is een van de neveneffecten van een verzorgingsstaat. Het maakt kamerplanten van de mensen.'

Ik moet een enorme hap lucht hebben genomen. Verbazingwekkend hoe volgelingen de vaginanijd van hun leiders tot in de kleinste details overnemen. 'Praat je Rekken Trent nu al na?'

'Net als hij speel ik om te winnen. Als ik iemand citeer, moet het een echte winnaar zijn.' Met zijn naar voren geduwde lippen zag hij er erg onbeschaamd uit. Ik had zin de spottende tongklik van Lisa June ten beste te geven, maar dat soort naaperij wilde ik tegenover Eugene Victor liever achterwege laten. Hij had recht op zijn mening, vooral omdat hij zijn woorden aan het slijpen was om zich het Parlementscomplex in te werken. Per slot van rekening was een politicus een kunstenaar die het geweld van zijn vak in woorden vatte: hoe spectaculairder, hoe meer kans om gekozen te worden.

'Waar is Lisa June?'

'Die zul je zo wel zien,' antwoordde hij op een toon die suggereerde dat er iets op til was. Hij keek laatdunkend opzij naar een man die in een kleine Honda naast hem was komen rijden. Even vroeg ik me af wat hij zou doen als de man een fles bier naar hem gooide.

Amidakans huis was op de tiende verdieping van een flatgebouw dat de vorm had van een gebroken ring. Het was het hart van Klein Oeganda, een buurt die beroemd was geworden door het vliegtuigongeluk van tien jaar eerder. Het gebouw waarop het vrachtvliegtuig was neergestort was met de grond gelijk gemaakt, waardoor aan één kant van de Gebroken Ring een enorme ruimte was ontstaan.

Een op de twee balkons had een satellietschotel die honderden televisiestations doorstraalde naar woonkamers waar heimwee naar het land van herkomst heerste. Veel verwoede televisiekijkers ploeterden door het hobbelige veld van de middelbare leeftijd en in de greep van het remigratieproces effenden ze langzaam de weg naar het moment dat ze uiteindelijk op het vliegtuig stapten om Pingeland voorgoed te verlaten.

'Ik vind het hier verschrikkelijk,' siste Eugene Victor, die mijn gedachten onderbrak, met een weidse zwaai naar de hoge, brede gebouwen.

'Jij wel!' sneerde ik en bedacht dat het remigratieproces vroeg in de Treurfase begon, wanneer een proteïnezoeker besefte dat Pingeland alleen maar materiële steun te bieden had en dat hij voor spirituele bijstand naar huis terug moest als hij niet wilde stranden in het niemandsland van een populaire cultuur. 'Voor sommigen is het de enige hemel die ze kennen.'

'Toch blijf ik erbij,' zei hij na een lange stilte. 'Ze moeten al die gebouwen met de sloopkogel te lijf gaan.'

'Ook al zou je al die bewoners verkassen, het zou hun inburgering in Pingeland nauwelijks stimuleren. Hun hart zou in de derde wereld blijven.'

'Politiek gaat om het beheersen van de sociaal-politieke ruimte. Met alle middelen.'

We deden er tien minuten over om een veilige parkeerplaats te vinden, iets dat ik net zo leuk vond als buiten in de vrieskou staan.

'Moet je die lui zien. De vernielzucht druipt ervan af. Tien tegen een dat het door afgunst verteerde bijstandsratten zijn. Ik wou dat ze ze konden oppakken tot mijn bezoek voorbij is.'

'Je klinkt als iemand zonder autoverzekering,' zei ik koel, in de hoop daarmee zijn rijkeluisgejammer af te kappen.

'Je begrijpt iets niet, mén. Rok is een deel van mezelf. Ik heb geen zin hem te laten stelen door een of andere vandaal die er niet mee om kan gaan. Bovendien houd ik er niet van om schade te claimen. Dat is slecht voor mijn image.'

'O, je image, dat was ik helemaal vergeten.'

'Er zijn nog mensen die anderen proberen te inspireren, die dolgraag iets bijdragen aan dit fantastische land met zijn gulheid, die velen als vanzelfsprekend beschouwen.'

'Ha!' Eugene Victor had aan zelfvertrouwen gewonnen, was niet meer bang om met me in de clinch te gaan.

'Die vandalen zijn gekker op auto's dan op geld. Hoe kan de bezitter van een klassewagen zich in deze buurt gerust voelen?'

Eugene Victor had gelijk dat hij zich in dit stadsdeel zorgen maakte over autoliefhebbers. Bendeleiders die de groene gazons, de galerijen, de hoeken en gaten van deze mastodonten afschuimden, waren dol op hun mobieltjes, hun machetes en hun auto's. Waar de machete het voorkeurswapen was, was een dikke auto de kroon die een bendehoofd droeg om zijn koningschap uit te dragen. Gebrek aan respect kon leiden tot pistoollopen uit neergelaten raampjes. Ze bouwden auto's om in Amerikaanse stijl, lieten met een druk op de knop de voorkant op en neer veren, lieten geschut opduiken uit panelen voor of achter, installeerden tv-camera's om te waarschuwen voor achtervolgers en potentiële schutters.

Eugene Victor koos een open parkeerterrein, waar al een stuk of tien andere auto's stonden. We liepen weg, maar hij bleef omkijken naar een stel mannen op banken een eind verderop, aan wie hij een hekel had en van wie hij hoopte dat ze niet het soort moeilijkheden zochten dat hem zo bezighield.

'Ik krijg hier altijd de kriebels,' beaamde hij, en gaf daarmee lucht aan zijn angst, de angst van de geslaagde proteïnezoeker die van de kudde was afgesneden en zich gedwongen voelde om in het getto zijn sociale plicht te vervullen.

'Als toekomstig politicus zul je sterkere zenuwen nodig hebben.'

'Ik houd niet van plekken met een bendecultuur. Wat doe je

wanneer een buurtbaasje besluit je te vernederen? Surinaamse vandalen vinden het leuk om mensen van al hun kleren te beroven. Zo vulgair!'

'Naakt in je zilveren wagen!'

'Het is niet grappig, mén.'

Toen we op de tiende verdieping aankwamen was Eugene Victor nog even schichtig als een rabbijn in een moskee of een imam in een synagoge.

In Amidakans huis gonsde het als in een grot vol loopse honden. Het leek wel of het metrostation dat in de verte te zien was, hier was leeggestroomd. Dit waren de best geklede mensen die ik in tijden had gezien. Ze deden me denken aan zondagochtend in Oeganda. Proteïnezoekers verwenden hun voeten, gaven kapitalen uit aan schoenen, poetsten het leer tot het glom als een spiegel. Vrouwen waren gek op pumps, die ze in alle kleuren van de regenboog kochten, waardoor de modellen van de koningin er nogal ouderwets bij af staken.

De olie van hamburgers, rundvlees, vis, melk en ander zwaar voedsel glom op het voorhoofd van deze mannen en vrouwen, van wie sommigen met pofwangen, buikjes en lichaamsomvang pronkten als bewijs van het goede leven.

Eugene Victor had geduchte concurrentie, die hij alleen de baas was door de kwaliteit van zijn kleren en het feit dat iedereen wist dat hij het duurste statussymbool van de gemeenschap bezat. Het viel me op dat wie hem kende een vriendelijk gezicht trok; wie hem niet kende informeerde bij buren of vrienden wie hij was. Voor iedereen had hij een glimlach: geforceerd en afgemeten voor vreemden, met de tanden bloot voor vrienden en bekenden. Hij begroette hen allemaal met het geijkte: 'Hoe is het, mén? Wat zie jij er goed uit.' Er werd veel soulzangersbas in de stem gelegd om hem diepte te geven en te onderscheiden van gewone stemmen die geen ambitie hadden om in het Parlementscomplex te schallen.

Eugene Victor stond voor hen als een man, maar ook als de belichaming van een droom, waarvan de grootsheid fantasieën over bereikbare roem in hen wakker zou roepen. Daarom, en om de zelfzuchtiger reden dat ze er misschien beter van konden worden, behandelden ze hem met eerbied, wat zijn ego vergrootte en zijn ambitie aanblies. Op zo'n gastvrij toneel geduwd, begon hij te acteren.

De wedloop om superioriteit woedde binnen deze, met trommels en boombastkunst versierde muren even hevig als elders in Pingeland. Ik, de enige inferieure en werkelijk vrije persoon, keek toe en kon een geamuseerd lachje niet onderdrukken.

Ik vroeg me af waar de vrouw was voor wie we hier bijeen waren. Op bijeenkomsten raakt de reden van het samenkomen vaak ondergesneeuwd, behalve als het om trouwerijen of begrafenissen gaat. De hakenkruisvrouw was op dat moment niet meer dan een voetnoot, genegeerd door ogen die zo graag de stermedewerker van Rekken Trent bewonderden.

Onder de aanbidders van Eugene Victor ontdekte ik antilopen, mannen en vrouwen zonder papieren, met ogen gekweld door het bloedeloze gezicht van Blaatpan en oren waarin de laarzen van de Grensbewaking nadreunden. Ik bespeurde enige boosaardigheid en afgunst in hun blikken. Als Eugene Victor het ook zag, dan liet hij het niet merken. Dit was niet het moment om negativiteit te bestrijden.

Terwijl mijn blik van het ene glimmende gezicht naar het andere sprong, zocht ik om me heen naar Zandberg, maar zag alleen onbekende blanke mannen, bijgenaamd 'hulpverleners'. De grap was dat de inburgering van de meeste proteïnezoekers bleef steken in het schaamhaar van een bejaarde hulpverlener.

De mannen, van mijn leeftijd en ouder, klampten zich vast aan veel jongere vrouwen. Huiverend dacht ik aan de prestatie-druk waaronder ze gebukt gingen, want een man is een aap die altijd moet presteren om het bestaan van dat aanhangsel tussen zijn benen te rechtvaardigen. En voor deze stakkers, van wie sommigen aan hartruis of leververgroting leden, moest de eja-culatieheffing verpletterend zijn en het voorafgaande geploeter onmogelijk door slaap uit het lichaam te weken.

Hoe oud ook, mannen blijven verslaafd aan uitdagingen en het vergaren van snuisterijen en er is geen grotere uitdaging dan je tussen die donkere dijen te begeven om voor het spiegeltje van je manlijkheid te zwoegen, terwijl het gevaar van een hart-aanval als een krijsende aap op je rug danst.

Over een paar van die mannen ging het gerucht dat ze hun kwijnende zelfvertrouwen met geweld, een versluierde vorm van sadomasochisme, overeind hielden, en de vrouwen slikten het, bang om aan de grensbewaking te worden uitgeleverd, maar haalden hun gram door over die boeven te roddelen en de circulerende waslijst van eigenaardigheden van blanke mannen nog langer te maken.

Ik zag groepjes vrouwen de hoofden bij elkaar steken, met hun mondhoek naar bepaalde types wijzen en sappige roddels spuien. Ze gooiden zo nu en dan lachend hun hoofd in de nek terwijl ze elkaar op de schouder klopten. Hun gelach was be-doeld om de aandacht te trekken en degenen die de code ken-den op de hoogte te brengen van de oorzaak van die pret.

Vooral de hulpverleensters, de meesten van mijn leeftijd en met veel jongere mannen, werden onder vuur genomen. Ook zo'n hulpverleenster stond onder druk, want een proteïnezoe-ker uit een kamp redden nadat je door honderd en één hoepels bent gesprongen, met de kans dat hij je liet zitten zodra hij zijn papieren had, was een bitterzoete ervaring. Het gevolg was dat veel van hen de jonge mannen hard lieten werken en elke gelegenheid aangrepen om hen uit te melken.

Het viel me op dat de meeste mensen tassen bij zich hadden die ze zo nu en dan openmaakten om hun keel te smeren. Je kreeg geen gratis drank meer, zoals vroeger. Amidakan had deze regel ingevoerd, en die werd nu door de meeste gastvrouwen aanvaard en nagevolgd.

Ik had zelf ook dorst en wilde net in mijn eigen tas kijken toen de gestalte van Lisa June de deuropening vulde. Iedereen draaide zich naar haar om.

'Ha, schat,' riep Eugene Victor, meer naar zijn publiek dan naar de lange, slanke vrouw in superstrakke rode blouse en superstrakke witte spijkerbroek die in cowboylaarzen met luipaarddessin verdween. Ik hoorde mensen naar adem happen. Het ging hier niet meer om de hakenkruisvrouw, maar om ego's en Lisa June, die haar academische titel samen met haar gewicht op een onzichtbare plaats had weggestopt en de belichaming was van deze daad van schaamteloze kaping.

'O, papsie,' schreeuwde ze muzikaal maar weinig origineel, en ik hoorde iemand luid op zijn tanden zuigen. Dat moest een vrouw zijn. Volgens mij wisten de vrouwen niet wat ze met dat lange, magere type aan moesten. Verdiende ze bewondering of gewoon minachting?

Voordat er een oordeel kon worden geveld, begon Lisa June het Lisa-loopje op te voeren, werkend met haar bekken, zwaaiend met haar armen, tot ze in die van Eugene Victor viel, als iemand die geen greintje puf meer heeft.

Het Lisa-loopje viel al niet goed bij Eugene Victor, gezien zijn getuite lippen, maar de Lisa-flauwte, een sentimentele en eigenlijk onvolwassen vertoning waarop het publiek neerkeek als iets dat in de slaapkamer thuishoorde, bracht hem in verlegenheid. Hij wist dat hij stevig over de tong zou gaan, omdat hij haar had moeten leren hoe ze zich in het openbaar had te gedragen.

Lisa June klampte zich aan hem vast en liet alle vrouwen in de kamer zien dat Eugene Victor haar kerel was, alleen van haar. Een vrouw rechts van me zoog op haar tanden.

Eugene Victor maakte zich los en met een glimlach zo stijf en gestileerd als die van Tony Blair, zei hij: 'Dames en heren, mag ik alstublieft uw aandacht. Lisa June en ik zouden u graag een biertje aanbieden. Ik hoop dat u het wilt aannemen.'

Er ging een goedkeurend gejuich op, waarmee ook de Lisa-flauwte werd vergeven. Eugene Victor trok zijn glimlach wat breder, de opluchting stond in zijn ogen te lezen. Lisa June keerde zich naar de deur en wenkte nogal overdreven naar iemand buiten. Er kwamen twee mannen binnen met in elke hand een krat bier. Ze leverden zes kratjes af en het feest begon.

Op dat moment verscheen Amidakan, gekleed als een Ghanese vrouw in een geel gewaad, waarin het leek of ze geen taille of benen had, alleen armen en voeten. Ze begroette de aanwezigen, die meer oog hadden voor het bier dan oor voor haar. Ze gaf Eugene Victor een hand – voor hem en Lisa June een teken zich terug te trekken en haar het woord te geven. Ze gingen op een opvallende plek zitten en keken hoe ze haar gezag als leider van Klein Oeganda liet gelden. Het licht dat op haar gezicht viel maakte haar jonger dan haar negenendertig jaar en door haar rappe gebaren bedacht ik dat ze nog lang niet aan aftakeling toe was. Ze keek de verzamelde menigte rond en begon hen toe te spreken:

'Ik wil jullie allemaal welkom heten. We zijn hier omdat onze zuster op weg naar huis is aangevallen. Ze droeg twee tassen met boodschappen. Vijf jonge mannen in zwarte spijkerkleren klampten haar aan, scholden haar uit en toen ze niet reageerde, begonnen ze aan haar te trekken, haar te schoppen en gooiden ze haar tassen op de grond. Ze viel, maar zij bleven haar slaan en trappen. Voorbijgangers bleven staan en sommigen probeerden tussenbeide te komen. Een jonge schurk trok een mes en dreigde iedereen overhoop te steken die zich ermee probeerde te bemoeien. Hij draaide zich naar onze zuster en sneed het teken in haar arm. Ze lieten haar met een gebroken voet en andere verwondingen liggen.'

Het bleef lang stil, maar daarna barstte, als rook uit een brandend gebouw, het gescheld op de daders los. Door afwisselend in haar handen te klappen en dempende gebaren te maken, maande Amidakan om stilte.

'Laten we de preken overslaan. Laten we een militie vormen,' stelde een kleine, mij onbekende man, van wie later werd beweerd dat hij oud-militair was, op hoge toon voor.

'Ja, laten we vechten,' riep iemand, waarschijnlijk uit het clubje van de militair.

'Je weet niet wat je zegt, Moegoela,' onderbrak Amidakan autoritair. 'Geen milities.'

Ik dacht: Is dat de man voor wie Groenoog me aanzag?

'We kunnen aan machetes komen,' zei de militair kalm. 'Die jongens zijn nergens zo bang voor als voor machetes. Ze hebben gezien wat de Rwandezen ermee deden. Er is maar één klap nodig om een krachtige boodschap over te brengen.'

De verwijzing naar de Rwandese volkerenmoord waarbij een miljoen mensen, voornamelijk door machetewonden, waren omgekomen, veroorzaakte hier en daar wat koude rillingen, ook al omdat heel wat proteïnezoekers naar Pingeland waren gekomen in de vermomming van overlevenden die voor de slachting waren gevlucht. Het idee om racistische skinheads de ledematen af te hakken hing in de lucht.

Een man naast Moegoela zei: 'Ja, laten we Rwandaatje spelen met die vuile klootzakken.'

De hulpverleners zaten in een heel lastig parket; ik merkte dat er heel wat lijkbleek waren geworden. Ze voelden een vijandigheid waartegen ze machteloos stonden en hoopten dat een kalmere stem de orde zou herstellen. Zandberg Hommerts, bommenlegger, nihilist, rebel, zou ervan genoten hebben, maar hij was er niet.

'Je weet niet waar je over praat. Hoe kun je nu zoiets zeggen? Rwandaatje spelen? Met wie? Wil je dat de politie ons tot mikpunt van hun haat maakt?' Amidakans stem liep over van morele verontwaardiging die grensde aan ziekelijke angst. Weliswaar mocht ze de wet graag een tikje naar haar hand zetten, maar extreem geweld als het afhakken van armen zou ze nooit dulden.

'Niemand neemt ook maar één brave skinhead te grazen. We willen alleen de gewelddadige types aanpakken die weerloze mensen aanvallen,' legde Moegoela uit, tot groeiend onbehagen bij zijn gehoor.

'We zijn kwetsbaar. We kunnen ons niet veroorloven ons de woede van de politie op de hals te halen.' Amidakan keek om zich heen, zocht steun.

'De gevangenisstraffen in dit land zijn licht. Ik weet niet wat je krijgt voor het afhakken van iemands hand,' ging de man verder, terwijl hij zijn handen met een achteloos gebaar spreidde, 'maar meer dan een jaar zal het niet zijn. Ik geef je op een briefje dat die knapen nog nooit een oorlog hebben meegemaakt. Ze denken dat het gaat zoals ze op de televisie zien: pang, pang en de held loopt terug naar zijn huis met stromend water en een vrouw om te zoenen. Ze hebben nooit iets ergers meegemaakt dan een bloedneus. Van hun ouders hebben ze nooit op hun donder gekregen. Ze worden door hun onderwijzers vertroeteld en door de overheid in de watten gelegd. Laten we ze één lesje leren en ik verzeker je dat ze hun leven beteren.'

'Uitzetting, dat is wat je krijgt,' wierp Amidakan heftig tegen, in het besef dat de situatie buitengewoon hachelijk was. Ze was duidelijk bang dat een grote groep aanwezigen van tevoren was benaderd en overtuigd van het nut van een militie. In een land als Pingeland, waar rampen zich nooit voordeden, behalve in het hoofd van de mensen, had geweld een speciale aantrekkingskracht; het prikkelde zonder je huid open te halen; het bood intellectuele en emotionele compensatie zonder de grenzen van het voyeurisme te overschrijden.

'Hoeveel Nigeriaanse machetemannen hebben ze uitgezet?' Moegoela glimlachte weer, dreigend.

'Laat de Nigerianen erbuiten. Hoe weet je dat het Nigerianen zijn? We zijn hier niet gekomen om over anderen te praten. We zijn hier gekomen om een zinnige oplossing voor ons probleem te vinden.'

Ik had Amidakan nog nooit zo geagiteerd gezien: haar stem trilde, haar nekspieren waren gespannen. Ze leek te zweten in de tent die ze droeg.

'Hoeveel Marokkaanse rotjongens hebben ze uitgezet? Hoeveel Antilliaanse drugsdealers hebben ze naar huis gestuurd? Zouden ze dat dan wel met ons doen als wij alleen proberen onszelf te verdedigen?' Er lag een heel uitdagende uitdrukking op Moegoela's gezicht. Ik vroeg me af waar hij had gevochten. In Noord-Oeganda? In Congo? Hij had ontegenzeggelijk het air van een aristocraat, een man die het een en ander van de macht over leven en dood wist.

'Uitzetting, dat is wat je krijgt. Heb je nog niet door dat er iets veranderd is? Voor het eerst in tientallen jaren is er in Klein Oeganda meer politie aanwezig. Ze gebruiken grote honden om gebouwen af te grendelen en mensen te arresteren. Deze regering eist de wijk terug. Wat doe je wanneer ze blindelings Oegandezen gaan uitzetten? Laat de problemen liever over aan degenen die ze aan kunnen.'

'Waarom heb je ons hier laten komen? Waarom heb je die arme vrouw onze zuster genoemd? Als ze je zuster is, doe dan iets aan haar situatie. Zo niet, dan had je ons niet moeten laten komen. Je hebt niet eens de beleefdheid gehad ons een kop thee aan te bieden. Zonder Eugene Victor en Lisa June hadden we niets te drinken gekregen.'

Amidakan keek verward, als iemand die de weg kwijt is in een rokend huis. Niemand nam het voor haar op omdat men geïntimideerd was door het geestelijk overwicht van de aristocraat.

'Krijgen we onze militie of niet? Ik weet dat de meeste mensen liever zouden horen dat een paar skinheads onder geheimzinnige omstandigheden hun arm hadden verloren. Dat is een betere manier. We worden het erover eens en we voeren het uit, en we zorgen dat die jochies jankend naar hun lieve moeders lopen. Wat wordt het?'

'Geen militie, Doesman.'

'Geen militie,' herhaalde Doesman alsof hij in zichzelf sprak. 'Geen militie.'

Eugene Victor zag eruit als een pas gebalsemde man die op zijn begrafenis of een wonderbaarlijke wederopstanding wachtte. Hij hield zijn ogen op één plek gericht, schijnbaar niet in staat om tot zich te laten doordringen wat er in de kamer gebeurde. Lisa June hield zijn arm stijf vast en deed wat haar kerel deed: kijken zonder kennelijk iets te zien. Eugene Victor wilde geen enkele smet op zijn reputatie. Hij was tegen racisme, maar ook tegen militie. Een politicus wil best voor lafaard uitgemaakt worden als hij daarmee zijn reputatie redt. En hij zag zichzelf als een politicus, de enige in de kamer met het niveau, de opleiding en de persoonlijkheid om de heuvel naar het Parlementscomplex te beklimmen.

In zekere zin vond hij het wel leuk dat Amidakan het moei-

lijk had. Lange tijd was ze de onbetwiste leider van Klein Oeganda geweest en waren er mensen onder haar dak samengeko-
men om problemen te bespreken, zakelijke plannen uit te werken, huwelijken te bekokstoven en begrafenissen te regelen.
Haar leiderschap was zo vanzelfsprekend geweest dat niemand
erover piekerde om het aan te vechten.

Maar het optreden van Doesman Moegoela leek het begin
van het eind van haar bewind te worden en Eugene Victor vrij
baan te geven. Hij had zijn aanspraak al duidelijk gemaakt door
bier uit te delen. Het zou niet lang meer duren of hij bracht een
scheuring in de groep teweeg.

'Ik ben hier niet gekomen om mijn tijd te verdoen. Ik heb
een baan in de haven. Bel me maar als jullie iets zinnigs te melden hebben,' kondigde Doesman Moegoela aan.

'Denk je dat je de enige bent met ideeën?'

'Ik ken het soort ideeën dat straks op tafel komt. Theoreti-
sche ideeën. Stuk voor stuk. Niet de moeite van het bespreken
waard.'

'Heb een beetje geduld, alsjeblieft.'

Enigszins gesust door het verzoek ging Doesman Moegoela
zitten.

Amidakan richtte zich tot de rest van de aanwezigen. Ze had
niet verwacht dat de vergadering zo zou beginnen, maar ja, hoe
groter de groep, hoe zwaarder het leiderschap.

Eugene Victor stond op om iets te zeggen. 'We hebben dus
een voorstel. Ik laat me er verder niet over uit. Ik wil iedereen
oproepen actief in de politiek te worden. Hoeveel van jullie zijn
lid van een partij? Hoeveel gaan naar de stembus? Hoeveel wonen gemeente- of deelraadsvergaderingen bij? Als we wat meer
belangstelling zouden opbrengen voor het bestuur van dit land,
konden we misschien betere methoden vinden om agressie te
bestrijden dan het vormen van milities.'

'Preken, preken en nog eens preken,' schreeuwde Doesman Moegoela. 'Jullie hebben ons voor een spoedgeval laten komen en het enige dat we te horen krijgen zijn preken.'

Er ontstond tumult, waaraan de hulpverleners deelnamen nu er geen machetes werden geslepen om ledematen van skinheads te amputeren. Het was zonneklaar dat de mensen, als zo vaak in het verleden, bijeen waren geroepen terwijl onduidelijk bleef wat er van hen werd verwacht of wat zij van hun leider verwachtten. Dat lag niet aan Amidakan, want een groep die zoveel uiteenlopende belangen had verenigd onder de weidse paraplu van de nationale oorsprong, maakte het nogal moeilijk om bij afzonderlijke onderwerpen te blijven.

'Dames en heren,' ging Eugene Victor in de tegenaanval, 'jullie kijken naar de korte termijn. Ik kijk naar de lange termijn. Hoeveel ledematen willen jullie afhakken? En stel dat het werkt, hoe moet het dan met de problemen die vervolgens opdoemen? Gaan jullie de ledematen van politieagenten afhakken als politiegeweld een punt wordt? En de Blonde Baretten? Zijn jullie bereid die aan te pakken? Daarom wil ik dat jullie naar de toekomst kijken. Ik stem. Ik ben lid van een partij. Ik eis mijn rechten op. Ik zet me in. Dat zouden jullie ook moeten doen.'

'Jullie hadden dit een politieke bijeenkomst moeten noemen, geen spoedoverleg,' klaagde Doesman Moegoela. 'Jullie willen alleen maar praten. Dat gepraat is een nationale kwaal. Ik ben het spuugzat.'

'Iemand nog ideeën?' vroeg Amidakan, de man straal negerend.

'Laten we de straat op gaan.'
'Laten we een protestbrief schrijven.'
'Laten we het slachtoffer een bloemetje sturen en...'
'Dames en heren, als we over bloemetjes gaan praten, ben ik weg.' Doesman Moegoela wenkte zijn vier vrienden en ze lie-

pen de deur uit. Niemand probeerde hen tegen te houden. Een paar anderen gingen mee. Ik was blij dat ik was gekomen, al was het maar om Doesman Moegoela te zien, die zo'n opschudding achterliet dat de vergadering opbrak zonder iets voor de hakenkruisvrouw gedaan te hebben.

Zoals ik had vermoed, maakte Eugene Victor van de gelegenheid gebruik om over zijn verjaardag te beginnen, die pas maanden later was. 'Iedereen is welkom.'

Het was een openlijke aanval op de positie van Amidakan, een manier om te zeggen dat er voortaan twee hoofdkwartieren waren, een in Klein Oeganda en een in Haarlem.

Het afscheidsceremonieel duurde ruim een halfuur, waarin mannen en vrouwen plechtige beloften om snel langs te komen, 06-nummers, e-mailadressen en inlichtingen over de verblijfplaats van vrienden en bekenden uitwisselden. Eugene Victor kreeg er het leeuwendeel van omdat personen die hogerop wilden probeerden uit te vinden of hij hen kon helpen. Voor iedereen had hij een antwoord klaar, dat vaak met een subtiel verontschuldigende oogwenk werd gegeven als anderen zijn naam riepen en probeerden hem voor hun zaak te interesseren. Ik zwaaide naar Amidakan, die zich in de pluimstrijkerij van háár aanhang koesterde.

Ik ging buiten op de galerij staan en keek in de verte naar het metrostation en de lichten op de ontelbare galerijen. Ik was blij dat ik frisse lucht had en bevrijd was van de druk van andere lijven.

Heel wat mensen liepen met Eugene Victor mee naar buiten. Hij duldde hen, gebruikte zijn handen om zijn woorden te onderstrepen. Ik volgde op een afstandje en bekeek hoe Lisa June haar best deed om naast hem te lopen.

Op straat zag ik dat Eugene Victor zich van de groep losrukte en naar Rok holde. Wat moet hij opgelucht zijn geweest dat hij zijn strijdwagen in het halfduister zag blaken van klasse! Hij zocht naar iets in zijn zakken. Hij haalde het te voorschijn, drukte erop en liet de richtingaanwijzers knipperen. Hij liep om Rok heen, kennelijk om moedwillig toegebrachte schade op te nemen. Daarna stapte hij in.

Ik liep naar Lisa June en een andere man die stonden te wachten om door Eugene Victor te worden opgepikt.

Hij kwam voorrijden. Het ene moment glimlachte hij, het andere verstarde zijn gezicht. Hij had iets gezien. Ik draaide me om en zag vijf mannen op ons af komen. Een van hen liet sleutels aan een ring ronddraaien. Ze droegen spijkerbroeken, bomberjacks, gympen en geen petten. Ze moeten rond de dertig zijn geweest. De leider, een kleine man met een glimmend hoofd, ging naast Eugene Victors raampje staan en zong de volgende woorden met een zwart Amerikaans accent. '*Good evening, my sister and brothers.*'

'Goedenavond,' antwoordden we met verschillende gradaties van tegenzin.

'Ik geloof dat je wat bent vergeten, *brother*,' zei de man terwijl hij de sleutels voor Eugene Victors neus liet tollen.

'Ik zou niet weten wat u bedoelt.' Eugene Victor dikte zijn soulzangersaccent nog wat aan: het klonk alsof hij net van een cd was gestapt. Ik moest mijn lachen inhouden, want hier ontmoette de ene Amerikaanse imitator de andere.

'Je hebt je belasting niet betaald, *my brother*. Dat is het enige waaraan we je even wilden herinneren voor je onze *sister* thuisbrengt. Ik weet dat het al laat is, maar wat het zwaarst is moet het zwaarst wegen, *brother*.' Hij klonk heel beschaafd, zonder stemverheffing; waarschijnlijk had hij zijn diploma's in een safe liggen, naast zijn pistool, zijn machete en zijn mobiele telefoon.

'Wat voor belasting, mén?' In zijn antracietgrijze pak, zijn witte overhemd en rode das viel Eugene Victor uit de toon.

'Met zo'n automobiel komen...' de kalme stem van de man stierf suggestief weg en liet iedereen de hiaten invullen. 'En parkeren zonder be-scher-ming! Jij durft, *brother*!'

'Over hoeveel hebben we het, mén?' Eugene Victor was niet van zins zijn imitatie op te geven, al was het niet duidelijk welke stem hij dacht na te doen. Ik had het vermoeden dat hij peentjes zweette onder zijn overhemd, maar uiterlijk leek hij zo onbewogen als een chirurg.

'Wat dacht je van tweehonderd E?' De man liet zijn sleutels draaien, zijn handlangers keken op vier meter afstand uitdrukkingsloos toe. 'Tweehonderd is net genoeg *love* voor ons, *brother*.'

'O, mén!' kreunde Eugene Victor, met een lelijk verwaterend accent. Hij schudde zijn hoofd, alsof hij wilde afdingen, maar hij had zijn waardigheid en vooral zijn image op te houden.

Hij overhandigde het geld, dat de man met zijn vingertoppen aannam, alsof iemand er eerder zijn achterwerk mee had afgeveegd.

'*Cool*, dat is cool, *brother*. We mogen graag zien dat *brothers* ons rechtvaardig behandelen.' Het gezicht van de man lichtte op met een door kwaadaardigheid en arrogantie vergiftigde glimlach.

Eugene Victor keek alsof hij de kerel omver wilde rijden, zijn glimlach kwam regelrecht uit het lijkenhuis en hij zong: 'Cool. Geen punt.'

De bendeleider bevoelde de biljetten ietsje langer dan nodig, alsof het hem speet dat hij niet meer had gevraagd. Hij schudde zijn hoofd en keerde zich naar zijn mannen toen wij de portieren openmaakten en instapten.

Eugene Victor reed weg en keek gespannen in de binnenspiegel, alsof hij verwachtte dat de ontmoeting met een of ander projectiel zou worden afgesloten. Maar we werden uitgeleide gedaan met daverend gelach. De mannen lachten waarschijnlijk zo hard vanwege de pret om Eugene Victors accent of het gemak waarmee ze hun klusje hadden geklaard.

'Tweehonderd euro! Wat heb ik gekocht? Een kamer in het Hilton?'

Lisa June liet haar oorverdovende klak horen. Volgens mij was ze blij dat ze haar handgemaakte cowboylaarzen niet had hoeven afgeven.

Ik herinnerde me hoe twee van de bendeleden tijdens de ego-oorlog tussen de kleine baas en Eugene Victor met getuite lippen naar Lisa June hadden gewezen, wat betekende dat ze niets in haar zagen. Het was bijna zeker dat ze het niet had gezien; en als het wel zo was, dan had ze het als optisch bedrog afgedaan. Een model was een mandril, die de lucht om zich heen liet trillen van kleur en teleurgesteld was als iemand haar talent niet kon waarderen.

'Goed om te zien dat ze in Klein Oeganda geen auto's meer stelen. Het heeft je veel minder gekost dan in Den Haag.'

'Laat me er alsjeblieft niet meer aan denken. Tweehonderd euro! Wat denken ze wel dat ik ben? Een bank?'

'En dat waren beslist niet de jongens die mensen op straat uitkleden.'

'Doe me een lol, Dismas.' Eugene Victor overdreef zijn rol van gekwetste jongen, misschien voor Lisa June.

Omdat ze zich graag solidair met haar man wilde tonen, gaf Lisa June weer een oorverdovende tongklak ten beste.

'Ooit zal ik zulke buurten van die bendes bevrijden. Ik ga er een persoonlijke kruistocht van maken.' Eugene Victor sloeg theatraal op het dik beklede stuur. Het zat hem dwars dat vijf mannetjes hem de baas waren geweest en hadden gedwongen te doen alsof ze ongekroonde koningen waren.

'Hoe vond je die militieman?' vroeg ik om hem van zijn narigheid af te leiden, bang dat die nog meer rijkeluisgejammer zou uitlokken.

'Niet veel soeps, ben ik bang. Hij wil shockeren, hij wil aandacht, maar die verdient hij niet. Je kunt hem toch niet serieus nemen.'

'O.'

'Als hij geweld wil gebruiken, moet hij dat zelf weten. Daarvoor heeft hij van niemand toestemming nodig. Mensen zoals hij zouden uit de gemeenschap gestoten moeten worden.'

Al ging ik het hem niet aan zijn neus hangen, ik was het met Eugene Victor eens dat Doesman Moegoela alleen maar aandacht had willen trekken. Niemand kwam openlijk met zulke krankzinnige voorstellen op de proppen; die werden achter gesloten deuren besproken en in het grootste geheim uitgevoerd. Ik betwijfelde of hij ooit werkelijk in het leger had gezeten; hij was hoogstwaarschijnlijk een poseur die af en toe met bravoure de onzichtbaarheid van een proteïnezoeker wilde doorbreken. Net als de aanranders van de hakenkruisvrouw, wist hij kennelijk niet wanneer hij geweld moest gebruiken en wanneer hij zich moest gedragen als het lam dat naar de slachtbank werd geleid.

Lisa Junes oorverdovende klak wekte me uit mijn gemijmer. Ik keek in de spiegel en zag dat we door een politiewagen werden gevolgd. Eugene Victor hield het stuur nu krampachtig vast, bang om een fout te maken. Ik moest aan Meloenwang denken en voorzag een nieuw vluchtstrookdrama. Het kwam er niet van omdat de politieauto ergens afsloeg en verdween, terwijl onze oren tuitten van de klak van Lisa June.

'Ze hebben ons niet aangehouden!' zei ik quasi-verrast.

''s Avonds zijn ze voorzichtiger. Er zitten tegenwoordig zoveel automobilisten met messen en vuurwapens op de weg!' legde Eugene Victor uit.

'Ik denk dat ze dronken waren en er geen zin in hadden,' onderbrak Lisa June.

Eugene Victor keek haar met strenge blik aan, alsof het heiligschennis was om zelfs maar te denken dat verkeersagenten onder invloed konden zijn.

Bij station Haarlem vroeg ik of Eugene Victor me wilde afzetten. Ik was blij dat ik weer alleen was, met mijn longen verfrist door de koele avondlucht, de gebeurtenissen van de dag als voer voor mijn gedachten en de hoofdpijn die ik voordien uit alle macht had proberen te negeren nu terug als kleine ergernis.

Ik begaf me naar de perrons, door de altijd tochtige gang de brede trappen op die me zo vertrouwd waren dat ik ze blind had kunnen nemen. Het deed er niet toe of de Zieke Man op tijd kwam of niet. Ik ging naar huis en omdat er geen snooker op tv was, maakte het niet uit hoe laat ik thuis was.

❦

Ik werd wakker bij de muziek van heimachines, die de stad de hele afgelopen week al hadden gewekt. De stad had meer huizen nodig. Tegenwoordig stonden nieuwkomers tien jaar op de wachtlijst, een privilege dat vroeger was voorbehouden aan inwoners van grote steden als Amsterdam en Haarlem.

Terwijl ik nog aan het lawaai lag te denken ging de bel. Ik verwachtte niemand en ik had de neiging hem te negeren. Er werd vijf keer met korte tussenpozen aangebeld, wat voor mij het teken was dat Zandberg Hommerts beneden stond. Ik sprong van mijn bank en haastte me naar de intercom.

'Hier is de ridder,' kondigde hij gewichtig aan. Ridder was zijn codenaam. Hij had me een keer verteld dat hij alle boeken bezat die er ooit over koning Arthur en de ridders van de ronde tafel waren verschenen.

'Wat ben je vroeg!'

'Ik sta te blauwbekken,' schertste hij toen ik hem het flatgebouw binnen liet. Dit was de tweede keer dat hij naar de Rectumtempel kwam. We hadden een soort vriendschap die zich op neutraal terrein als cafés en brandstichterslocaties afspeelde. Ik had blij moeten zijn met zijn bezoek, maar was het niet. Ik geloofde niet dat het een gewoon beleefdheidsbezoekje was.

'Welkom.' Ik hield de deur van het Moesigoela-huis open.

'Wat een onchristelijke tijd voor een vrij man om op te zijn,' klaagde hij, alsof ik degene was die hem uit zijn bed had gehaald.

Hij volgde me naar de woonkamer. 'Ben je niet bang dat je wordt opgepakt? Je bent elke ochtend met je kop op de televisie.'

Hij lachte, een kort, hard blaffend geluid. 'Ik maakte me meer zorgen om jou.'

'Ik vind het een kick om te weten dat iemand probeert me op te sporen.'

'Wen er maar niet aan. Het kan verslavend zijn,' waarschuwde hij, terwijl hij op een rechte stoel tegenover de salontafel en mijn bank ging zitten.

'Thee of koffie?'

'Koffie, graag. Zwart.'

Ik ging naar de keuken en onder het koffiezetten probeerde ik te gissen naar de reden van zijn komst. In geen geval om een nieuwe aanslag te beramen. De ideeën kwamen altijd van mijn kant.

'Wat brengt je naar dit stadje?'

'O, gewoon wat rondkijken.'

'Je bent toch niet op de vlucht, hè?'

Hij lachte sarcastisch. 'Bevert zou wel de laatste plek zijn om onder te duiken. Ik zou nu allang in België hebben gezeten.'

'Natuurlijk, ja,' mompelde ik opgelucht.

Ik bracht hem zijn koffie. Hij proefde ervan en trok een smoel. 'Niet te zuipen.'

'Je moet het me maar niet kwalijk nemen, ik zet zelden koffie.'

'Evengoed bedankt. We hebben jachtbommenwerpers en supercomputers maar kunnen geen fatsoenlijke koffie krijgen,' klaagde hij hoofdschuddend met een vies gezicht.

'Ik heb het gehad met de benzine. We komen er geen stap verder mee. Ik was van plan het je te komen vertellen.'

'Dat verbaast me niets. Je stilte was veelzeggend.'

'Echt?' Het viel me een beetje tegen.

'Ja. Het verschil tussen ons is dat jij bepaalde dingen te serieus neemt. Ik doe voor de kick aan zulke acties mee. En het maakt me niet zo uit wat voor soort. Ik hoef niet meer zo nodig de wereld te redden. Ik heb het te druk met het redden van mijn eigen kont.'

Het verraste me dat hij niet tegen me in ging. Ik had wekenlang argumenten voorbereid om hem van mijn standpunt te overtuigen. Ik was blij dat ik zijn boren, zijn ontstekingen, zijn spionage- en chauffeurstalent niet meer nodig had.

'Het enige waar ik nog aan denk is het opblazen van objecten. Dat heb ik lang niet gedaan. Ik mis het.'

'Ik weet het. Ben je helemaal uit je grote stad hierheen gekomen om me dat te vertellen?'

'Wat maakt jou dat uit? Vertrouw je me niet?'

'Doe niet zo raar. Ik ben gewoon nieuwsgierig.'

Zandberg dronk zijn koffie uit, stond op en liep naar de deur van het balkon. Hij wees naar de heimachines en kranen in de verte. 'Het uitzicht is belabberd.'

'Ik houd ervan.'

Zonder zich naar me om te draaien, legde hij uit: 'Ik heb

weer contact met een paar oude vrienden van me. We zijn iets groots op touw aan het zetten. Ik ben zo opgelucht dat je mijn hulp niet meer nodig hebt. Onderweg naar hier vroeg ik me af hoe ik je moest vertellen dat ik niet meer beschikbaar zou zijn.'

'Wat ben je op touw aan het zetten en waar?'

'Dat mag ik niet zeggen. Ik ben bijna de hele nacht bezig geweest met het verzamelen van inlichtingen. Nu ga ik naar huis om te slapen.'

'Vertrouw je me niet?'

'Jawel, maar je maakt geen deel uit van onze organisatie. Je zou het trouwens niet eens wíllen weten.'

Ik hield mijn mond en hij bleef zwijgend in de verte staren. Na een paar minuten stilte zei hij gedag en vertrok. Languit op mijn bank probeerde ik te bedenken wat voor inlichtingen hij was komen verzamelen, maar zonder succes, want hij had me geen enkele aanwijzing gegeven.

Het gevoel van vrijheid dat ik ervoer maakte me niet bijster gelukkig. Ik had er misschien voorgoed het contact met Zandberg door verloren. In een land als Pingeland, waar zich nooit rampen voordeden, steunden de mensen zo weinig op elkaar dat vriendschappen heel snel verwaterden. De lui uit mijn vrachtwagentijd waren bijna allemaal verdwenen. Het was alsof die tien jaar zich in een lege woestijn hadden afgespeeld.

Terwijl ik mijn vaste ochtendprogramma afwerkte, piekerde ik over Zandbergs plotselinge bezoek en zijn beweegredenen. Mijn wandeling bood weinig soelaas. Ik keerde terug naar de tempel, haalde de *Bevertse Courant* uit de bus en nam de lift naar boven. Ik ging het Moesigoela-huis binnen en zette een kop thee, die ik met kleine slokjes en grote voldoening dronk. Als jongen had ik de verzaligde manier waarop mijn grootvader van een bak koffie genoot altijd kinderachtig, om niet te zeggen ziekelijk, gevonden. Altijd dat gekanker als de koffie niet goed was! Nu wist ik dat een mok de spil van iemands bestaan kon zijn.

Omdat ik niets beters te doen had, sloeg ik de krant open. Ik bladerde hem snel door om hem gezien te hebben en in de vuilnisbak te kunnen gooien. Er stonden zelden zwarte gezichten in, dus die verwachtte ik ook niet: dit was een blanke stad. Toen mijn oog op een kleine foto van een zwarte man viel, dacht ik eerst dat het een voetballer of artiest was en die interesseerden me niet. Ik gaf alleen wat om snooker en snookerspelers waren blank.

Voor ik de krant in de bak gooide, keek ik nog eens goed. Het onderschrift vermeldde de naam van Sam Matete. Hij was moeilijk te herkennen door een dom ringbaardje dat zijn gelaatstrekken vertekende. Toen ik doorlas bleek dat hij in het ziekenhuis lag te herstellen van een ongeluk. Hij was door een auto aangereden.

Allerlei vragen buitelden door mijn hoofd. Wie had hem aangereden? Wanneer? Waar? Was de bestuurder doorgereden? Hoe lang lag hij al in het ziekenhuis? Het intrigeerde me dat hij het ziekenhuis niet over mij had verteld. En waarom had hij hun niet gevraagd het Akoegoba-huis te bellen?

Ik hield mezelf voor dat hij als een dief mijn huis uit was geslopen. Hij had blijk gegeven van gebrek aan manieren, wat ik doorgaans onvergeeflijk vond. Ik wilde een paar antwoorden. En vooral wilde ik weten of dit het einde van het Sam Matete-project was.

Om één uur stond ik voor het ziekenhuis het zweet van mijn voorhoofd te vegen en ik voelde het ook in straaltjes langs mijn rug lopen. Ik vond zweten na het fietsen lekker. Het gaf me het gevoel dat ik leefde, dat mijn huid tintelde van energie. Zo'n dag met mooi weer, felle zon en amper wind, dat hielp. Ik bleef in de schaduw van het langgerekte gebouw staan kijken hoe bezoekers door de brede draaideur naar binnen en naar buiten gingen.

Ik wilde Sam Matete heel zakelijk aanpakken. Ik liep door de draaideur en bleef in het marmeren vierkant staan dat een deel van de ontvangsthal vormde. Het was altijd leuk om de in zich-zelf gekeerde houding van de dokters en verpleegsters te zien. Patiënten en bezoekers volgden hen met de kwijnende blik van iemand die op zoek is naar een verlosser. Het deed me denken aan de mensen die vroeger op ons politiebureau kwamen vra-gen of we iets wisten over familieleden of vrienden.

Op het materiële vlak scheen Pingeland geen duurzaamheid te kennen. Het vierkant had sinds mijn vasectomie een aantal reconstructies ondergaan. Het zag er gloednieuw uit, de mar-meren vloer glansde. Die zou, in de eindeloze kringloop van sloop en herbouw, over een paar jaar weer worden opgebroken en vervangen. Tegenwoordig werden ziekenhuizen geleid door managers, die met nieuw marmer moesten bewijzen dat ze, on-danks de groeiende wachtlijsten, hun werk goed deden.

De verrassing van de dag was de strategisch tegenover de hoofdlift geplaatste McDonald'skraam. Ik stond er een paar mi-nuten naar te staren, en het viel me op dat de vrouwen achter de toonbank leeftijdgenoten van Bogodisiba waren, geen meisjes die nauwelijks de luier ontgroeid waren.

Naast de Big Mackraam stond een krantenkiosk. Ik ging er-heen en pakte een Metrokrantje mee. Op de voorpagina was nieuws over de acrylamide-paniek. Acrylamide was een kan-kerverwekkende stof, die in chips, pepernoten, cornflakes en een aantal andere gebakken voedingsmiddelen was aangetrof-fen. Voedselpaniek kwam wel vaker voor. Eerst was er de gekke koeienziekte, toen de dioxine-paniek in België en een paar maanden geleden de vogelpest. Ze gingen allemaal zonder veel pijn voorbij, dat was het mooie van een land waar zich nooit een ramp voordeed. Er zat zelfs een perverse logica in. In dit land was voedsel in weerzinwekkende hoeveelheden beschikbaar, wat leidde tot overgewichtsziekten. Dat er iets van al die overdaad was vergiftigd, vond ik begrijpelijk. In een wereld van schaarsheid, waren wij juist de idioten die de luxe hadden alles te kunnen weggooien, van jachtbommenwerpers tot bergen voedsel.

Na de acrylamide-grap vond ik iets dat echt geestig was: een overzicht van de uitzettingsindustrie en de modellen die verschillende landen voorstonden. Het Belgische model was een privatisering op fifty-fifty basis waarbij regering en ondernemers de lasten en de lusten deelden.

Het Duitse model streefde naar volledige privatisering waarbij ondernemers de vrije hand kregen met gunstige belastingvoorwaarden op de koop toe.

Het Franse model streefde naar het inrichten van Vrije Uitzettingszones buiten de jurisdictie van het gastland. Alle havens en vliegvelden zouden buitenlands gebied worden met gevangenissen en rechters die de aanvragen binnen vierentwintig uur moesten afhandelen.

Het Britse model streefde naar het vestigen van 'satellietstaten', zones in bevriende landen waar proteïnezoekers die Groot-Brittannië en de VSE probeerden binnen te komen aan medisch onderzoek werden onderworpen en, indien waardig bevonden, een visum kregen.

Ik vond dat Sam Matete moest weten wat zijn vijanden aan het bekokstoven waren. Ik wilde hem het nieuws brengen.

Ik had een geluksdag: toen ik de krant opvouwde, zag ik een stukje waarvan ik hardop moest lachen. In de Maleisische deelstaat Selangor zouden mensen binnenkort vanwege ruimtegebrek rechtop begraven worden. Daar zou Bogodisiba van smullen.

Ik voelde me nu helemaal ontspannen. De vorige keer was ik hier om vrijwillig mijn buisjes te laten doorsnijden. En de kleine chirurg had prima werk geleverd. De sneden waren voorspoedig genezen en als ik nu mijn scrotum betastte voelde ik alleen twee kleine knoopjes, zo groot als erwten, waar de voor sperma onneembare barricade zat die ervoor zorgde dat ejaculatie een heffingsvrije ervaring werd.

Ik liep naar de receptioniste om mijn zoektocht naar Sam Matete te beginnen. Het kostte haar de nodige tijd, want ik had geen zaalnummer, bednummer of enige andere informatie die het zoeken naar een patiënt in het woud van namen en nummers van een ziekenhuisadministratie kon bespoedigen. Dankzij het computersysteem, dat deze tijd van instantbevrediging met geringe inspanning zo treffend karakteriseerde, kon Sam Matete zonder herculesarbeid worden gelokaliseerd. Ik kreeg een summiere routebeschrijving, alsof ik ook in het ziekenhuis werkte. Ik vroeg de dame of ze alles voor me op wilde schrijven, wat ze na een minuscuul schouderophaaltje deed. Ik bedankte haar en begon mijn tocht door liften en afdelingen, gangen en uithoeken.

Ik vond Sam Matete in een kamertje aan het eind van de zoveelste gang. Hij sliep: met dichte mond, uitdrukkingsloos gezicht, roerloos lichaam. Hij maakte de indruk van een slaper die niet door nare dromen werd gekweld.

Hij herinnerde me aan het Moelago-ziekenhuis waar ik lijfeigenen aan het einde van hun reis had bezocht. Ik zag nog hun grote, stralende ogen voor me, die in hun kassen rolden, kennelijk niet echt in staat wijs te worden uit wat ze zagen. Die ogen waren nu voorgoed gesloten, de bedden overgenomen door andere lijfeigenen, die op hun beurt zouden worden vervangen en aanspoelen in de wereld van statistieken en specialisten die gegevens verzamelden voor onderzoekspapers, conferenties in het buitenland en carrièrebevorderende uitstapjes naar het zonnige land van beurzen, onderscheidingen en academische status.

Ik bleef aan het voeteneinde staan dubben of ik moest kuchen of roepen. Ik voelde me een beetje als een sullige verstekeling die in een vreemde haven de kluts kwijt was, nadat hij al zo ver was gekomen. Sommige mensen vinden het vreselijk als ze om welke reden dan ook uit hun slaap worden gehaald. Omdat ik heel weinig van Sam Matete wist, besloot ik te wachten.

Vele minuten later werd hij met een luide kreet wakker, als iemand die door een troep wrattenzwijnen achterna werd gezeten. Hij keek me aan maar scheen me niet te herkennen. Het was alsof hij worstelde met iets wat hij niet onder woorden kon brengen. Ik vond die ongemakkelijk stilte niet prettig en brak het ijs door te zeggen: 'Sam Matete, hoe is het met je?'

'Consulent, wat doe jij hier?' Zijn koude, matte stem gaf me het gevoel dat hij allesbehalve aangenaam verrast was om me te zien.

'Ik kom je opzoeken.'

'Je moet weg. Heb je je aangemeld bij de receptie?' Hij klonk als iemand wiens schuilplek aan zijn aartsvijand was verraden.

'Nee.'

'Dan moet je gaan.'

'Nu?'

'Hoe ben je erachter gekomen waar ik was?'

'Ik heb je foto in het stadsblad zien staan.'

'En wat zeiden ze over me?' Hij klonk angstig, als iemand die buitengewoon slecht nieuws verwacht.

'Dat je door een auto was aangereden.'

'Klopt, maar je moet er snel vandoor. Als ze erachter komen dat ik iemand uit de omgeving ken, sturen ze me weg.' Er lag angst in zijn ogen, alsof hij met elke seconde die ik voor hem bleef staan, zijn idealen verder in de drek zag zakken. 'Het was geen ongeluk, ik wilde aangereden worden. Het paste in een groot plan. Als ik lang genoeg ziek blijf, maak ik misschien kans om in dit land te blijven. Op humanitaire gronden, of zo.'

'Ik dacht dat je naar Brussel was gegaan.'

'Ik heb een hekel aan Brussel.' Hij trok een gezicht zo smerig als een regenachtige, modderige nacht. 'Ik ben tienduizend dollar in die stad kwijtgeraakt. Amerikaanse.'

'Waarom heb je geen briefje achtergelaten?'

'Hoe vaak wil je dat ik je bedank?'

'Ik was bezig met plannen om...'

'Onderdak voor me te vinden? Hoe lang zou dat duren? Ik wilde een degelijk plan. Zolang ik me hier zieker weet voor te doen dan ik ben, maak ik een kans. Het zijn niet allemaal beesten. Ik vind wel iemand die me helpt. Ga nu. Je bent lang genoeg gebleven.' Zijn smalende toon was verontrustend door zijn ernst.

'Als je je daar beter bij voelt.'

'Maak je geen zorgen, consulent. Het ziekenhuis is niet zo'n slechte plek. Het is er schoon en het eten is goed. Ik mag de dokters en de zusters graag. Hier kan ik zoveel slapen als ik wil.'

'Ik wens je het beste.'

'Dag.'

Het duizelde me. Ik voelde me als iemand die een harde kaakslag heeft gekregen. Ik zag weinig in het plan van Sam Matete, maar het belangrijkste was dat hij erin geloofde. Misschien wist hij het een en ander over het systeem dat ik niet wist. Er waren vast nog een paar mazen waar je doorheen kon glippen; ik hoopte dat het hem lukte.

Toen ik weer voor het ziekenhuis stond was ik kwaad dat Sam Matete me niet eens de kans had gegeven om te vragen hoe hij in de krant was gekomen, wie hem had aangereden en nog veel meer dingen die ik wilde weten. Het leek of deze dag in het teken stond van wantrouwen. Eerst wilde Zandberg me niet vertellen wat hij in zijn schild voerde. En Sam Matete had me net laten voelen dat ik zó nutteloos was dat hij me niet langer dan twee minuten in zijn kamer kon verdragen. De enige troost was dat ik tenminste kon zeggen: 'Zaak gesloten, Sam.'

❧

Eitje, larve, pop, vlinder... Af en toe daalde ik af in mijn keldertje van feitenkennis om tussen stof en schimmel naar dingen te zoeken die van pas konden komen op het volgende traject van de reis naar de zon van de kunst.

Bij mijn overleden oom thuis hadden we honderden vlinders, van de donkerste tot de lichtste, die zo ijl waren dat je ze in de felle zon niet kon zien. Ze schoolden samen op urineplassen, op rottend afval, op heggen, op bloemen, overal. Een van mijn vroegste herinneringen was die van een vlinderinvasie, toen duizenden de lucht vulden en wij snel voedsel, water en keukengerei moesten afdekken. Ze beschreven de prachtigste bogen als ze vielen, als ze botsten en als ze omhoogschoten en de lucht met het stof van hun vleugels besprenkelden. Er was zoveel schoonheid dat het lelijk werd.

Als de smeulende wierookstokjes van Bogodisiba in mijn flat geuren verspreidden van bloemen, oude kaas en vroege herinneringen, waren mijn gedachten zowel bij schoonheid als lelijkheid.

Gewoonlijk deed ik mijn denkwerk en plannenmakerij op mijn geliefde bank, waarvan de gaten en plooien getuigden van onze lange jaren samen en de zachte, betrouwbare omhelzing dromen opriep van een moeder die me nooit in haar armen had gedragen. Ik noemde mijn bank Nabaana, de baarmoeder, de plek waar ik me schuil hield, pret maakte en mijn volgende geboorte beraamde.

Een andere plek om na te denken was in Bogodisiba, waar het zijdezachte gevoel van haar baarmoeder een afspiegeling was van mijn verweerde, versleten baarmoederbank, waarop zij in de loop van de jaren honderden uren had gezeten. In haar ontplooiden mijn hersens zich, kwamen slimme ideeën en grootse plannen los die de bevrijding van persoonlijke tirannie die ik bij haar zocht bemoeilijkten.

Bogodisiba wist dat en probeerde het te voorkomen door me in wierook te hullen, tegelijk met de knoflook die voor het copuleren verplicht was. Het werkte even en dan verbraken de hersens als koppige gevangenen hun ketenen en keerden terug naar hun spelletje van antwoorden zoeken en sabbelen op oude gedachten. Het kon zijn dat mijn brein terugschrok voor intimiteit in het algemeen, of besloot zich op te dringen uit afkeer van het soort intimiteit dat er tussen ons bestond.

Bogodisiba liep halfnaakt te paraderen en voerde een soort buikdansstriptease op, om de spieren in haar rug en benen los te maken. Ze nam de tijd om zich op te warmen, want ze wilde niet op het verkeerde moment last krijgen van maagkramp of rugpijn.

Ik was ook aan het warmlopen, want dit kon de dag zijn dat er weer een nieuwe, onomstotelijke theorie ontstond. Mijn mooiste theorie, die de tijd heeft getrotseerd, was dat alle heteroseksuele mannen latente sodomieten zijn, die zouden willen dat de kut even strak was als de anusspier. Maar de Godin, die nooit moe werd het menselijk dier te bespotten, gunde het geen uitschuifbare pik om de intimiteit te verhogen of kutspieren die gehoorzaamden aan het verlangen naar vastere greep.

'Does-man Moe-goe-la,' riep Bogodisiba, toen ze merkte

dat ik weer hoog in de filosofische boom zat. 'Kom eruit en kom bij mij. Je kunt die stomme gedachten later wel plukken.'

Mijn tweede, nog steeds onbetwiste, theorie was: 'De enige bijzondere kut is een dichtgenaaide kut, de vrucht van een monsterachtige praktijk. De rest is gewoon goeie ouwe kut, over de hele wereld dezelfde.'

'O, wat origineel!' kreunde Bogodisiba. Ze onderbrak haar dans en ik vroeg me af hoe ze kon raden wat er in mijn hoofd omging. 'Wacht maar tot je niemand hebt om mee te neuken, dan besef je hoe bijzonder kut is.'

'Ik weet heus wel hoe heerlijk het is.'

'Wat heb je aan yoga als je er niet door leert je te concentreren?'

'Mijn hersens zijn te koppig.'

'Misschien moet je overschakelen op ritmische gymnastiek. Ik heb nooit moeite met mijn concentratie.'

Gewoonlijk wilde Bogodisiba best over zulke dingen in discussie gaan, afgeven op conservatieve lieden die maagdenvlies, monogamie en huwelijk zo hoog aansloegen, verhalen vertellen over de jaren zestig en zeventig toen je in bepaalde communes kon neuken wanneer, waar en met wie je maar wilde. Maar als ze met mij neukte wilde ze niet lastiggevallen of afgeleid worden. 'Ik ben voor mijn lol gekomen, niet voor jouw filosofie, preken of sluitende argumenten,' mopperde ze.

'Ik weet het.'

'Wierookstokjes helpen me op genot te concentreren. Jij moet ook iets zoeken waardoor je al je aandacht op één ding kunt richten.'

'Ik doe mijn best.'

'Vrijen neemt me zo in beslag dat het me zelfs niet zou kunnen schelen als Amerika werd plat gebombardeerd. Pas na afloop zou ik me er druk om maken.'

'Ik zou meteen mijn erectie verliezen,' wierp ik tegen, 'ook als een dichtgenaaide vrouw zich aan mij zou tonen.'

Van al mijn theorieën was er maar één die Bogodisiba beviel, en dat was dat pornografische kunst heteroseksuele mannen de kans gaf hun latente homoseksualiteit uit te leven door in de huid te kruipen van mannelijke artiesten die namens hen neukten en van vrouwelijke artiesten wanneer twee vrouwen bezig waren. Ze noemde me een schat omdat ze het briljant vond.

Bogodisiba was voor mij de ideale liefdespartner omdat ze haar glorietijd achter zich had, en wel dertig jaar eerder in de periode van bh-verbrandingen en normverlegging. Telkens als we de televisie aanzetten stuitten we op haar erfenis: vrouwen in het parlement, vrouwen op hoge posten, vrouwen onder het mes van de plastisch chirurg, vrouwen die actie voerden voor een groter deel van een van de nationale zoethouders.

Ik voelde me bij haar op mijn gemak omdat er geen rivaliteit tussen ons was. Menige verhouding is stukgelopen doordat een vrouw zich overvleugeld voelde, ging concurreren, zich op de voorgrond drong en de boel bedierf. Zo niet Bogodisiba.

Ze leefde nu als een freelancer van project naar project, organiseerde nu eens iemands redding, dan weer een nieuwe ronde in het gevecht tegen het gezag. Veel van haar collega's volgden hetzelfde patroon, werkten in dierenasiels, zorgden voor afgedankte huisdieren, dreven hondentrimsalons of gaven hondenpsychotherapie. Met de Dierenpartij voerden ze actie voor meer dierenrechten, zoals het verbod op wetenschappelijke proeven met primaten.

Bogodisiba zorgde goed voor het liefdesdomein, wat mij de vrijheid gaf om over andere dingen na te denken. Op je vijftigste heb je niet meer de liefde van je leven nodig, maar een vrouw die zich niet uit het liefdesveld laat slaan door de putlucht uit je ingewanden of de akelige kleur van je braaksel, een vrouw die heldhaftig de ondersteek vasthoudt en je aanmoedigt om lekker te poepen.

Bogodisiba deed haar best me bij het vrijen van het denken af te houden, want ze wilde niet dat ik mijn grote liefde, de ideale vervangster van mijn moeder, omhelsde; ze was ervan overtuigd dat je geen twee meesters kunt dienen. Ik was het daarmee eens, omdat ik had ontdekt dat leven niet veel meer is dan je behelpen met verwaterde versies van dingen. Er is altijd maar één volmaakte hap, die nooit terugkomt. Volwassenheid betekent accepteren dat dingen geen keer nemen om maagdelijk terrein te scheppen voor de herbeleving van de volmaakte hap.

Wanneer ik Bogodisiba zag deinen, de ingevingen zag volgen van een muziek diep in haar botten, kon ik met zekerheid zeggen dat ik alles wat ik wilde in huis had. Ik hoefde geen ontdekkingen meer te doen. Ik hoefde alleen nog maar te overpeinzen wat er al in mijn lichaam en geest aanwezig was.

Bogodisiba zweefde naar me toe, het haar in haar oksels verlokkend rood en dik, de spitse borsten bijna meisjesachtig stevig. Haar volle lippen openden zich, de membranen glommen van bereidheid om mijn pik te zuigen. Bogodisiba's lichaam, van de glans van vet beroofd door een dieet van groenten en knoflook, had aan strakheid en kracht gewonnen. Ze draaide in het rond om mij de vlakten van haar rug en het uitspansel van haar achterwerk te laten zien met de spleet waaruit lang rood haar piepte. Het leek alsof haar van vocht glinsterende haar met een troffel tegen haar hoofd was gepleisterd, wat haar gezicht prachtig modelleerde. Zo vond ik het mooi, niet droog en stroachtig en allerlei kanten op piekend. Ik raakte haar aan en ze rilde.

Niets deed me meer aan ongelijkheid denken dan orale seks. Toen Bogodisiba mijn pik in haar mond nam voelde ik me goed, alle zintuigen gingen open en het licht in de kamer verscherpte terwijl de zoon de moeder voedde. De pik werd een borst en ik vond het heerlijk om haar te voeden, keek uit naar elke teug. Zij was mijn baby die zonder de bijstand van mijn pikborst zou wegkwijnen. Ze zoog, ze streelde, ze snoof de geur van mijn schaamhaar op, ze zong woordloze wijsjes. Ze keek op met ogen als de ogen van een hond die hengelt naar een complimentje, wat ze kreeg, en ging door met drinken. De boog steeg naar zijn hoogtepunt, waar hij bleef hangen, een ogenblik met de zwaartekracht spotte en zich toen overgaf aan het onvermijdelijke. Mijn hardheid verslapte, gedachten begonnen door mijn hoofd te jagen, niet ontvankelijk voor de afleiding van de woorden die over mijn lippen vloeiden.

Het verstand liet zich weer gelden met ondeugende influisteringen, haalde jongere vrouwen op, koninginnen van de fellatio, die met gemak voetlange palen slikten. Ik prees de godin Bacterie dat het Bogodisiba en haar gezellinnen waren die de afkeer overwonnen en van elke opening een seksuele opening maakten en het woord geestdriftig verbreidden. Ik prees Bogodisiba als ze op de grond knielde en mij eigenaardig groot deed lijken; of op de yogamat knielde en zelf ging lijken op een vogel aan de bron met haar op en neer knikkende hoofd.

De boog daalde, het voedende gevoel verdween en de pik werd gewoon weer een wapen om mijn gezag mee te doen gelden. Het werd duidelijk dat wat er gebeurde gewoon orale seks was, een kortstondig saluut aan de hemel ingesloten tussen glorieuze stront en urine. Bogodisiba koerde: 'Kom naar me terug, Does-man Moe-goe-la.' Ze vroeg of ze een teentje knoflook of een stukje kaas voor me moest halen. En anders of ze me haar bilspleet moest laten zien. Tevergeefs. De volmaakte hap was weg. Het was tijd voor een wederdienst.

Toen ik aan de beurt was om mijn mond op haar schaamlippen te leggen, te zuigen, te proeven, te likken, te drinken, ver-

234

anderden mijn lippen en tong in elektroden die haar lichaam bij elke aanraking, elke steek, de geringste druk deden huiveren. Ze riep mijn naam, ze zong, scandeerde, ze zuchtte, lachte, hikte, ze verloor de controle over haar lichaam en liet soms heel wat pisdruppels over mijn tong lopen. Allemaal vanwege mijn lippen en mijn tong; urenlang kon ze van hun aandacht genieten, waarmee ze me voor eens en altijd bewees dat orale seks de ideale seks voor Bogodisiba en veel andere vrouwen was. En dat de mannelijke tegenzin om die te geven niet zozeer voortkwam uit afkeer als wel uit een gevoel van bedreiging en angst voor overbodigheid.

In elke relatie zijn er dingen waarop een geliefde trots is als de ander die door hem of haar heeft geleerd. Mijn grootste verrijking van Bogodisiba's leven was eerder vaderlijk dan seksueel van aard. Ik had haar geleerd met de mond dicht te eten. Ik had haar ook geleerd 's morgens vroeg haar vinger bij zichzelf in te brengen om de activiteiten van de Godin te peilen.

Op seksueel gebied had ik niets om over op te scheppen. Ik was ervan overtuigd dat het orgasme van een vrouw van haarzelf afhing, niet van de man. Het orgasme is geen appel die je wast, op een bord legt en aan iemand geeft. Zij gaf het zichzelf; om het te laten gebeuren moest ze het gevoel hebben dat ze het verdiende.

Pas bij mij stond Bogodisiba zich toe haar beste orgasmen te bereiken. Ze was er tamelijk laat mee, want de meeste vrouwen doen dat tussen de dertig en de veertig. Ze was als een blinde door de decennia gezwommen, rondtastend zonder aan te komen, aankloppend zonder de goede deur te vinden.

Op een dag toen we lagen te neuken te zwoegen te zuchten te hijgen, en de lucht met kabaal en bijna tastbare wolken knoflook vulden, begon ze te gillen: een langgerekt schril geluid, waardoor ik bang werd dat ik iets binnen in haar had beschadigd. Ik had in haar baarmoeder geprikt, die bij het vrijen altijd daalde en tegen mijn pik botste. Ik dacht dat ik die van haar anker had geslagen. Ik was bang dat die uit haar vagina zou rollen als Bogodisiba rechtop ging zitten. In de voorafgaande periode had ik haar wel eens gevoeld, wat me nieuwsgierig maakte naar hoe ze eruit zag. Pervers genoeg, dacht ik dat het ogenblik nu was gekomen. Er was iets misgegaan, maar daardoor zou mijn droom uitkomen: een baarmoeder om vast te houden, een baarmoeder om zachtjes weer naar binnen te helpen.

Ik hield abrupt op om niet nog meer schade te veroorzaken, maar ze greep me en vuurde me aan alle kracht te gebruiken die ik in me had. Op zulke momenten leek me het formaat van je pik van belang, omdat het de roeispaan is waarmee je de oceanische diepten van je moeder bevaart. Homo's hadden daarentegen geen grote pikken nodig omdat ze in ondieper water peddelen.

Het was voor Bogodisiba bijna gênant te ontdekken dat de sleutel altijd bij haarzelf had gelegen, niet buiten haar, waar ze hem tientallen jaren had gezocht. Ze had een groot deel van haar leven gewacht tot ze kreeg, tot ze vervuld, geholpen, verlost werd. Het enige wat ze van mij had gekregen was de kans om dieper in haar diepten te duiken.

Op officiële vrijdagen vreeën we op de grond, terwijl de Schildpad naar ons keek met een mond vol schunnigheden, het voyeursgenot verborgen achter haar starre blik. Ik had het gevoel dat ze bij ons was, over ons waakte en goedkeurende of afkeurende geluiden maakte. Ze was geschokt om me in Bogodisiba's kruis te zien wroeten. Ze raakte opgewonden toen ze zag hoeveel plezier Bogodisiba eraan beleefde. Ze kwam alleen al klaar door te kijken, haar genot vloog weg als een vogel die ze niet kon vasthouden. Ze juichte toen ik Bogodisiba in de missionarishouding besteeg. Ze had plezier bij Bogodisiba's kreten van genot als ze de kracht van mijn stoten en het zweet van mijn rug ontving. Dan was ze mijn matras, mijn handdoek, mijn kwispedoor. Ze trok een afkeurende frons toen de bordjes werden verhangen en ik een matras, een handdoek, een kwispedoor werd.

De Schildpad hield ons gezelschap, proefde van het oude en het nieuwe en schreeuwde zo nu en dan: 'Nee, o God. Dat moeten jullie niet doen. Dat is taboe.' Ze was een eeuw oud, een product van haar tijd, haar hoofd zat vol geboden en verboden, regels en voorschriften.

Bogodisiba was zich de aanwezigheid van de Schildpad niet bewust. Niet dat het enig verschil had gemaakt. Ze was niet verlegen. In haar communetijd gebeurde alles openlijk, ging de wc-deur nooit dicht. Als iemand dat toch deed, werd er gevraagd: 'Wat probeer je te verbergen?' Ze had niets te verbergen en de ogen van een oude vrouw konden haar niet van slag brengen of een toontje lager laten schreeuwen.

Veel mensen hebben in hun achterhoofd dat eindeloze vrijpartijen met veelvoudige orgasmen het ideaal zijn. De mannencultuur propageert dat als het toppunt van gelukzaligheid. Ik heb die opwinding nooit begrepen. Mijn langste vrijpartij duurde vier uur, waar ik voor boette met een beurse pik. Ik vond één orgasme genoeg, het tweede pure energieverspilling en het derde een wilsdaad.

Twee uur en een orgasme later, verliet ik het huis van de kut, ging naast Bogodisiba liggen en liet mijn ogen vergenoegd over de boeken dwalen. Bogodisiba, nu met droog haar dat water nodig had om het plat tegen haar schedel te houden, legde haar hoofd in mijn schoot. We bleven vijf minuten stil liggen. Daarna pakte ik het boek van Barbara Thiering. Bogodisiba noemde de auteur haar oppepster. Ze schreef het aan haar toe dat ze de schoonheid van de bijbel had leren waarderen.

237

Ik pakte *Jesus The Man* en begon haar te ondervragen over de woorden en termen waarvan 'haar oppepper' had ontdekt dat ze werden gebruikt om politieke betekenissen onder de conventionele te verbergen.

'Wie was het woord van God?'

'Jezus.'

'De leeuw?'

'De Romeinse keizer.'

'De armen?'

'Degenen die aan de hogere kringen van de gemeenschap werden voorgesteld.'

'En...'

'En wat?'

'Die hun geld en bezittingen moesten opgeven.' Met afkeurend getuite lippen deed ik een strenge leraar na.

'Verwacht je soms dat ik alles weet?' protesteerde ze, terwijl ze mijn neus met vlagen knoflook bestookte.

'Ik heb je niet gevraagd alles van buiten te leren, alleen de termen.'

Ze zoog op haar tanden en deed alsof ze wilde opstaan. Ik legde mijn hand op haar voorhoofd. Ik voelde haar nekspieren ontspannen en haar hoofd terugzakken.

'Wie was een weduwe?'

'Een vrouw van wie de man tijdelijk celibatair leefde om zijn religieuze plichten na te komen.' Er klonk trots in haar stem.

'Wat bedoelde Jezus toen hij zei: 'Laat de kinderen tot mij komen?'

'De nieuwelingen in de religieuze groep.'

'Hoe heette het proces waarbij iemands excommunicatie werd opgeheven?'

'Uit de dood opwekken.'

'Knappe meid,' riep ik, terwijl ik haar voorhoofd streelde.

'Nu ben ik aan de beurt.'

'Nu al?' Ik hield het boek buiten haar bereik.

'Ja,' zei ze, terwijl ze ernaar graaide. Ik gaf het haar.

'Brand maar los.'

Vóór Bogodisiba haar mond kon opendoen schalde het des-oriënterende geluid van de telefoon door de ruimte. In haar ogen vlamde een beschuldigende blik, die zei: 'Waarom heb je de stekker er niet uitgetrokken?'

Ik spreidde mijn handen met een gebaar van 'Vergeten.'

De beller was een van haar vriendinnen. Ik gaf haar de tele-foon. Ze drukte zich op een elleboog omhoog en trok een wal-gend gezicht. 'Bogodisiba,' zei ze korzelig.

'Neem me niet kwalijk, maar we zitten met een probleem in Den Haag. De politie heeft ons een ultimatum gesteld. We moeten de vrouwen binnen zes uur weg hebben, anders sturen ze de oproerpolitie erop af.'

'Nee!' Bogodisiba's gezicht verried opwinding. Oproerpoli-tie. Camera's. Drama.

'We hebben besloten een menselijke keten te vormen. We hebben je hier nodig. Kom zo gauw je kunt.'

'Ik kom eraan.'

Met een diepe zucht legde ze de telefoon neer en keek me verontschuldigend aan. 'Ik denk dat ik erheen moet.'

'En wat wil je daar doen? De oproerpolitie met je adem be-dwelmen?'

'Het is geen geintje, Dismas. Ze hebben me nodig.'

'Meer dan ik?'

'Het belangrijkste is afgewerkt,' zei ze. Met een ontwapenen-de glimlach streelde ze mijn dijbeen.

'Het is onze dag samen.'

'Ik zal het goedmaken en bovendien wil ik dat je met me meegaat.'

Ik lachte. 'Om wat te doen?'

'Om daar bij me te zijn. Je hoeft niet in de voorste linie te staan, maar ik zou me veiliger voelen als jij er bij bent. Het is nu twee uur. Tegen vieren moeten we in Den Haag zijn.'

'Zou jij je veiliger voelen als ik ergens in de menigte sta?'

'Ja, dat zeg ik. Ik heb je nog nooit gevraagd om mee te gaan. Ik wil dat je vandaag bij me bent.' Ze wist dat ik geen nee kon zeggen, maar ze had plezier in het marchanderen. Ze zou geen gek figuur hebben geslagen als Oegandese marktvrouw.

'Wat moet ik dan doen?'

'Je ogen de kost geven en ons toejuichen. Hoe meer mensen, hoe meer vreugd.' Ze glimlachte triomfantelijk.

Ik stemde in om mee te gaan. Ik wilde de Ethiopische vrouwen zien, die me ineens herinnerden aan de hakenkruisvrouw, van wie ik nog steeds niet wist hoe ze heette. Eugene Victor, troonpretendent van Klein Oeganda, had niet de moeite genomen om te bellen. Ik wist zeker dat hij ook niet wist hoe de vrouw heette, ook al had hij haar verwondingen gebruikt in een poging de vrucht van het leiderschap te plukken.

'Je bent zo'n schat, Does-man Moe-goe-la.' Telkens als ze heel gelukkig met me was, noemde Bogodisiba me een schat. Dan dacht ik terug aan de mensen van wie ik auto's of huizen in brand had gestoken en zei bij mezelf: Wat je noemt een lekkere schat!

'Je hebt de sluiting van de kampen gezien. Oproerpolitie...'

'Actievoerders hadden meer verzet moeten bieden dan alleen maar "We Shall Overcome" te zingen.'

'Ik hoop dat het verzet vanavond verstandig wordt gepland.'

'Je hoeft niet in te zitten over je veiligheid. Alles wordt door vrouwen geregeld.'

'O, heerlijk.'

'Zullen we maar eens beginnen met ons op te knappen, lief?'

'Waarom zouden we niet gewoon wat kleren aanschieten en gaan zoals we zijn?'

'Wees aardig voor treinreizigers. De meesten kunnen knoflook en de lucht van goed gezonde lichamen niet uitstaan.'

'Dat is hun probleem, niet het mijne.'

'Maakt niet uit. Kom op. Eerst in bad en dan agentjes bespugen.'

'Agenten bespugen is een strafbaar feit.'

'Ook best. Dan maar agentjes uitjouwen.' Er lag een fonkeling in Bogodisiba's ogen. Deze confrontatie had lang op zich laten wachten. Het was de bevestiging dat de groep bestond. Hoe meer geweld de politie gebruikte, hoe meer publiciteit de groep zou krijgen en hoe hoger hun morele recht werd aangeslagen.

Bogodisiba was de enige vrouw die ik kende die bijna even snel als een man klaar was om te gaan. Ze plaste, ik boende haar, zij boende mij, we spoelden ons af en gingen de badkamer uit. Ze trok haar slip, haar broek, haar bloes, haar jasje aan en met haar toiletgerei dat maar uit één potlood bestond was ze in een wip klaar. We dronken wortelsap en verlieten de Rectumtempel.

De zon overgoot de stad zo rijkelijk dat de hitte die van metalen oppervlakken kaatste een illusie opriep van zwevende huizen en wiebelige bomen. Zodra je ogen aan het schelle licht waren gewend, zonk het visioen weer terug in de alledaagse kale, karakterloze werkelijkheid. De beroemde, stevig in de horizon gespijkerde schoorstenen braakten traag hun rook uit en verwezen vaag naar het enorme scala van activiteiten in het dorre landschap van de staalfabriek. We liepen snel, want we moesten kaartjes kopen.

'Ben je wel eens in de fabriek geweest?'

'Nee,' antwoordde Bogodisiba afwezig, meer geïnteresseerd

in de wereld om haar heen dan in de staalfabriek een paar kilometer verderop. 'Hoezo?'

'Het is een verschrikkelijk oord.'

'Ik ben niet van plan er te solliciteren.' Haar glimlach vroeg
me haar gevatte antwoord te prijzen.

Er was niemand bij de gele kaartjesautomaat. Ik kocht twee
kaartjes met veertig procent korting, een handig zoethoudertje
dat ik met genoegen slikte.

De Zieke Man was op tijd, wat een glimlach op ons gezicht
bracht.

'We zullen ze een poepje laten ruiken. We moeten ze helpen
herinneren dat we er nog zijn.'

'Ze staan op ons te wachten.'

'We lusten ze rauw.'

'Waar poepen en piesen de vrouwen? Op de trappen van het
stadhuis?'

'Geen grappen, Dismas,' zei ze met voorgewende strengheid.

'Ik ben gewoon nieuwsgierig.'

Berustend, alsof ze al een halve dag een trage leerling iets aan
het verstand probeerde te brengen, verklapte ze: 'Er zijn rege-
lingen getroffen met aardige mensen in de buurt. Ook voor lui-
ers, vuilophaal en dergelijke. Daarom worden ze gedoogd.'

'Ken je de namen van de vrouwen?'

'Van een paar. Gebre-sellasie, Wor-de, Tefke-marianis-jijiga.'

'Nee. Er is geen Tefke-marianis-jijiga. Dat verzin je.'

Ze lachte. 'Jijiga is een stad in Ethiopië. Daar komt de schrijver van *De buik van de hyena* vandaan. Ne-ga Mez-le-kia. Een
van de vrouwen heet Mez-le-kia.'

'Is er ook een Noe-roe-ddin Fa-rah bij?'

'Dat is een Somalische naam, geen Ethiopische.'

'Mi-chael Jackson.'

'Geen grappen,' protesteerde ze vrolijk.

Een paar reizigers bekeken ons afkeurend, alsof we vijf minuten luidscheets hadden gepraat. Er werd zelden vrolijk in de trein gepraat, zeker niet door mensen van in de vijftig met de sporen van de dood op hun gezicht getatoeëerd. We gingen nog even door met namen noemen om de afkeurende oren wat extra te stangen.

'Hoeveel mensen verwacht je?'

'Een stuk of honderd. Misschien meer. Er zijn veel organisaties die op een gelegenheid wachten om mee te doen.'

'Hoe meer, hoe beter.'

'Ik ben zo blij dat je met me mee bent gegaan, Does-man Moe-goe-la.'

Ik voelde al hoofdpijn opkomen, maar wou de pret niet bederven door er melding van te maken. 'Ik ook, lief.'

Het kabaal op het Centraal station in Den Haag was niet te harden: oorverdovend gepingelpong gevolgd door mededelingen over uitgevallen treinen of treinen die van een ander dan het aangegeven perron vertrokken, duizenden voeten die over de stationsvloer stampten, vertrekkende treinen, jongelui die het andere geslacht te verstaan gaven dat ze er waren. Mijn hoofdpijn verergerde erdoor en ik miste de rust van het station in Bevert, waar de reizigers kuierden als koeien die 's avonds volgevreten huiswaarts keren.

Buiten was het nauwelijks beter: de grond trilde van het geraas van haastige auto's en de herrie van bonkende trams vermengd met het geratel van machines op gigantische bouwterreinen. Ik was blij dat ik in de tram kon stappen, die door zaken- en woonwijken boemelde voordat hij ons op onze bestemming afleverde.

Op een groot binnenplein had zich een menigte van zo te zien een paar honderd mensen verzameld. De vrouwen voor wie men was gekomen, werden afgeschermd door vrouwenlichamen in spijkerbroek, wapperende gewaden en mantelpakjes, met een vastberaden blik op het gezicht gegrift. Blanken voerden de boventoon.

Er werd gezongen en gedanst, hand in hand, voeten hoog van de vloer. Ze lieten elkaars handen los, klapten, maakten een buiging en richtten zich weer op in een eindeloze herhaling van bewegingen. Het leek wel een soort fitnesstraining, het losschudden van de ledematen voor een zware oefening als standhouden tegen de gewapende politie. De camera's namen alles nauwgezet op.

Op dat moment was de politie heel bescheiden aanwezig. Ik telde ongeveer tien agenten, voornamelijk vrouwen, wat naar mijn paranoïde idee een slecht teken was. Een kleine politiemacht betekende dat ze stonden te wachten om de zware jongens in te zetten, die waarschijnlijk ergens in de buurt instructies kregen van hun commandant. De mannen en vrouwen in het blauw waren alleen bewapend met korte knuppels, bussen pepperspray en roestvrijstalen handboeien. Het was een uiting van opperste minachting.

Vrouwelijke actievoerders dansten om hen heen, zeiden dat ze moesten ophoepelen, maar lokten geen reactie, zelfs geen knikje van herkenning uit. Ze wisten wie de bevelen gaf en dat waren niet de vrouwen met staartjes, rastavlechten en blauw, groen, paars en rood haar, dat hier en daar nodig geborsteld moest worden.

'Voel je de energie?' Bogodisiba balde haar vuisten en haar ogen fonkelden weer.

'Ik zie een heleboel mensen die lol hebben.'

'Voel je niet dat er iets in de lucht hangt?' Ze keek me met gespeelde grimmigheid aan, alsof ze innerlijke energie aansprak die straks in vonken naar buiten zou slaan. 'Iets waarvan je haren overeind gaan staan?'

Ik wou zeggen dat ik om te beginnen mijn vermogen om gevaar te ruiken had verloren omdat het tientallen jaren geleden was dat iemand mij voor het laatst met een kogel of een mes had belaagd, en verder dat mijn haar nooit overeind ging staan. Ik kreeg gewoon kippenvel. Het was een ingewikkelde zin en ik besloot hem niet in woorden te gieten. In plaats daarvan zei ik: 'Ja, ik voel het.'

'Ben je niet blij dat je bent meegegaan? Mis jij dat gevoel van saamhorigheid niet in dit kille land?'

Ik wou haar zeggen dat ik me geen deel van deze menigte voelde, maar als Bogodisiba zo in vervoering was, kon je haar maar beter gelijk geven. Ze verdiende zulke momenten. Er kwam een dag dat ze ze niet meer kon beleven, hoe graag ze ook zou willen. Bovendien vond ik het leuk om de toegeeflijke vader te spelen voor deze grote meid, die nog maar een paar uur eerder mijn pik had afgezogen. 'Ik vind het heerlijk, Bo-go.'

'Ik laat je een tijdje alleen, Does-man Moe-goe-la.'

'Ik heet Dismas, lief.'

'Best. Ik laat je een tijdje alleen, Dismas-lief.'

'Blijf niet te lang weg. Ik houd er niet van alleen in een menigte te staan.'

'Ik wil even praten met de vrouw die me heeft opgebeld. Daarna kom ik terug.' Ze beloonde me met een glimlach.

'Blijf uit de buurt van de politie.'

'Ik zal mijn best doen, lief,' antwoordde ze giechelend.

Toen ze weg was, ging ik achter de mannen met camera's aan. Zo ving ik een glimp op van de vrouwen over wie door links en rechts als dolle honden werd gevochten. Ze gedroegen zich heel waardig. Ze werden gefilmd, beroemd gemaakt. Ze beseften hoe belangrijk het was de burgers van Pingeland een minuut lang te schokken, het konden de belangrijkste zestig seconden uit hun benarde ballingschap zijn.

De kinderen mochten uitbundiger in beeld komen, ze hadden instructie gekregen om te lachen, gezichten te trekken, te laten zien dat ze snotapen waren als elk ander kind in Pingeland. Er moest een emotionele brug worden geslagen. De oudere kinderen deden het het best. Die gehoorzaamden hun moeder blindelings, want niemand kende het belang van gehoorzaamheid aan ouders beter dan een bedreigd kind.

Vier jonge meisjes tussen de zes en negen jaar pakten elkaars hand en begonnen in een kringetje net zo te huppen en te hossen als de dansende volwassenen. Om zich niet te hoeven schamen hadden de ouders gezorgd dat de kinderen netjes gekleed waren.

Televisiebazen vertoonden graag beelden van kinderen, omdat ze tedere gevoelens bij de blanke progressieven opwekten en de kijkcijfers opschroefden. Cameramensen van RTL 55 concentreerden zich op de dansende meisjes, zoomden in op hun gezichten, lieten het samenspel van de uitslaande ledematen zien, deden al het mogelijke om shots te scoren die andere stations voor de nieuwsflitsen zouden gebruiken.

Een of twee mensen begonnen op een fluitje te blazen, waarschijnlijk om de politie, die eigenlijk het alleenrecht op fluitjeblazen had, in verwarring te brengen en te provoceren. De dansende meisjes schenen de schrille signalen niet te horen en bleven huppen en buigen. De mannen en vrouwen in het blauw, de fluitjes verankerd aan een koord, negeerden het gesnerp en liepen heen en weer met een air van schildwachten op hun ronde.

Ik maakte me ongerust over Bogodisiba, vooral over haar cortisolspiegel, die ongetwijfeld zou oplopen en haar weerstandsvermogen zou verminderen als ze zich te druk maakte. Was ik een ster in braken en diarree, zij was een kei in hoesten. Haar ratten brachten astmatische hoestbuien op gang die zo erg waren dat ze haar luchtpijp kneusden, haar keel rauw schuurden en haar maag met hevige krampen pijnigden. Bij zo'n aanval puilden haar ogen uit, liep haar lichaam paars aan en vreesde ik voor haar leven.

Ik bleef rondlopen en voelde me als een toerist die de inboorlingen bezichtigt in de hoop iets bizars te zien voor hij weer naar zijn hotel gaat. Het stadhuis rees voor me op met de grandeur van gepolijste steen en imposante deuren. Telkens als ik in Den Haag kwam voelde ik me heel ver van het machtscentrum verwijderd, volledig onwetend van wat de politici namens mij deden of beweerden te doen. In dat opzicht zag ik weinig verschil tussen een democratie en een dictatuur. De burger bevindt zich altijd aan de rand, als een dom schaap, niet meer dan pasmunt waarmee staten hun bloedschuld afkopen.

Als ik vier kilometer in een rechte lijn doorliep, zou ik bij het Parlementscomplex uitkomen, waar deuren en geheimen voor mij gesloten bleven, maar spionagesatellieten vanaf duizenden kilometers hoogte ongestraft toegang hadden. De heren gluren nogal ijverig in elkaars post, zei ik bij mezelf en moest aan *The Puzzle Palace* van James Bamford denken, een ode aan de aristocratische macht van het leger, vooral waar het de technologie betreft. Ik vond het een interessante gedachte dat de Nationale Veiligheidsdienst Blaatpan en de koningin in bed kon zien en horen, zonodig elke fluistering kon registreren en analyseren.

De mannen en vrouwen achter die ontzagwekkende computers doodden waarschijnlijk de tijd door de bedcultuur van wereldleiders met elkaar te vergelijken.

Wat de onderscheppingsexperts in Europa en Amerika ook uithaalden, de blanken die overal om me heen zongen en dansten hadden andere zorgen aan hun hoofd dan wie wie aftapte en met welk doel.

Zonder Bogodisiba aan mijn zijde voelde ik me overbodig.

Mijn gedachten dwaalden af naar de affiches van Michael Jackson die ik onderweg in Haarlem had gezien. 's Werelds beroemdste wandelende kunstwerk kwam naar Pingeland. Hij was de enige levende muzikant die ik in huis had. Ik gaf de voorkeur aan dode muzikanten – die konden niet meer aan hun muziek knoeien – en alleen als ze in een taal zongen die ik niet verstond.

Michael Jackson was voor mij het meest inspirerende kunstwerk. Eén blik op hem en ik begon meteen de complexiteit van het menselijke dier en het werk van de godin Bacterie te overpeinzen. Wat voelde ik toen ik de Mona Lisa zag? Misselijkheid van al het zoete. Ik hield meer van Picasso's wrede meesterwerken; die strooiden tenminste zout op de zoete koek van veel kunstenaars en kenners.

Ik zocht Bogodisiba omdat ik haar wilde vragen uit dit lawaai, gedans en gepest van agenten weg te gaan. Ik wilde naar huis. Ik had weinig met deze mensen gemeen. Ik moest niets meer hebben van de manier waarop zij de zaken aanpakten. Zij geloofden nog dat je de beul om genade en zoethoudertjes kon vragen.

Terwijl mijn blik over de vele gezichten vloog van mensen die ik hoogstwaarschijnlijk nooit meer zou zien, besefte ik ineens dat ik de politici veilig achter de dikke muren van het Parlementscomplex wilde houden, omringd door beren van lijfwachten en valse honden, zodat ze zich niet meer konden voordoen als gewone burgers. Ik vond het hoog tijd dat de politici in Pingeland op hun Amerikaanse, Franse, Colombiaanse en andere tegenhangers gingen lijken, die dag en nacht beveiligd moesten worden.

Het was werkelijk beschamend voor de Eerste Minister om zijn eigen boodschappen te doen zonder de angst dat messentrekkers zijn nukkige kop als oefendummy zouden gebruiken.

Daar moest verandering in komen.

Uitkijkend naar Bogodisiba begon ik door de kringen en drommen mensen heen te dringen. Ik had genoeg gezien van dit spektakel, dat als een nachtkaars dreigde uit te gaan. Ik begon vrouwen met rood haar en zwartomlijnde ogen achterna te lopen, wat moeilijk was, want veel oudere vrouwen met snel vervalende eigen haarkleur hadden de magische hulp van henna ingeroepen. Voor me vlamden allerlei hoofden op, maar niet dat van Bogodisiba.

Plotseling hoorde ik een soort megafoongeluid, maar het ging onmiddellijk onder in een machtig koor van stemmen. Mijn uitzicht was naar drie kanten geblokkeerd. Ik dacht dat de organisatoren hadden besloten de mensen toe te spreken. Dat werd hoog tijd, want hoe lang konden de mensen nog op hetzelfde deuntje blijven dansen, buigen, klappen en zingen? Een toespraak zou de kijkers thuis, van wie er veel misschien al naar iets boeienders hadden gezapt, wakker schudden.

Op dat moment werd ik door de druk van vele lichamen naar voren geduwd. Ik zag armen zwaaien, benen op de loop gaan. Geluiden van snelle voetstappen en verraste kreten hadden het gezang vervangen. Waar was Bogodisiba? Pal in de frontlinie? Ik ving een nieuw geluid op: explosies. Ik zag een prachtige blauwgrijze wolk oprijzen, even blijven hangen en dan vervluchtigen.

Ik rende naar de beschutting van een gebouw, en veel mensen met mij. Ik liep eromheen, op zoek naar een uitkijkpunt. Ik wilde zien wat er gebeurde zonder slachtoffer te worden van het gas en de voeten van vluchtende mensen. Het kostte me enige tijd om naar de eerste verdieping te komen en daar kon ik zien hoe politie in rellenpak, maaiend met lange knuppels hun oproerschilden voor zich uit duwden, hoe mensen struikelden en werden geslagen als ze versuft weer opkrabbelden. Er was geen sprake van langdurige veldslagen met uiteenvallende frontlinies, zoals gebruikelijk bij botsingen met de meer heetgebakerde, benzinebommen gooiende voetbalvandalen. Iedereen maakte dat hij wegkwam, velen met hun handen op het hoofd en bloed tussen hun vingers.

Toen elke demonstrant was verjaagd en de politie rondkeek of er nog mensen te meppen waren, verliet ik mijn schuilplaats en ging weer op zoek naar Bogodisiba. Het plein was bezaaid met sleutels, zakdoeken, tassen, petten, schoenen, fluitjes, stukken brood, sigaretten en nog meer.

Ik kwam langs verslaggevers die gewonde mensen interviewden en aanspoorden hun afschuw van de politie en de gemeenteraad te spuien.

Het duurde een tijd voor ik Bogodisiba vond. Ze liep links en rechts om zich heen te kijken naar de uiteengeslagen mensen. Ze liep er verloren bij, met een verbijsterde uitdrukking op haar gezicht. Ik werd kwaad toen ik zag dat haar hoofd gezwollen en haar arm verwond was.

'Dismas, ik geloof dat de rotzakken mijn arm hebben gebroken,' zei ze. 'Ze hebben de vrouwen ontvoerd.'

Ik vloekte en nam de gelegenheid te baat mijn eerstehulpkennis in praktijk te brengen. Ik onderzocht haar arm op gebroken botten. Tot mijn grote opluchting was er niets gebroken, de pijn zat vooral in het vlees. Ik onderzocht haar hoofd; de klap had de huid beschadigd en een bloeding veroorzaakt, maar de verwonding zelf zag er niet zorgwekkend uit.

'Ze hebben me met een gummiknuppel geslagen toen ik een van de kinderen beschermde.'

Ik troostte haar zo goed ik kon, vroeg haar mee te gaan naar een EHBO-post, maar ze wilde er niet van horen. 'We moeten eerst weten wat er met de vrouwen is gebeurd, de rest komt later.'

'Er is toch wel iemand anders die dat kan doen,' siste ik.

'Nee. Ze hebben hen ontvoerd. We moeten weten waar naartoe.'

'Daar is het nu te vroeg voor.'

'Nee!' Ze schreeuwde zo hard, dat ik een stap terug deed.

Ze wilde niet luisteren, de aanblik van de triomfantelijke oproerpolitie wreef zout in haar wonden. Had ik maar gelogen dat haar arm was gebroken, dan was ze meegaander geweest. We zagen hoe de agenten zich hergroepeerden, ordelijke rijen vormden en zich terugtrokken. Zij schenen geen gewonden te hebben. Bogodisiba zoog kwaad op haar tanden. We liepen naar de plek waar de vrouwen hadden gezeten, alsof we verwachtten dat ze uit de grond zouden opschieten.

'Ze deden één korte mededeling en begonnen met knuppels te zwaaien. Ze sloegen iedereen die niet gauw genoeg weg was. Ze braken door het kordon dat de vrouwen beschermde en begonnen hen weg te trekken.'

'Ik was bang dat je onder de voet gelopen zou worden.'

'Ik kon wegkomen, maar niet gauw genoeg.'

De organisatrices vonden elkaar weer, teleurgesteld dat er geen arrestaties waren verricht. Ze besloten dat degenen die niet gewond waren in Den Haag zouden blijven om uit te zoeken waar de vrouwen heengebracht waren. Bogodisiba, met haar gewonde arm en gezwollen hoofd moest van hen naar huis, ondanks haar protesten.

Ik was opgelucht toen ze uiteindelijk toegaf. We gingen naar de tramhalte, die volstond met morrende actievoerders, en ten slotte naar het Centraal Station, een barre plek door het geblèr van luidsprekers en het kabaal van forenzen, van wie ik gehoopt had dat ze weg zouden zijn.

Bogodisiba was heel stil, door gedachten en vermoeidheid afgesloten van de wereld om haar heen. De onverschilligheid van de passagiers in de tram en de trein leek haar nog ongelukkiger te maken. Ik dacht dat ze zich ook een beetje schuldig voelde dat er vrouwen en kinderen gewond waren. Omdat ik niet goed tegen haar stiltes kon, was ik meestal geneigd ze met woorden te vullen. Maar ik wist niets te zeggen en had eigenlijk het gevoel dat ze liever in gezelschap van haar gedachten was dan van oeverloos gebabbel.

Dat werd bevestigd toen ze in de trein in slaap viel, zwaar tegen mijn schouder leunde en dreigde te gaan snurken. Het was een inspannende dag geweest, eerst thuis en daarna in Den Haag. Ik hoopte vurig dat we van uitputting diep zouden kunnen slapen.

Toen we in Bevert aankwamen probeerde ik haar wakker te maken, maar ze reageerde niet. Ik riep haar naam, schudde aan haar schouder, allemaal tevergeefs. Ik moest snel iets doen, want de trein bleef niet langer dan twee minuten aan het perron staan. Ik tilde haar op, een hand onder haar knieën, een achter haar rug en voelde me trots dat ik er sterk genoeg voor was.

Bij de deur stapte ik achterwaarts naar buiten, een hachelijke operatie die ik met enige zwier uitvoerde onder de ogen van een conducteur met een fluitje aan zijn lippen. Ik zette haar voorzichtig op een ijzeren bank neer, en pufte luidruchtig uit in haar gezicht. De conducteur floot en de trein vertrok.

Ik deed mijn best om kalm te blijven, hoopte en bad dat de kwetsuur aan Bogodisiba's hoofd niet fataal zou blijken en ik mezelf niet hoefde te verwijten dat ik haar niet had gedwongen zich in Den Haag te laten onderzoeken. Bogodisiba zat er slap bij, lijkbleek met gesloten ogen. Ik droeg haar naar de voorkant van het station.

Het ziekenhuis was vlakbij, en nadat hij had vastgesteld dat ze geen kots of stront verloor, en dus geen gevaar was voor zijn neus en kostbare autostoelen, kregen we een lift van een automobilist.

In het ziekenhuis werd na onderzoek de oorzaak van het probleem vastgesteld. Ze had een hersenschudding en moest een nacht ter observatie blijven. Ik liet haar in bed achter met een kus op haar voorhoofd en liep de gang op in de hoop dat de kwetsuur niet een algehele verslechtering zou inluiden.

Ik nam de lift en daalde af naar de begane grond, waar ik uitstapte tegenover de McDonald'skraam, zo verlaten als een markt rond middernacht. Ik ging op weg naar huis met een warreling van gedachten in mijn hoofd.

Ik sliep slecht, de nacht was een wrede woestenij waarin afschuwelijke gedachten, doodsangst en hardnekkige koppijn op de loer lagen. Ik vroeg me telkens weer af: stel dat Bogodisiba er slechter aan toe is dan de dokters willen toegeven? Ik vond het heel moeilijk om mensen te vertrouwen van wie ik hun jargon niet begreep en die een onaantastbare macht bezaten. Vroeger zou ik de dokter apart hebben genomen, mijn angst kenbaar hebben gemaakt, een beetje hebben gedreigd. De tijden waren veranderd en het dorre landschap van de nacht strekte zich in al zijn meedogenloosheid uit, vertraagde het verstrijken van de tijd, bezorgde me brandend maagzuur en maakte me het slapen onmogelijk. Ik probeerde enig soelaas te vinden in de armen van mijn beste vriend, die me met zijn behaagzucht een iets beter gevoel gaf.

Ik stuitte op een herhaling van het nieuws op RTL 55. Tot mijn verbazing ontdekte ik dat het drama van die dag niet veroorzaakt was door de oproerpolitie, maar door de gewapende vleugel van de Grensbewakingsjongens. Ik herinnerde me de woorden van Amidakan dat ze honden gebruikten om in Klein Oeganda gebouwen af te grendelen wanneer ze iemand wilden arresteren. Ze waren beslist volwassen geworden.

De bevelvoerder uitte diepe tevredenheid over de operatie en liet niet toe dat journalisten daar afbreuk aan deden met termen als 'buitensporig geweld'. Zijn weigering om op vragen in te gaan die hem niet aanstonden, was helemaal volgens het boekje van majoor Aarssen.

Ik sloeg de ooggetuigenverslagen over. Het was altijd zwartwit: aanhangers van de regering steunden de operatie. Tegenstanders noemden het een schande en machtsmisbruik.

Ik meende al dat het front weer daar lag waar het thuishoorde: binnenskamers, zorgvuldig uit het zicht van de oppassende, belastingbetalende burger. Het drama in Den Haag had de macht van de overheidsfunctionarissen alleen maar vergroot. Zo besefte het volk beter hoe moeilijk het de regering werd gemaakt haar werk goed te doen. In plaats van mensen wakker te schudden, had het slechts de standpunten verhard.

Ik herkauwde mijn gedachten in die nacht waaraan geen eind leek te komen. Nu en dan zakte ik in slaap en schoten er visioenen van hopen rode aarde door mijn hoofd; als ik wakker werd viel ik weer ten prooi aan nog somberder gedachten. De dood, waar we gewoonlijk niets van willen weten, leek naderbij te sluipen, zijn schaduw viel over mijn geest en veroorzaakte verwarring. Ik was niet alleen bang voor Bogodisiba, maar ook voor mezelf. Ik wilde niet dat mijn ratten wakker werden. Twee zieke mensen in één huis zou een probleem worden. Ik suste mezelf met de gedachte dat Bogodisiba maar een lichte hersenschudding had, geen hersenbloeding.

's Morgens ging ik met dikke slaapogen naar het ziekenhuis, waarvan de grauwheid als een blok op de zintuigen viel, een gewicht dat op deze bewolkte dag extra voelbaar was.

Bogodisiba was wakker, slapjes, bleek, had rode oogbollen. De artsen hadden besloten haar tot de avond te houden. Uren van wachten volgden, zwaar als een kar vol stenen. En toen de avond kwam besloten de dokters haar tot de volgende ochtend in observatie te houden. Ik deed mijn best de doemgedachten uit te bannen en dit keer sliep ik beter. Het had geen zin mezelf af te matten als Bogodisiba iemand nodig had om haar welkom thuis te heten en haar te verzorgen.

Alles bij elkaar lag ze twee dagen in het ziekenhuis. Twee keer per dag ging ik op bezoek, hield haar hand vast, wiste haar voorhoofd, beurde haar op en vroeg haar rustig te blijven liggen.

'Je wilt toch niet die helse hoestbuien op gang helpen, lief?'

'Nee,' antwoordde ze schor. 'Alles behalve die hoestbuien.'

Op de dag dat Bogodisiba het ziekenhuis uit mocht, nam ik haar mee naar huis. 'Blijf hier. Als je beter bent, breng ik je naar het Wierookhuis.' Ze stemde ermee in, blij dat er voor haar werd gezorgd, dat ze niet hoefde te koken, dat haar zorgen werden gehalveerd door iemand dicht bij haar. Ik stak haar wierookstokjes aan en voerde haar stevig met knoflook gekruide soep. Langzaam won de kleur op haar lichaam en gezicht het weer van de ziekelijke bleekheid, iets dat ons alle twee blij maakte.

Ik diste de grappige dingen voor haar op die ik de afgelopen maanden in de krant had gelezen, zoals Selangor, de streek waar mensen rechtop werden begraven. Ik imiteerde stemmen van mensen die ze kende, wat ze ontzettend leuk vond, waarschijnlijk omdat ik het zelden deed. Ik bofte dat ze al die bekende verhalen nooit beu werd. Ze kapte me nooit af met: 'Niet nog een keer!' Ze wist dat als je langer dan twee maanden met iemand bent, je de rest van de relatie dezelfde verhalen moet aanhoren. Dat heet intimiteit, dat weten wat er gezegd gaat worden voordat het is uitgesproken. Het vermogen om van zo'n straf te genieten is het grote geheim achter langdurige verhoudingen.

'Goed dat je er weer bent. Ik was bang…'

'Ik ben een ouwe taaie. Er zit nog een hoop vechtlust in dit karkas.'

Toen ze op de vierde dag niet één keer had gehoest, van niets anders last had gehad dan van hoofdpijn en haar gewone rusteloosheid, bracht ik haar naar huis terug. Ik belde de vrouw van de hondentrimsalon. Ze vertelde ons dat de actievoersters de toegang tot de ontvoerde vrouwen was geweigerd. Bogodisiba's gezicht werd vuurrood, alsof ze koorts kreeg en ze schudde haar hoofd als iemand die een grote schat heeft verloren.

BOEK VIER

Bonobo

'Schulden zijn goed. Schulden regeren de wereld. Schulden maken het de gemiddelde inwoner van de Verenigde Staten van Europa mogelijk aangenamer te leven dan een Romeinse keizer. Als ik het advies van mijn vader had opgevolgd en de banken had gemeden, zat ik hier nu niet met jou te praten, Mens.' Rekken Trent sprak, met een innemende verkopersglimlach op zijn gezicht, tegen de presentator van *Eliteklas*, Pingelands versie van het CNN-programma *Your Money*, met theepotwangige oude man en al.

Eliteklas was een praat-en-eetprogramma, opgenomen in een oude kerk, waar het altaar was vervangen door een hoogculinaire mangerie. Terwijl Rekken Trent sprak, kon je zien hoe een kok een kreeft met spartelende poten in een pan kokend water liet zakken. Volgens *De Bevertse Courant* was Rekken Trent, net als de Amerikaanse president, doodsbang vergiftigd te worden. Ik was ervan overtuigd dat zijn veiligheidsteam alle gerechten en wijnen had gecontroleerd.

De presentator hing aan de lippen van zijn gast, met een gezicht verstard in een wezenloze uitdrukking van ontvankelijkheid, slappe maar niet bibberende hangwangen en zijn diepliggende, donkere ogen alert als van een dobermann.

'Ik ben hier om de fusie van mijn incassoconcern Trident Systems met het Duitse Kestrel wereldkundig te maken. Gezamenlijk zullen we in het eerste jaar vijf miljard euro aan uitstaande schulden incasseren, met in de komende tien jaar een groei van twee miljard per jaar. We zijn van plan de Britse en de Franse markt op te gaan en zodra we onze operaties in Europa hebben geconsolideerd ook Amerika aan te pakken. Ons motto blijft: Een tevreden klant is een vriend voor het leven.'

De ogen van de presentator lichtten op toen hij recht in de camera zei: 'Dames en heren, u beleeft hier de primeur van 's lands grootste fusie van het jaar.' Hij wendde zich weer tot zijn gast. 'Gefeliciteerd, Rekken. Hoeveel banen ga je hiermee creëren?' Het was een vraag die de geest van het programma goed samenvatte: geef de gast het voordeel van de twijfel.

'We gaan het plaatselijke arbeidscontingent met tweeduizend banen afslanken. Dat zou meer kunnen zijn, maar we willen onze productiefste mensen houden. Als het bedrijf zich uitbreidt, komen er duizenden nieuwe banen bij.'

'Heb je al met de vakbonden onderhandeld?'

'Vakbonden zijn geen probleem. Iedereen begrijpt hoe belangrijk het voor dit land is om concurrerend te blijven.'

'In het verleden heb je je wel eens scherp uitgelaten over bijstandstrekkers die je planten hebt genoemd.'

'Het belangrijkste dat ik van mijn ouders heb meegekregen is de waarde van hard werken. Ik ben er nog steeds een groot voorstander van om iedereen aan het werk te zetten,' legde Rekken Trent met een lachje uit. Hij genoot met volle teugen van zijn spijkerharde image. 'Daarom gaat mijn concern zulke mensen binnenkort leningen aanbieden die hen in staat stellen hun grootste schulden af te betalen en weer zin in werk te krijgen. We gaan alles op alles zetten om mensen met een faillissementsverleden te helpen, mits ze vijftien procent waarborg op tafel kunnen leggen. We willen bevorderen dat iedereen zijn steentje bijdraagt en het leven leidt dat hij verdient. Ik ben nog steeds gekant tegen een te log ambtenarenapparaat, inefficiëntie en te hoge belastingen. Deze fusie is het bewijs dat ik mijn overtuigingen in praktijk breng.'

'Na het verlies van de KLM aan Air France kan het land het goede nieuws van jullie fusie wel gebruiken.'

'Paradepaardjes als de KLM zouden eervol failliet moeten kunnen gaan om betere bedrijven een kans te geven. Uitstel van executie door ze overeind te houden ter wille van het nationale prestige is verziekt kapitalisme. Ik had liever gezien dat de KLM was opgehouden te bestaan.'

'In ons land ben je vooral bekend door de computers. Je bent meneer PC.'

'Inderdaad. Computers zijn mijn levensader, maar af en toe zoek ik een nieuwe uitdaging. Zo ben ik in het incassowezen terechtgekomen. Echt een goudmijn!' Rekken Trent straalde.

Het programma behandelde enkele aspecten van zijn privéleven, zoals zijn passie voor hygiëne, zijn strikt vetarme dieet, zijn fitnesstraining en favoriete vakantieoorden. Het schetste een beeld van iemand die goed onderlegd was, maar tocvallig ook een succesvol zakenmagnaat.

Ik was oprecht blij dat Rekken Trent zich weer in de strijd had geworpen, ook al leverde hij een directe bijdrage aan Pingelands welig tierende plantentuin. De gevallen engelen behoorden zonder twijfel tot het middenkader, specialisten op allerhande gebied. Onwillekeurig bedacht ik dat behoren tot het middenkader iets was als bijvrouw zijn: voortdurend in spanning leven, in de smaak willen vallen, onzeker zijn over je eigenwaarde.

En opeens dacht ik aan Eugene Victor. Stond die niet al op straat? Ik zag hem al jankend in het herentoilet, de lippen gekweld omlaag getrokken, een apathische blik, zwaar aangeslagen door de nachtmerrie van de werkeloosheid. Ik zag hem volledig kapot naar huis rijden, in zijn woonkamer uit het raam staan staren en Lisa June voorzichtig het ontluisterende nieuws vertellen. Hij was al een paria, te minderwaardig om met mensen te tennissen die zoveel verdienden dat ze de aankoop van een helikopter overwogen. Ik dacht nota bene aan de laarzen van Lisa June: zou ze die houden?

Ik belde Eugene Victor, de nieuwe bijstandsmuis, niet op. Hij moest het slechte nieuws zelf maar vertellen.

Ik ging naar het station om een Metrokrantje te halen. De vliegtuigen kwamen die dag laag over de tempel en de muziek van de motoren gonsde in mijn oren. Om mezelf te vermaken lette ik op de maatschappijlogo's in de hoop dat het nieuwe van de gefuseerde KLM-Air France erbij zat.

Het station was verlaten, de rails leken te golven in de hete lucht die van het metaal ketste. Overal rond de reclameborden en wachthokjes lagen glasscherven. Iemand had er zijn hamer op losgelaten. Het was een hobby die hij om de andere week botvierde.

In de *Metro* las ik het verhaal van een Engelsman die naar het ziekenhuis was vervoerd nadat hij in zijn tuintje was getroffen door een brok bevroren stront zo groot als een mannenvuist. Ik vroeg me af of Bogodisiba wist of vliegtuigtoiletten in de lucht werden geleegd of niet. Als dat zo was, stond Bevert nog een regen van bevroren stront te wachten.

Op weg naar huis luisterde ik naar de muziek van straalmotoren. Terug in de boezem van het Moesigoela-huis maakte ik een kop thee en ging voor de televisie zitten. Een kwartier later verscheen de Neushoorn. Mijn eerste impuls was om hem dood te drukken. Ik hield mijn vinger op de zapknop terwijl ik luisterde.

'De voorbereidingen van Operatie Stalen Kaken bevinden zich in een vergevorderd stadium. België, Frankrijk en Duitsland hebben zich bereid verklaard aan de eerste vlucht mee te werken. Het toestel zal van Amsterdam naar Brussel, Frankfurt en Parijs vliegen. Honderd man escorte en overheidsfunctionarissen zullen zestig geëscorteerden vergezellen. Uit veiligheidsoverwegingen maken we de namen van de luchthavens waar deze personen heengebracht worden niet bekend.'

Er volgde een nietszeggend vraag-en-antwoordspel waarin de Neushoorn herhaaldelijk uitlegde: 'Ons land beroemt zich op wetten die we niet handhaven. Dat is nu afgelopen. Elke proteïnezoeker die aan het eind van het legale traject is gekomen wordt naar huis gestuurd. We bestuderen de wettelijke mogelijkheden om ze in de gaten te houden met elektronische verklikkers.'

De presentator, die als een etalagepop met open ogen had zitten slapen, schrok opeens bleek en gespannen wakker, ging verzitten, leunde naar voren en merkte op: 'Net als Amerikaanse misdadigers.' Er lag geen strijdlust, geen spoor van protest in zijn woorden; het was slechts een futloze bevestiging om de kwelling van het interview te rekken.

'De techniek is voorhanden. We moeten alleen het parlement vragen de benodigde wetsvoorstellen aan te nemen. Maar om op het charterproject terug te komen: we zijn bezig proteïnezoekers bijeen te brengen uit...'

Ik drukte hem dood. In Pingeland kwamen nooit rampen voor, waar kefte hij over? Ik was niet in het minst verbaasd dat hij een nieuwe term had toegevoegd aan de zee van eufemismen die de wereld tegenwoordig overspoelde. Die trend had, zoals gewoonlijk, de vs van e bereikt vanuit de vs van a, waar je een jaar kon zoeken naar slachtoffers en alleen 'overlevenden' vond. Vandaag de dag kwam je niet één crediteur meer tegen; ze waren in 'donoren' veranderd. Het was logisch dat de joodsvriendelijke regering de nagedachtenis van de holocaustjoden niet wilde bezoedelen door slordig gebruik van het woord 'gedeporteerden', vandaar de zwierige opkomst van 'geëscorteerden'.

Ik besteedde de rest van de dag en een deel van de avond aan het lezen van *Gideon's Spies* van Gordon Thomas, vooral het gedeelte over het vliegtuig dat bij Klein Oeganda was neergestort, over de grondstoffen voor de aanmaak van etnische wapens die het vervoerde, en de regering die de affaire in de doofpot had gestopt. Ik herinnerde me de zoethouder die illegaal in het land verblijvende slachtoffers kregen aangeboden: een paspoort in ruil voor zwijgen over de vreemde kwalen waaraan ze na het ongeluk leden. Amidakan, die de kans had aangegrepen om tien mensen aan een paspoort te helpen, was er zelf vanaf gekomen met een pollenallergie die in de zomer opspeelde.

Om kwart over elf hoorde ik de deurbel. 'Sam Matete,' siste ik, alsof ik iemand in de kamer een seintje gaf. Wat moest hij? Wilde ik hem zien? Wat had het voor zin zo'n onevenwichtig figuur te ontvangen? Ik hield mijn adem in, ervan overtuigd dat hij op den duur zou afdruipen. Er werd nog vier keer gebeld.

'Zandberg!' riep ik uit, en ik sprong op en liep naar de intercom op de gang.

'Hier is de Ridder.'

Ik drukte op de knop en hoorde de buitendeur beneden open zoemen. Wat wilde hij nu weer?

'Welkom in ons stadje,' zei ik toen hij voor mijn deur stond.

'Je lééft nog!' Hij speelde hevige schrik, alsof hij voor een dodenwake kwam en de overledene aantrof bij het schenken van drankjes voor het rouwbezoek.

'Kom binnen, kom binnen!' Ik ging hem voor naar de woonkamer met mijn hoofd vol vragen.

Hij ging op dezelfde stoel zitten als de vorige keer, haalde een zilveren heupflesje te voorschijn en nam een slok. Hij floot, meer voor de show dan als eerbetoon aan de sterke whisky. 'Amen,' fluisterde hij, terwijl hij het flesje weer in zijn binnenzak liet glijden, dicht bij zijn hart.

'Dus je slaapt weer met je ouwe trouwe Johnnie Walker.'

'Het is een fantastische avond. We gaan uit,' kondigde hij aan. Hij keek met een frons op zijn horloge alsof hij al te lang op iemand had gewacht. 'Jij kunt wel wat frisse lucht gebruiken.'

'Waar gaan we heen?'

'Vertrouw je me niet?' Hij spreidde theatraal zijn armen, alsof hij zich tot een groot publiek richtte. 'Je zult het geweldig vinden.'

'Laten we het hopen.'

'Neem het maar van mij aan.'

Ik ging naar de slaapkamer om een jas te halen. Ik trok wandelschoenen aan en keerde naar de woonkamer terug. Zandberg stond al klaar. We liepen gehaast de flat uit naar de lift. We gingen zwijgend naar beneden. Buiten was geen mens te bekennen.

Zandberg had een kleine Volvo op dezelfde plaats neergezet waar Eugene Victor zijn Rok had ge keerd op de dag dat we naar de koningin gingen kijken. Hi oer bij het lenen van hetzelfde merk auto.

'Je moet nooit een opzichtige auto l   n. De politie kijkt altijd uit naar dieven in poenige wagens,   dde hij aan, alsof ik plannen koesterde om in een limousin   gaan joyrijden. Ik keek toe hoe hij zijn portier openmaakte   le auto startte.

Ik stapte in en hij begon richting centi   te rijden. Ik was bloednieuwsgierig naar wat er komen gin aar hield me in. Hij kon een ontzettende pestkop zijn die   oanning tot het ondraaglijke opvoerde. Maar ik was niet va   an zijn ego te strelen met vragen die hij alleen maar zou wegwuiven om het spelletje te rekken.

Toen we bij het begin van de Koopvirusstraat waren, stopte hij en parkeerde achter een rij auto's. Dertig meter verderop was een café. We zagen mannen bij de ingang staan en anderen weglopen.

Zandberg floot en zei: 'Nu kunnen we praten.'

'Waarover?'

'Er kan elk moment een zware bom afgaan.'

'Waar?' vroeg ik, terwijl ik over mijn hele lijf kippenvel kreeg.

'Vlakbij.'

'Vertel op. Waar?' Ik pakte hem bij de schouder en begon te schudden.

'Rustig, nou. Ons doelwit woont hier in de buurt.'

'Majoor Aarssen?'

'Nee. Als die de lucht ingaat zou het slechts bijkomstige schade zijn.' Zandberg keek van links naar rechts de straat af. 'Het doelwit is de grote man zelf. RT.'

'Wat heeft hij gedaan?'

Zandberg lachte spottend. 'Een baviaan boven in een boom vergeet dat zijn roze kont van mijlen ver te zien is.'

'Voor wie werk je tegenwoordig?'

'De Bomplanten.'

Nu was het mijn beurt om te lachen. 'De Bomplanten!' Ik wilde niet weten wie dat waren en om welke reden ze hun geweld naar mijn stad hadden gebracht. Net als Bogodisiba, voelde ik niets dan minachting voor hun infantiele modus operandi.

'Ja. Planten die dol zijn op explosieven.' Hij grijnsde en keek op zijn horloge. Het was twintig voor twaalf. 'Op dit moment belt iemand de politie om te zeggen dat ze Lindenlaan nummer achtentwintig moeten ontruimen.'

'Zo.' Ik wilde mijn twijfels uitspreken, maar hield mijn mond. Ik zou er de bomaanslag niet mee tegenhouden, laat staan Zandbergs denkwijze veranderen.

Een paar minuten later hoorden we politiesirenes janken. Ze

klonken buitengewoon onheilspellend in de stille avondlucht, als een leger dat je van alle kanten insloot. Daarop volgde het razende geluid van auto's, dat een moedige poging deed het gejank te overstemmen.

Zandberg trommelde met zijn vingers op het stuur, een nieuwe tic, die de angst in zijn borst verried. Om het wachten beter aan te kunnen, haalde hij zijn heupflesje te voorschijn, slurpte eraan en stopte het voorzichtig weer terug.

'Hadden jullie hem niet in Amsterdam te grazen kunnen nemen? Of in Den Haag?' De sirenes kondigden het onheil nu luider, dringender aan. Het was alsof ze onze auto als mikpunt hadden.

'Kleine steden zijn geschikter voor dit soort dingen. Het effect is groter. En ze kunnen de bekendheid best gebruiken.'

De manier waarop hij over mijn stad sprak, maakte me woedend en ik had zin om hem een dreun te verkopen. 'Anonieme aanslagen zijn zinloos. Niemand neemt je serieus.'

'Dat weet ik, maar ik heb er lol in. En ik heb geen zin om mezelf aan te geven en voor tien jaar de bak in te draaien. Ik ben geen martelaar. Daar ben ik net te goochem voor.'

Ik zoog op mijn tanden en snoof als Bogodisiba.

Ik wilde door de koele avondlucht lopen. Ik wilde bij Bogodisiba zijn en kijken hoe zij zich door de nacht worstelde. Ik wilde de auto uit, waarin ik me benauwd en bedrukt voelde door ons zwijgen en het gejank van de sirenes.

Plotsklaps leek het of de auto werd opgetild en begonnen de ramen hevig te rammelen. Ik sloeg mijn handen tegen mijn oren en legde mijn hoofd op mijn knieën. De bom was afgegaan.

Zandberg Hommerts, die na de zoveelste slok whisky op zijn stuur was blijven trommelen, schreeuwde: 'Yes!'

'Weet je zeker dat er geen doden zijn gevallen?'

'Hoe moet ik dat weten? En waarom zou ik me er druk over maken?' Hij klapte opgewonden in zijn handen en liet ze op het stuur rusten. 'Het is fantastisch. Ik wist wel dat ik nog zoiets krachtigs kon maken.'

'Ik kreeg bijna een hartaanval!'

'Wat zijn explosieven toch mooi! RT heeft in zijn broek gescheten. Dat zou ik hebben gedaan als het mijn huis was.'

Ik gaf er geen antwoord op. Ik dacht aan de wagonladingen ammoniak die amper een kilometer verderop gerangeerd stonden. Mijn fantasie schoot tekort om me de klap voor te stellen die één wagon al kon voortbrengen. Explosieven waren niet mijn omgangstaal. Ik gebruikte liever een ander idioom.

Ik keek naar Zandberg, wiens gezicht en armen donkerroze waren geworden. Ik vermoedde dat zijn hele lichaam die kleur had.

'Het is gelukt!' Zandberg klemde het stuur vast alsof iemand hem uit de auto wilde trekken. Ik vond hem er triest uitzien, een streber die plotseling besefte dat zijn grote ogenblik alweer voorbij was.

Het geluid van politiewagens en sirenes zwol aan. Sommige reden de kant van het ziekenhuis op, andere in tegenovergestelde richting. We bleven in de auto zitten wachten en ik voelde me steeds ongemakkelijker. Ik was een gijzelaar van mijn loyaliteit; ik kon niet zomaar weglopen. Ik moest er telkens aan denken dat de Bomplanten een record hadden gebroken door in Bevert de eerste bom in meer dan vijftig jaar te laten afgaan.

'Laten we achter die kroeglopers aangaan om de bominslag te bekijken,' kraaide Zandberg.

Ik had de voetstappen en stemmen van de dronken mannen, die uit de laatste nog open cafés kwamen, niet in de gaten gehad. Ze waren luidruchtig, sommigen riepen, anderen schreeuwden.

We stapten uit en begonnen achter hen aan te lopen.

In de bovenhuizen van de straat scheen licht door opengehouden gordijnen, ik zag mannen en vrouwen naar buiten kijken.

We liepen langzaam, met de sirenes als echo's in onze oren. De winkelgalerij was kortgeleden verbreed en de weg tot één rijbaan versmald, waardoor hij op een donkere, vlakke rivier leek die zo traag stroomde dat het voor het blote oog onzichtbaar was.

Ik vond het een verademing, deze tijdelijke schorsing van de functie die de Koopvirusstraat overdag had: fuik voor mannen, vrouwen en kinderen die hebberig naar kopers gluurden om te zien wie designartikelen in tassen met beroemde merken droeg. Nu was het gewoon een weg die recht en vlak lag te wachten om van rol te wisselen.

Toen we bij het ziekenhuis kwamen zagen we op het parkeerterrein een grote samenscholing; de politie probeerde de doorgang te verhinderen. Twee geparkeerde politiewagens met zwaaiend daklicht dienden als versperring.

Vanaf dat punt kon je alleen rook in de nacht zien opstijgen, met in de verte een vuurgloed aan weerszijden van de laan. Er was geen boom overeind gebleven en waar ze hadden gestaan, hing nu een vreemde leegte.

Vrouwen huilden om het verlies van hun huis; mannen probeerden mompelend hun vrouwen en dochters te troosten; honden eisten blaffend hun deel van de aandacht op.

Zandberg keek nadenkend, alsof hij aan het hoofdrekenen was. Hij zag nu bleek, net als de meeste mannen, vrouwen en kinderen in nachtkledij en op slippers, bij wie de verbijstering dat ze uit hun slaap waren gehaald en bevel hadden gekregen hun huis te verlaten op hun gezicht te lezen stond. Achter ons riep een vrouw steeds maar: 'O, mijn God. O, mijn God. O, mijn God.' Een paar ziekenbroeders waren bezig haar een kalmerend spuitje te geven.

Veel mannen stonden er stil en met opengevallen mond bij, vol onbegrip dat hun privacy zo wreed kon worden geschonden. De dingen die ze bij zich hadden vertelden de rest van het verhaal: een schilderijtje, een laptop, een bos sleutels, een map met papieren, de attributen voor een klysma. Wat zou ik uit mijn flat meenemen als ik maar twee minuten de tijd had? Mijn medicijnen en een boek over yoga.

Een stel jonge effectenhandelaren, door de beurs vetgemeste hanen, stond luidkeels met elkaar te praten. Dit was hun moment om revanche te nemen. Ze wilden laten merken hoe ongevoelig zij waren voor de angsten van middelbare advocaten, doktoren en accountants, de relatief bescheiden vermogens, met wie ze deze rijke buurt deelden.

De een zei: 'Mijn vlucht naar Chicago gaat morgenochtend acht uur. Daar hangt het lot van duizenden werknemers van af. Ik moet er zijn.'

'Ik zweer je dat ik het gehad heb hier. Ik wil nooit meer in zo'n kutstad wonen. Ik verhuis naar Blaricum.'

'Wat zocht een man als RT hier?' vroeg een begin twintiger zich af die keek of hij het op een janken wilde zetten. 'Ik mag doodvallen als ik weet hoe ik ooit in dit gat terecht ben gekomen? Ik ben van mijn leven nog nooit zo vernederd.'

Het woord 'vernedering' deed me denken aan Beverts andere grote ster. Waar was majoor Aarssen? Stel dat zijn gezin iets was overkomen? Ik had het gevoel dat verborgen camera's van iedereen opnamen maakten. Het zou stom zijn om te blijven rondhangen.

De komst van nog meer politiewagens werd aangekondigd door een bezeten geloei van sirenes. Ze drongen zich door de menigte en remden bij de versperring; mannen in zeer donkere pakken met dikke handschoenen en kniestukken begonnen grote bakken uit te laden. Ze hielden enorme Duitse herders aan de lijn.

Dat was het moment waarop ik Zandberg aanstootte en begon weg te lopen. We konden kiezen: naar het eind van de Lindenlaan rijden in de hoop wat meer te zien, of bij mij thuis wachten tot RTL 55 en de stroblonde vrouw de beelden naar mijn huiskamer zonden. Om een of andere reden koos Zandberg voor het eerste, alsof hij niet wist dat Pingeland plat was en het dus moeilijk was om verder dan een paar meter te kijken.

'Ik wil het met eigen ogen zien.'

'Onzin. Op televisie krijg je alles te zien. Je hoort ook wat de bewoners ervan vinden. Die verslaggeefster krijgt ze wel aan de praat.'

'Waar is ze dan?'

We kwamen geen stap verder. Ik probeerde het over een andere boeg te gooien. 'Ben je niet verbaasd dat er van het ziekenhuis geen ramen zijn gesneuveld?'

'Natuurlijk niet. De wind heeft vast het grootste deel van de luchtdrukgolf de andere kant op geduwd. Daarom wil ik zelf gaan kijken. Dan slaap ik vannacht een stuk beter.'

'Waarom heb je RTL 55 niet getipt?'

'Publiciteit is niet mijn afdeling.'

De Koopvirusstraat was bijna uitgestorven, de ruimte tussen de gebouwen leek heel breed. Het geluid van een helikopter vrolijkte me op. 'Daar heb je RTL 55.'

'Hoe weet je dat zo zeker?'

'Ik dacht dat jij dat geluid zo goed kende? Ik wel.'

'Best, laten we maar gaan. Ik hoop dat je gelijk hebt.'

'Dat weet je wel.'

De Volvo stond te wachten. Dit keer namen we de hoofdweg en lieten de Koopvirusstraat, het ziekenhuis en het slagveld achter ons. Algauw stonden we weer bij de tempel voor de deur. We hadden geen stom woord gewisseld. Toen ik de televisie aanzette, was de stroblonde vrouw al in de weer.

RTL 55 leverde vakwerk, ze filmden vanuit de beste hoeken en brachten beelden zo dichtbij dat je ze bijna kon aanraken. Het leek of er een tornado over de plek van de ontploffing was getrokken. Van de villa van Rekken Trent was niets meer over. Van al die kostbare muren, daken en opstallen stond alleen nog een kniehoog stompje overeind. Zijn auto lag als een zwartgeblakerde huls op zijn kop, vele meters verwijderd van wat ooit de garage was geweest. De huizen aan de rechterkant waren gescheurd. In een straal van tweehonderd meter zat geen raam of deur meer in zijn lijst. Veel huizen stonden in brand of smeulden.

De stroblonde vrouw streelde, met bijna vochtige ogen en licht trillende stem, de donzen microfoon, terwijl ze de kijker een rondleiding langs de puinhopen gaf.

'Heb jij dat ding gemaakt?' Mijn ontzag was vermengd met bezorgdheid. 'Komt de politie daar niet achter?'

'Waar moeten ze beginnen? Hier of in België? Het is een onmogelijke opgave. C4 kun je overal krijgen. Maak je niet dik. Alles is onder controle. Ik zal je nog wel eens laten zien hoe je een bom maakt. Is het geen blamage dat er mensen in Europa zijn die niet weten hoe ze een bom moeten maken? Ons lucratiefste exportproduct!' Hij grinnikte.

Ik verlegde mijn aandacht weer naar het tv-scherm. We zagen hoe Rekken Trent werd benaderd door de cameraploeg van RTL 55. Hij keek de vrouw woest aan, alsof ze iets ernstigs had misdaan. Het leek of hij de donzen microfoon van zich af wilde slaan. De vrouw schudde met haar hoofd, alsof zijn aanwezigheid haar sprakeloos maakte. Rekken Trent, oude rot in het afgeven van interviews, weigerde iets te zeggen zonder een voorzet. Eindelijk vond de vrouw de woorden en vroeg wat er door hem heen ging.

'Om te beginnen wil ik mijn buren graag zeggen hoe verschrikkelijk ik het vind dat ze het slachtoffer zijn geworden van deze afgrijselijke misdaad. Als de lieden die dit op hun geweten hebben het lef hadden gehad me persoonlijk uit te dagen, dan was ik daar met genoegen op ingegaan. Als ze naar de rechtbank waren gestapt, zou ik daar de confrontatie zijn aangegaan en hen hebben verslagen. Maar ze hebben deze verachtelijke weg gekozen en de eigendommen vernietigd van mensen die nergens iets mee te maken hebben. Dit is een gruwelijke misdaad, maar de bewoners van deze stad en deze buurt zijn sterk. Ze zullen zich eroverheen zetten en er nog sterker door worden.'

'Meneer Trent,' probeerde de vrouw hem te onderbreken, maar ze werd weggewuifd.

'Ik beloof hen dat ik achter de daders, wie het ook mogen zijn, aan zal gaan. Ik verzeker u dat ik de autoriteiten duidelijk zal maken hoezeer ze in gebreke zijn gebleven.' Hij zweeg en keek naar de politiemannen een paar meter verderop. 'Ik verzeker u dat ik bij de politie zal beginnen. Er zijn de afgelopen tijd doodsbedreigingen geweest waar ze niets mee hebben gedaan. Ze hebben niet voor de nodige veiligheid gezorgd. Ik ga juridische stappen ondernemen. Ik ben geheel ontsteld over deze bomaanslag. Ik hoop dat mijn buren en iedereen in dit land zich aansluiten bij mijn veroordeling van deze daad.'

Zandberg klapte zachtjes maar stevig in zijn handen en zong: 'Aaaamen.'

'Rekken Trent gaat het tegen de bommenleggers én de politie opnemen!'

'Hij is een politicus. Hij kan het overdrijven niet laten. Het is stom van hem dat hij zich niet dag en nacht door tientallen lijfwachten laat bewaken.'

'Is dat zo?'

'We hebben er zelfs niet één suffend op zijn sofa's aangetroffen. Hij gebruikt ze alleen af en toe bij grote evenementen.'

'Het verbaast me dat hij zich tegenover zijn buren verontschuldigt.'

'Dat doen bommen met mensen. Ze maken hen menselijk. In ieder geval voor even. Hij bibberde over zijn hele lijf, in de wetenschap dat als hij niet snel zijn huis was uitgerend, er geen vinger meer van hem over was gebleven. Maar hij moet oppassen met zijn verontschuldigingen. Dezelfde buren zouden hem wel eens een proces kunnen aandoen.' Zandberg lachte.

'We zullen zien.'

Zandberg diepte zijn flesje op en nam bijna plechtig een teug. Hij stopte het terug, kwam overeind en zei: 'Ik moest maar eens gaan. Ik wil om drie uur in bed liggen.'

'Pas op jezelf.'

'Bedankt voor je gastvrijheid.'

We gaven elkaar een hand en hij liet zichzelf uit.

Op de buis was een huilende mevrouw Trent te zien. Het kon haar een tijdlang niet schelen dat de tranen over haar brede jukbeenderen biggelden. Was ze zich niet van de camera bewust? Wilde ze er iets mee zeggen? Was ze het beu om door de roddelpers voor kille schoonheid te worden uitgemaakt? In haar ogen gloeide een mengeling van woede, wraakzucht en zelfmedelijden. De vorige keer dat ik haar zag, deelde ze cadeautjes uit aan kinderen met misvormde ledematen. Nu zag ze eruit alsof zij een cadeautje kon gebruiken.

Een van haar dochters stond met een uitdrukkingsloos gezicht naast haar. Ze zei iets tegen haar moeder, misschien om haar op de camera te wijzen. Een cameraman vroeg mevrouw Trent wat er door haar heen ging, maar voor ze iets kon zeggen schermde haar dochter de lens af en wuifde hem weg.

Ik vroeg me af waar majoor Aarssen zich had verstopt. Hij kwam niet voor de camera. Ik zette de televisie uit en viel in slaap.

Het stadsleven had duidelijke een kentering ondergaan. De grootste televisiestations op aarde stuurden een team om elke kruimel nieuws op de enorme schotels te vegen die het wereldwijd verspreidden. Wie nog nooit van Beverts zakengenie had gehoord, kreeg nu de kans hem te leren kennen.

In haar zevenhonderdjarige bestaan was de stad nog nooit zo door camera's het hof gemaakt. De filmploegen gebruikten elk voorwendsel om opnamen te maken en de slachtoffers en hun familie en vrienden te achtervolgen voor interviews, verhalen en anekdotes.

Beverts Drie-eenheid werd nog beroemder, want elk radio- en televisiestation gebruikte hen om de luister- en kijkcijfers op te vijzelen. Rekken Trent kreeg het leeuwendeel van de aandacht, omdat hij het mikpunt van de aanslag was geweest en bovendien miljardair was, een universele godheid, een van de slechts vierhonderdzevenenzeventig personen die samen de halve wereld bezaten. Tegen alle verwachtingen in hield hij persconferenties en poseerde hij voor foto's. Of die bereidheid iets te maken had met de komende fusie of dat praten een vorm van therapie was, kon niemand met zekerheid zeggen.

De politie was de nieuwsjagers behulpzaam door de tekst van de bommelding vrij te geven, waarvan het belangrijkste punt de negen minuten was die men toestond om de buurt te ontruimen. Doordat niemand ooit van De Bomplanten had gehoord, konden de deskundigen hun paneldiscussies rekken met gekibbel over de vraag of dit een nieuwe groep of de reïncarnatie van een oude was.

De ruzie tussen Rekken Trent en de plaatselijke politie voegde een nieuwe dimensie toe. De hoofdcommissaris zei geschokt te zijn dat Rekken Trent zijn korps van nalatigheid had beschuldigd en dreigde met maatregelen. Overal in het land werden politiechefs door radio en televisie om commentaar gevraagd. Panelleden pakten het op, juristen werden uitgenodigd om de fijne nuances in de wet uit te leggen, maar voor leken klonk het allemaal even vaag als altijd.

Het dierenprogramma van RTL99 richtte zich nu op honden. Schoothonden waren de helden van de week, de chihuahua was de ster. Er werd ingegaan op de genealogie, de psychologie en nog veel meer ingewikkelde aspecten van deze hond. Chihuahuabezitters vertelden over de fantastische eigenschappen van het ras.

De voornaamste reden van deze plotselinge belangstelling was dat Rekken Trent op de voorpagina van alle kranten in Pingeland en België had gestaan, met zijn nachthemd tot net onder zijn behaarde borst open, zijn haar in de war en een huilerig gezicht dat in de vochtige ogen van een langorige, roomkleurige chihuahua keek. Het was een volstrekt uniek moment waarin Pingelands grote strijder, in een opwelling van puur zelfmedelijden of duivelse demagogie, naar antwoorden leek te zoeken in de verbijsterde ogen van een bange hond.

Bema de chihuahua was van Rekken Trents dochter en werd de beroemdste hond in Pingeland. RTL99 zag er een melkkoe in en voerde driftig campagne om Bema niet alleen tot Man van het Jaar, maar ook tot Hond van het Jaar uit te roepen. Cameraploegen gespecialiseerd in dierenfilms kwamen in Bevert opnamen maken van plaatselijke honden, vooral van chihuahua's en andere schoothondjes.

De hondenindustrie had zijn heilige gevonden. Reclamegoeroes werkten achter de schermen om de hondenrage gaande te houden. Daarmee werden de meeste andere aspecten van de bomaanslag overschaduwd, vooral de menselijke slachtoffers. Er lagen nu Bema-buttons in de winkels. Er werden duizenden en duizenden posters gedrukt en verkocht. Er werden boekjes geschreven. Verschillende journalisten grepen de gelegenheid aan om artikelen en boeken over Rekken Trent, Bevert, Bema en het hondenleven in Pingeland te schrijven.

Bema had wel enige concurrentie. Een fotograaf verkocht op het internet foto's van mevrouw Trent in tranen. Het waren gemanipuleerde beelden, waarop ze er twintig jaar jonger uitzag, met glanzende wangen en bedroefde ogen, tegen een blauwe achtergrond, zodat velen aan plaatjes van de Maagd Maria moesten denken.

Een andere fotograaf verkocht foto's waarop een van Rekken Trents dochters halfnaakt het ongelukshuis, of wat ervoor moest doorgaan, ontvluchtte. Dit scheen een sneeuwbaleffect uit te lokken, want er doken verrassend veel foto's van mevrouw Trent en haar dochters op.

De publiciteitsmachine draaide zo gesmeerd dat zelfs iemand van wie ik dacht dat ze absoluut immuun voor zulke zaken was, er door werd gegrepen: Bogodisiba. De dag na de aanslag toonde ze zich weliswaar tevreden dat Beverts grote bullebak iets was overkomen, maar verder was ze nauwelijks geïnteresseerd in de bijzonderheden. Toen ik haar probeerde te verleiden om ter plaatse te gaan kijken, hield ze de boot af.

Maar een paar dagen na Bema's verheffing tot nationale heilige veranderde ze van gedachten. Ze wilde zien of de plek er net zo verschrikkelijk uitzag als op de televisie. Ze bekende dat ze door haar vriendin de hondenpsychotherapeute nieuwsgierig was gemaakt.

We liepen naar de stad, Bogodisiba opgewekter dan ze een tijdlang was geweest. Ze praatte over bomen, het weer, haar werk en de toekomst van de stad.

Ik gaf haar een voorzetje. 'Hoe bestaat het dat iemand RT's huis kon opblazen!'

'Ze moeten hun gezicht laten zien. Anders zijn ze net zoals die brandstichters. Nauwelijks meer dan ordinaire misdadigers.'

'Ze hebben het volk Bema geschonken.'

'Reden te meer om hun gezicht te laten zien.'

Bij het ziekenhuis wemelde het van de honden, hun geleiders en cameraploegen die bij de politie zeurden om plaatjes te mogen schieten van honden die tussen de puinhopen snuffelden.

Bogodisiba snoof van woede toen haar werd verzocht opzij te gaan omdat ze een paar fotografen in de weg stond. Toen ze dat niet snel genoeg deed, liet een hondengeleider vier bakbeesten los, die haar met geweld dwongen haar plaats af te staan.

Voor ons reden genoeg om te vertrekken. De Koopvirusstraat zag zwart van de mensen die winkels in en uit liepen. Onder hen mannen en vrouwen die zich met hun hond lieten fotograferen.

'Ik begin die hondenuitbuiters goed zat te worden,' siste ze, nog boos dat ze door vier honden was afgeblaft.

'Bema is het symbool van de bomaanslag. We zullen de honden nog een tijdje voor lief moeten nemen.'

'Het gaat te ver.'

We namen een Metrokrantje mee. Bema prijkte op de voorpagina, zijn droevige ogen lonkten naar de lezer. De slachtoffers klaagden verbitterd dat ze op een zijspoor waren gezet nu er van hun ellende een hondenfeest was gemaakt.

'Er moet iets gebeuren om hier een eind aan te maken,' schreeuwde iemand in de krant.

We wilden een nieuw vegetarisch restaurant proberen en ik moest wat geld trekken. Wat me tegenwoordig aan banken wél beviel was de mogelijkheid om zonder tussenkomst van lokettisten contant geld op te nemen.

'Wist je dat je bij die banken geen geld kunt wisselen als je geen rekening hebt?'

'Ik verbaas me nergens meer over met banken,' antwoordde Bogodisiba laatdunkend. 'Ze verdienen meer met effectenspeculatie dan met privé-rekeningen. Wat kan hun de armoedzaaiers schelen?'

Ik haalde het geld uit de automaat en stak het in mijn zak. Toen ik wegliep kwam er een verslaggever met een bandrecorder op me af die vroeg of ik een paar vragen wilde beantwoorden. Ik deed alsof ik hem niet verstond. Hij vroeg of ik Engels sprak en ik schudde mijn hoofd. Bogodisiba glimlachte. De man gaf het op en ging op zoek naar iemand anders.

Op de terugweg was Bogodisiba duidelijk het enthousiasme kwijt waarmee ze was gekomen. Het zat haar flink dwars dat ze geen nieuw project had. Mijn onvermogen om te helpen maakte de situatie er niet beter op.

'Pieker niet zo over die projecten. Er dient zich gauw genoeg iets aan.'

'Ik wil iets nuttigs doen. Dat leidt mijn gedachten af van de vrouwen en de omstandigheden waaronder ze worden vastgehouden.'

'Heb een beetje geduld.'

'Geduld is niet mijn sterkste eigenschap.'

'Dat weet ik, maar probeer het toch.'

Toen we bij de Rectumtempel kwamen, stapte ze op haar fiets en reed naar huis. Ik ging naar binnen, heen en weer geslingerd tussen hoop en vrees over Bogodisiba's depressie. Ik zocht afleiding in bespiegelingen over Beverts plotselinge roem. Zou het een toeristenstad worden? Er waren twee beletsels: ten eerste was het onwaarschijnlijk dat Rekken Trent, ma-

joor Aarssen en andere bewoners zouden instemmen met ver-
huizing om van de Lindenlaan een heiligdom voor de god van
het bomtoerisme te maken.

Ten tweede had de plaatselijke bevolking te weinig interesse
en geen talent om haar ellende uit te buiten. Ze raakte snel ver-
veeld en bleef er nuchter onder. Ze deed geen enkele poging
om Bevert tot rampgebied te verheffen. De inwoners verlegden
hun aandacht naar serieuzere zaken zoals hun vrees voor rampen die zich nooit voordeden.

Het rechtstreeks op televisie uitgezonden vertrek van de
bommenbrigade was de laatste nagel aan de doodskist van Beverts toeristentoekomst.

In zekere zin was het goed dat de hondenindustrie de bomaanslag had gebruikt om zelf uit een dal te komen. Zo werd
voor het gemak vergeten dat er nog geen enkele verdachte was
aangehouden. De Neushoorn speelde zijn gebruikelijke spel
door over alle kritiek heen te walsen en elke aanval te beantwoorden met: 'Het onderzoek loopt nog. Ik weiger vertrouwe-
lijke inlichtingen vrij te geven louter om indruk te maken. Dat
is mijn stijl niet. Dat is de stijl van de Arbeidspartij, een stijl van
zwakte.' Tegen degenen die aanvoerden dat de brandstichters
van het Onderzoekscentrum nog niet waren opgepakt zei hij:
'Niet de zaken door elkaar halen. Wat heeft de brand in het
Centrum hiermee te maken? Ik richt me op één zaak tegelijk.
Jammer voor u, maar zolang het onderzoek loopt zult u geen
woord uit me krijgen.'

De Neushoorn mocht dan zuinig zijn met bijzonderheden
over het lopende onderzoek, hij moest toch met íets komen.
Een politicus is een komediant die het toneel niet kan verlaten
voor hij de zaal heeft laten lachen. Dit keer gebruikte hij de
aankondiging dat de voorlichtingscampagne over Operatie Stalen Kaken die avond op de tv zou beginnen. 'Voor deze rege-

ring is democratie een levend gebeuren, een organisch proces. Het volk kan het zien. Het kan erbij zijn. De democratie is van het volk, en wij voeren alleen uit wat het wil. Wij doen niet aan misleiding en slinkse trucs.'

Ik drukte de Neushoorn dood. Toen de tv-spotjes werden uitgezonden zetten ze me aan het denken over deze maatschappij die draaide op complexiteit, de duizelingwekkende wiskunde en mechanica waarmee dingen onbegrijpelijk worden gemaakt. Op het eerste gezicht imponerend, problematisch als je het vernis eraf krabt, ronduit krankzinnig als je bedenkt hoe onlogisch het is om te blijven schermen met een totale immigratiestop in een land met teruglopende geboortecijfers.

Justitie was zo'n ingewikkeld geheel dat het verbazing wekte dat het nog kon functioneren. Van bovenaf werd het overspoeld met richtlijnen aan ambtenaren over hoe ze deze wet moesten interpreteren, hoe ze dit formulier moesten invullen, hoe ze die zaak moesten afhandelen, hoe ze deze vormfout aan de pers moesten uitleggen, hoe ze afgewezen proteïnezoekers moesten aanpakken, hoe ze dagvaardingen moesten uitschrijven, hoe ze... De meesten van hen hadden dagwerk aan het bijhouden van die stortvloed.

Het was uiteindelijk bijna altijd een teleurstelling dat al die complexiteit was terug te voeren op een menselijk dier met een gezicht, een buik, een rectum, een familie, angsten en tekortkomingen. Een man met vrouw en kinderen, die bemoederd moest worden en wilde horen dat hij nog menselijk was, omdat menigeen hem beschouwde als een monster.

Ik dacht over al die dingen na omdat de tv-spotjes zo abominabel waren dat de minister het verdiende ervoor vervolgd, zo niet terechtgesteld te worden. Alleen door hem als een menselijk mededier te erkennen kon ik mijn ogen ervoor sluiten. Ik begon te geloven dat Rekken Trent wel eens gelijk kon hebben en we maar vier ministeries nodig hadden in plaats van het logge systeem waar niets uit kwam. Ik begon waardering voor de hondenindustrie te krijgen die het volk tenminste iets gaf om op een voetstuk te zetten. Nu hadden ze de Heilige Bema om hen te helpen hun ogen van de stinkende trog van geknoei naar het verhevene op te slaan.

Op een ochtend, vele ochtenden nadat Beverts roem was overschaduwd door die van Bema en door Rekken Trents dreigementen om de bommenleggers te achtervolgen en de politie een proces aan te doen, ging ik op mijn baarmoederbank liggen lezen. Ik had John Pilger uitgekozen, omdat ik graag het een en ander wilde lezen over Indonesië's voormalige dictator Soeharto. Het intrigeerde me dat de Indonesische minister van Buitenlandse Zaken de vorige dag woedend uit Den Haag was vertrokken nadat hij op enige diplomatieke tenen had getrapt door te zeggen dat voor Nederlanders de visumplicht weer moest worden ingevoerd gezien hun arrogante houding tegenover zijn land. Op de vraag of Amerikanen, Duitsers en andere Europeanen hetzelfde lot beschoren was, had hij 'Nee!' geantwoord. Als meesters in de kunst van de vermoorde onschuld konden vele televisiecommentatoren maar niet begrijpen waarom de man zo verbolgen was geweest. Per slot van rekening, zeiden ze, had Pingeland Indonesië de moderne tijd ingeloodst.

John Pilger schreef over de Amerikaanse overname van Indonesië in 1965, vijftien jaar na het vertrek van de Nederlanders. Hij gaf bijzonderheden over Amerikaanse agenten die Soeharto's moordbrigade per telefoon de namen van te elimineren communisten doorgaven. De moordenaars moesten als bewijs van hun moorden afgehakte penissen overleggen.

Op dat moment ging mijn telefoon. Ik zoog geërgerd op mijn tanden en wachtte af.

De stem van Lisa June vulde de kamer. 'Niet wéér een spoedgeval!' Ik vloekte hardop, alsof ik me tegenover John Pilger wilde verontschuldigen dat ik hem op de grond legde voor hij was uitgesproken. 'Niet wéér een list van Eugene Victor om iets van me gedaan te krijgen!'

Als Eugene Victor meende dat Lisa June psychologisch of seksueel enige vat op me had, dan vergiste hij zich. Ik zou die vrouw wel eens even mijn wrede kant laten zien. Ik begon het grote 'Nee' te oefenen dat ik in haar oren wilde brullen in de hoop dat het een week zou nadreunen. Ik was te oud voor zijn schooljongenstrucs. Het moest maar eens afgelopen zijn. Waarom knapte hij zijn eigen vuile werk niet op? Waarom had hij me niet gebeld om te vertellen hoe hij ervoor stond na de fusie? Het was duidelijk dat hij die had overleefd, maar ik had op zijn minst een telefoontje van hem verwacht, al was het maar om op te scheppen. Waarom had hij niet gebeld om lucht te geven aan zijn verontwaardiging dat het huis van zijn baas was opgeblazen?

'Meneer Dismas, meneer Dismas. Ik, ik, ik ben het. Er is...'

De stem van de vrouw trilde zo dat ik uit mijn gefoeter ontwaakte. Dit kon niet een van Eugene Victors trucs zijn. Er was echt iets mis. Ik schraapte mijn keel. 'Lisa June, rustig maar, vertel wat er aan de hand is. Als ik iets kan doen, zal ik het je zeggen. Zo niet, dan verwijs ik je naar het Akoegoba-huis.'

'Het gaat om Eugene Victor.' Haar stem daalde naar een onhoorbaar gefluister. De moed zonk me in de schoenen. Ik was het zat om wanhopige vrouwen te redden. Ik was bang dat Eugene Victor alsnog was ontslagen. Wat wreed hem zolang te laten wachten! Wat vreselijk, zo'n genadeslag! Ik nam me voor vriendelijk te zijn en haar niet meteen aan te raden om Rok en die lichtbruine Texaanse laarzen maar te verkopen. Het andere scenario dat me inviel was een auto-ongeluk. Ik had niet zo'n vertrouwen in Victors rijstijl met Rok; niet met die arrogant uit het raam gestoken elleboog, die zei: 'Kijk naar me, schlemielen. Kijk dan, kijk dan, kijk!'

'Wat is er aan de hand?' Ik klonk nogal vaderlijk, na alle oefening met Bogodisiba.

'Eugene Victor is gearresteerd.'

De klap kwam zo snel dat ik bijna begon te lachen. Eugene Victors problemen waren de wereld uit. Hij had zijn papieren. Hij behoorde tot het slag dat niets kon overkomen omdat Pingeland een enorme paraplu boven zijn hoofd hield. 'Waarom? Hij handelt toch niet in drugs, hè?'

'Hij is hier door commando's opgepakt. Mij hebben ze en passant buiten westen geslagen.' De kalmte waarmee ze sprak deed me denken aan Bogodisiba toen zij net door een agent was verwond. Ik wist niet wat ik moest zeggen. Lisa June neergeslagen door commando's en toch op de been? Het leek volkomen absurd, behalve als die commando's zwaar onder invloed waren geweest.

'Hij zit toch niet in de wapensmokkel, hè? Weet je zeker dat hij je al zijn geheimen vertelt?' Ik kon maar beter bot zijn om iedereen een vervelende verrassing te besparen voor het geval Eugene Victor wel een wapensmokkelaar zou blijken. Rekken Trent was een leider die kleine mannetjes kon maken en breken. Hij kon makkelijk een ambitieuze man naar zijn pijpen laten dansen. Iedereen was te koop. Eugene Victor mocht niet klagen: hij had een huis, een grote auto en een toekomstig model aan zijn arm.

'Eugene Victor is geen wapensmokkelaar.' Ze was zo kwaad dat ze een vaas op mijn hoofd had kunnen stukslaan om haar man te verdedigen. 'Hij heeft een van hen gebeten.'

Er was iets goed mis. De hoffelijke, imagebewuste Eugene Victor die een commando beet! Ik geloofde er geen snars van en de marge die ik inbouwde voor een moment van onachtzaamheid van zijn kant, was niet ruim genoeg voor zulke afwijkingen van zijn normale image. Sterker nog, hij zou zo'n situatie hebben aangegrepen om zijn klasse en zelfbeheersing te tonen. 'U begaat een vergissing, heren,' hoorde ik hem al zeggen, terwijl hij hen naar buiten volgde, in het volste vertrouwen dat hij spoedig werd vrijgelaten. Een man als Doesman Moegoela zou volgens mij wel vechten, schoppen en bijten, want die was trots op zijn gewelddadige instincten.

Ik begon vermoedens te koesteren dat Lisa June door alle vermageringspillen aan een geestelijke stoornis leed en hallucineerde. Ik was sceptisch omdat ik liever niet te zeer betrokken raakte bij andermans toestanden. Drugs, wapens, hebzucht, politieke ambitie, miljardairs en toekomstige modellen zorgden doorgaans voor moeilijkheden. Ik bleef zwijgen om Lisa June de tijd te geven bij haar positieven te komen en te beseffen dat ik niet in doorzichtige intriges en goedkope leugens zou trappen.

'Meneer Dismas, ben je er nog? Geloof je me niet? Het staat allemaal op video.'

'Wat?'

'We hebben een bewakingssysteem. We nemen alles op wat er in en rond het huis gebeurt. Je kunt het zelf komen bekijken.'

'Ik weet niet of ik daar de aangewezen persoon voor ben.'

'Ik heb je raad nodig.'

'Je hebt eerder een advocaat nodig.'

'Ik ken geen advocaten.'

'Ik kan je namen en telefoonnummers geven.'

'Ik heb je raad nodig, meneer Dismas.'

'Wanneer zijn die commando's weggegaan?'

'Gisteravond.'

'Waarom heb je zo lang gewacht?'

'Ik wist niet wat ik moest doen.'

'Waarom heb je Amidakan of je vrienden niet gebeld?'

'Ik weet het niet.'

'Was je niet bang?'

'Ik verwachtte Victor elk ogenblik terug.'

'Laten we op het station in Haarlem afspreken.'

'Ik wacht daar op je. Ontzettend bedankt, meneer Dismas.'

Waar waren de vrienden van Eugene Victor? Ik kon mezelf onmogelijk zijn boezemvriend noemen, iemand die in dergelijke
situaties onmiddellijk ingrijpt. Om te beginnen zat er een grote
leemte in Eugene Victors verhaal over zijn verdwijning en ik
wist niet wat hij in zijn schild voerde. Toen hij weer opdook was
hij rijker, had hij veel praats en kapsones. Juist die leemte maakte me ongerust over hem. Ik hoopte dat Lisa June gelijk had en
dat haar man zich niet met drugs en wapens inliet.

Ik belde Bogodisiba om haar te laten weten dat ik wegging.

'Bemoei je niet met problemen waar je niet meer uitkomt.'

'Ik ben een kat. Ik kom altijd op mijn pootjes terecht,' antwoordde ik en dacht aan de poes van de buurvrouw met zijn
witte snuit en zijn gekwelde gekrijs.

'Ik vertrouw je.'

'Dat wéét ik,' zong ik om het feit te verdoezelen dat ik niet
van plan was haar te vertellen wie ik ging redden. Ik wist wat
een gloeiende hekel ze aan conservatieven had. Stel dat ze zei
dat ik hem in zijn vet gaar moest laten smoren.

Ik was in dat opzicht rationeler. Ik wist dat veel zogenaamde
progressieven even conservatief waren als Blaatpan. Het enige
verschil was dat zij niet in de regering zaten en aan de zijlijn

stonden te schreeuwen. Ik wist dat veel van hen water in de wijn zouden doen zodra ze aan de macht kwamen, in het gevlij zouden proberen te komen bij dezelfde mensen op wie ze eerder zo hadden afgegeven. De meeste zwarte politici waren conservatief. Eugene Victor zou geen baanbreker zijn als hij voor de conservatieven in het parlement kwam.

Ik kon Eugene Victor niet zomaar laten vallen. Eerlijk gezegd was ik ook nieuwsgierig. Hoe kon het anders? Ik wilde weten wat er was gebeurd. Volgens mij wordt individualisme veel te hoog aangeslagen. Als je het een beetje verdunt met sociaal contact en wat bemiddeling in de knoeiboel van anderen, wordt het acceptabeler. Eugene Victor had het mis toen hij mij voor kluizenaar of baas van de BV Wanhoop & Ellende uitmaakte. Ik was niet zo'n mafkees die zo door zijn eigen gezelschap verziekt was dat hij verkaste als een ander in de trein naast hem kwam zitten, of wegkeek als hij een vreemdeling zag en moord en brand schreeuwde als er iemand bij hem aanklopte. Ik was nog steeds een man van de stoffige straat, een snuffelaar in andermans zaken.

Ik voelde me opgewekt toen ik naar het station wandelde. Er lag een Metrokrantje op me te wachten, een aankomend conservatief politicus had me nodig, Lisa June keek halsreikend naar me uit. Maar weinigen konden de speen van het nodig zijn loslaten. Ik voelde me bijna weer zoals in mijn politietijd, een beschermer, een oplosser van sociale raadsels.

Ik vond het jammer voor Eugene Victor dat hij niet van dit heerlijke weer kon genieten. Hij werd waarschijnlijk in een cel verhoord. Veiligheidsagenten waren tegenwoordig erg prikkelbaar. Het was bekend dat ze arrestanten tien uur aan één stuk ondervroegen, hen voortdurend voor leugenaar uitmaakten, alles tegenspraken wat ze zeiden. Ze sloegen op tafels, pronkten met hun uitsmijterspostuur, dreigden met afschuwelijke gevolgen. Maar ik wist zeker dat ze iemand niet in zijn kruis mochten schoppen. Eugene Victor had recht op een advocaat die hem, als hij zijn vak verstond, binnen de kortste keren met ongedeerde ballen zou terugbrengen in de armen van Lisa June.

Ik was dankbaar voor de voortdurende aandacht die Pingeland van de zon kreeg. De Fransen hadden meer reden tot klagen, nadat de zomerse hittegolven duizenden slachtoffers hadden geëist en er een paar dagen geleden in twee uur net zoveel regen was gevallen als in een maand, waardoor steden waren overstroomd, een kernreactor was uitgevallen en het zuiden in een rampgebied was veranderd. Er was nog meer regen op komst. De mop was dat uit een kort voor de zondvloed gepubliceerde enquête bleek dat zeven op de tien Fransen niet wilden dat hun regering maatregelen tegen het broeikaseffect nam als daardoor hun koopvirus werd aangetast. Bogodisiba had er zo hard om moeten lachen dat ze de hik kreeg.

'Je blijft je over die fokkers verbazen,' zei ze en snakte naar adem terwijl de tranen over haar wangen liepen. 'Wat willen ze hun dierbare kinderen toch een rotwereld nalaten!'

Pingeland had meer geluk gehad en dat maakte dit herfstzonnetje extra aangenaam. Het genot om op droge trottoirs te lopen deed me aan de met kasseitjes geplaveide straten van Lissabon denken. 's Winters werden ze op regenachtige dagen zo spiegelglad dat ik altijd wel een keer of twee onderuit ging, toen ik daar, eeuwen geleden, het banksaldo van mijn werkgever spekte.

Op het station waar twee andere reizigers, somber als bedompte zolders stonden te wachten, pakte ik mijn Metrootje uit het rek. De dagbladen maakten moeilijke tijden door. Het publiek had liever beelden dan woorden en verkoos de instantbevrediging die mijn beste vriend verschafte boven de moeite om dichtbedrukte kolommen door te ploegen. De kwaliteitskranten waren oersaai en voorspelbaar, ook al verweten ze de televisie hetzelfde. Het publiek had in zijn grote wijsheid van zijn vrijheid gebruikgemaakt en abonnementen als hete koeltjes laten vallen. *Metro* had daar een antwoord op gevonden: advertenties die de gratis distributie bekostigden.

Deze overpeinzingen verhinderden dat ik aan Eugene Victor dacht terwijl de trein ons naar Haarlem bracht en die hoge kap van het station binnen reed waar het nooit warm was.

Buiten Bevert voelde ik me altijd op onbekend terrein. Voor mij was alles buiten Bevert een vreemde, angstaanjagende wildernis waar je op je tellen moest passen. In zulk vijandig gebied gedroeg niemand zich keuriger dan ondergetekende. Ik had niet het gevoel dat ik ergens recht op had, afgezien van de lucht die ik inademde. Terwijl ik naar de hoofdingang liep vroeg ik me af wat ik tegen Lisa June zou zeggen.

Lisa June zag eruit als een pas geredde drenkeling. Ze liep als iemand die door kniediep water waadde. De glimlach waarmee ze me begroette leek niet erg van harte, de angst om in tranen uit te barsten schemerde door de forceerde opgewektheid heen. Als ze nu auditie doet voor de catwalk, nemen ze haar meteen aan, dacht ik. Ze kon niet nog meer vermageren zonder gevaar voor schade aan haar vitale organen. Ik vreesde voor haar ribben en rug toen ze zich naar me toeboog om een paar kussen op mijn wangen te drukken, iets wat van mij nooit hoefde. Ik vond het onoprecht. Een hand geven was altijd het beste; als die doorging naar de elleboog en later de ribbenkast, ook goed, maar het suggereerde tenminste niet meer dan wat het was.

In dit geval had een handdruk nog het extra voordeel gehad dat Lisa June de scherpe knoflookwolk bespaard bleef die haar in het gezicht sloeg toen ze die vlinderkusjes plaatste, nogal stuntelig, moet ik erbij zeggen. Het was haar verdiende loon voor het verstoren van mijn dag. Ik kon onmogelijk zien wat voor gezicht ze trok toen mijn schone knoflook haar neus trof, maar ik hoopte dat ze het na-apen van inheemse gewoontes erdoor zou afleren. Voortaan zou ze zich wel twee keer bedenken voor ze me die magere wangen voorhield.

'Lisa June, wat goed om je te zien. Het moet vreselijk zijn om niet te weten waar Eugene Victor is.'

'Ik ben kapot,' antwoordde ze uitgeblust. Ik was bang dat ze van honger en spanning in elkaar zou zakken. Ze deed me denken aan een nieuwbakken weduwe, vol ontsteltenis en verwarde gevoelens. Daardoor vermoedde ik dat ze geen vrienden had, of in ieder geval niet het soort dat níet vrolijk achter haar rug zou kletsen nadat ze haar hadden getroost.

'Het spijt me. Ik had nooit gedacht dat Eugene Victor in zulke toestanden terecht zou komen. Waarom zouden ze iemand arresteren die zo is ingeburgerd dat hij straks politicus wordt?'

'Ik kan je verzekeren dat hij zich niet met gevaarlijke zaken inlaat.' Ze kreeg tranen in haar ogen en leek te snakken naar een vriendelijk woord of gebaar. Ik legde mijn hand op haar knokige schouder, waarvoor ik me moest uitrekken als een jongen die een mango uit de boom plukt. Ze probeerde het gemakkelijker te maken door een beetje te bukken. Het was gênant. Ik trok mijn hand schielijk terug om niet voor gek te staan.

'Weet je welke bus we moeten hebben?' plaagde ik haar. Ze lachte en haar ultrawitte gebit bracht me op de gedachte dat modellenbureaus haar alleen al vanwege haar mooie snijtanden moesten aannemen.

'Zo dom ben ik nou ook weer niet. Ik ben met de bus gekomen. Ik heb geen rijbewijs. En als ik dat wel had, zou ik nooit met Rok gaan als Victor er niet was. Ik zou er niet tegen kunnen steeds als een dief te worden aangehouden.'

Buiten op het stationsplein wachtten we op de rode bus naar de luchthaven die ons onderweg zou afzetten. Het was een nieuw type bus, laag op de wielen als een sportauto, ruimer, met een lichtbalk die in rode letters de haltes aangaf.

'Ik eet knoflook en als je daar een bloedneus van krijgt moeten we maar apart gaan zitten,' biechtte ik op toen de bus kwam, ook al wist ik dat ze liever mijn uitlaatgassen verdroeg dan zich te isoleren van de enige in de stad die haar gezelschap hield.

'Nee, het geeft niet. Mijn leraar op de mannequinschool eet knoflook én rookt. Kun je nagaan!'

'Het zou voor Eugene Victor een ideale feesttruc zijn als hij campagne gaat voeren. Een politicus met een knoflookkegel vergeet je niet gauw.'

Ze beloonde me met de tweede glimlach van de dag.

We gingen toch naast elkaar zitten. Ik had zowel jonge als oude mannen naar haar zien kijken. Ik had zin om ze toe te snauwen: 'Hebben jullie niets beters te doen?' Al zou het weinig uitmaken. Ze gaapten en gluurden als beeldslaven in dienst van Eros. Volgens mij zou Eugene Victor, zelf een exhibitionist, het leuk vinden. Maar ik voelde me er onbehaaglijk bij, alsof ik explosieven vervoerde.

Lisa June was die aandacht klaarblijkelijk gewend; ze deed alsof de gluurders niet bestonden, of in ieder geval minuscule insecten waren, niet eens de moeite waard om van haar kleren te tikken. Haar aandacht werd volledig in beslag genomen door de etalages, die magische rechthoeken boordevol kleurige aanbiedingen. Daar had je die rode jurk, dat zwarte shirt, die gele schoenen, die bruine leren riem. Oervervelend voor modebarbaren als ik! Een genot voor kenners als zij!

Ik liet haar verzinken in die wereld van stoffen, kleuren en beroemde merken, terwijl ik met mijn eigen gedachten speelde. Ik was blij met de stilte, het ontbreken van geforceerde hartelijkheid, het uitstel van opgewektheid.

In die sfeer van bespiegeling naderden we het huis van Eugene Victor. Ik zag in de verte de huizen, opeengepakt als containers die klaarstaan voor een vlucht naar ergens op de wereld. Ik hield van de lelijkheid van deze nieuwe wijk, dakblokken die met elkaar wedijverden in opwaarts streven en buitenissigheid van ontwerp, vormen en kleuren die met elkaar vloekten. Dit was het tijdperk van het oog, waarin het netvlies in razend tempo met beelden werd bestookt. Overal waar je keek was iets dat om aandacht vroeg. Om zich te beschermen had het menselijk dier mechanismen uitgevonden als de onverschilligheid, waarin ik me hulde door te verwerpen, te negeren en de deur van mijn geest te sluiten voor dit vruchteloze bombardement.

Lisa June stootte me aan toen de bus onze halte naderde. Het was de gewoonte dat je klaar ging staan voor hij stopte. We stonden bij de deur en hielden ons staande door onze voeten stevig uit elkaar te planten. Ik drukte op de groene knop en de deur opende zich een paar centimeter boven de grond. We stapten uit met onbewogen gezicht, door vele ogen nagekeken.

Ik had de neiging die eenzame kuttenjagers met de middelvinger uit te zwaaien. Ik keek neer op dat soort gelonk van oudere mannen. Het was iets voor jongens die net hun eerste natte droom hadden gehad. Wat oudere mannen nodig hebben is pornografische kunst, waarbij je een beeld stilzet of vertraagd bekijkt om het meditatieve gehalte te verhogen.

Eugene Victor en Lisa June woonden in een wijk die kortgeleden uit een voormalig moeras was gestampt. Er gingen geruchten dat de grond radioactief was, maar dat was niet aangetoond. In elk geval had niemand de benen genomen of een proces voor schadeloosstelling aangespannen. In dit deel van Pingeland waren huizen al schaars genoeg.

De bouwhausse leidde af en toe tot paniek over de volksgezondheid als concurrerende aannemers, voor wie de druiven zuur waren, hun gewiekstere rivalen verdacht probeerden te maken; of als activisten, die ecologische en andere belangen verdedigden, de gemeentes tot een zorgvuldiger bouwbeleid probeerden te brengen.

Huizen schoten op de gekste plaatsen uit de grond: vlak langs spoorbanen, naast fabrieken, onder hoogspanningsmasten, boven op oude vuilnisbelten en op plekken waar overstromingsgevaar bestond. In dit geval was het voormalige moeras, onderwerp van menig ecologenprotest, vervangen door een serie langwerpige gebouwen die proteïnezoekers slaapzalen noemden, flatgebouwen en als kroon op de locatie, bungalows met dakkapellen in de zware kap.

We liepen langs de goedkopere, samengedrongen huizen naar de ruimere bungalows. Het huis van Eugene Victor stond aan het eind van de rij en keek uit op een drukke weg vijftig meter verder.

Wat Eugene Victor ook deed, duidelijk was dat hij heel goed verdiende. En dat zijn lof voor Rekken Trent opwelde uit een diepe bron van dankbaarheid en niet alleen uit een behoefte om mij tegen de haren in te strijken.

Lisa June gedroeg zich heel timide toen we door de klinkerstraten liepen. Het was alsof men haar door de alarmsirenes vanaf de schuine daken uitjouwde. Met haar afgezakte schouders leek ze op een vogel. Ik moest me inhouden om niet tegen haar te zeggen dat ze rechtop moest lopen, hoewel ze al op mijn kruin keek.

'Je woont op stand, Lisa June.' Dat wist ze, maar ik wilde haar gedachten van haar zorgen afleiden.

'Wij zijn de enige proteïnezoekers in dit gedeelte. Als we voorbijkomen, kijken de vrouwen ons door de gordijnkieren na. Dag in dag uit. Ik denk dat ze blij zijn dat Eugene Victor is gearresteerd. Ik heb geen idee wat ze zeggen en denken.'

'Je hoeft je helemaal geen zorgen te maken.'

'Rok is de duurste auto in deze buurt. Volgens mij denken ze dat we drugshandelaren of wapensmokkelaars zijn. Het stak me toen je dat over Victor zei.'

'Het spijt me. Ik wist niet dat jullie al zo in de gaten werden gehouden.'

'Als je arm bent sta je onder druk, iedereen is bang dat je hem wilt beroven. Als je rijk bent is het net zo goed een probleem.'

'Je moet je niet laten intimideren. Het is een klasse-oorlog. En wie oorlog voert moet een zekere prijs betalen. Zolang jij je er goed bij voelt, geeft het niet.'

'Wat moet ik doen als er rekeningen binnenkomen? Ik ben als de dood voor rekeningen.'

'Maak je geen zorgen. Eugene Victor zal wel met automatische overschrijvingen betalen. Dat doet iedereen tegenwoordig.'

'Maar als het geld er nou niet is?'

'Hij heeft zijn baan toch nog? Zolang hij werk heeft, hoef je nergens bang voor te zijn.'

'Maar stel dat hij niet terugkomt?'

Ik begon het beu te worden om die onvruchtbare akker van speculatie en uitleg, troost en toch meer troosteloosheid te bewerken. Ik had me al enige tijd niet meer op dat terrein begeven en was het verleerd. Ik wilde die moerassen verruilen voor vastere grond, die stabieler, soepeler en productiever was. 'Laten we afspreken dat we eerst uitstippelen wat we gaan doen. Ons zorgen maken doen we later wel.'

'Ik luister.'

'Je moet de baas van Eugene Victor zo snel mogelijk inlichten. Zeg niet dat hij ziek is want dan vragen ze een doktersattest. Leg de situatie uit. Ze zullen het begrijpen.'

'Dat kan ik niet. De taal…'

'Doe het in het Engels.'

'Goed. En dan?'

'Wat dacht je van een kop thee?' Ze keek ineens beteuterd. 'Zodra we binnen zijn wijs je me maar waar de keuken is, dan brouw ik mijn favoriete gifdrankje. Je zult het heerlijk vinden.'

We stonden bij hun huis voor een blauwe deur met een ronde ruit. Lisa June klungelde met de sleutel, alsof ze hier niet woonde. Binnen bleek wat een totaal verschillende dieren Eugene Victor en ik waren. Ik was doof voor de muziek van de spullen en werd misselijk van de splinternieuwe meubels, de houten vloer en pastelkleurige inrichting. Het was alsof ik een kop thee met te veel suiker dronk.

'Welkom. Ik ben blij dat je er bent. Het huis voelt anders wanneer er iemand is.'

'Jullie hebben een heel mooi huis,' zei ik plichtmatig. 'Nou, waar is de keuken?'

Lisa June had kennelijk verwacht dat ik een langere lofzang op hun interieur ten beste zou geven en keek teleurgesteld.

'Kom maar mee dan.'

De keuken was een high-tech fijnproeverssalon uitgevoerd in zeegroen, dat er een onderwatersfeer aan gaf. Schuifpanelen verborgen de kookbatterij, de wasmachine en de kastjes. Nergens was een handvat te bekennen, alles was computergestuurd.

'Hou je van koken?' Terwijl ik het zei besefte ik hoe dwaas die vraag was, typisch zo'n stompzinnige opmerking uitgelokt door een vreemde omgeving. Ik keek naar een ernstig ondervoede vrouw en vroeg met mijn domme kop of ze van koken hield. Ik wist dat sommige modellen als bootwerkers aten en vervolgens overgaven, maar zij zag eruit alsof ze zich verre van voedsel hield en een verblijf in de keuken onherroepelijk haar ondergang zou worden.

'Niet echt. In het weekend maak ik voor Victor tilapia met cassave. Door de week halen we ons eten bij de Chinees.' Ze sprak over eten met het soort weerzin waarmee de meeste mensen over poep praten.

Waarom kocht je een prachtige keuken als je een hekel had aan koken en eten? De vraag weerspiegelde mijn persoonlijke filosofie, typerend voor ouderwetse randfiguren. Dagelijks kochten mensen boten ook al hadden ze een hekel aan water, of vliegtuigen ook al hadden ze een hekel aan vliegen. De lijst was eindeloos. De voornaamste reden was dat Pingeland schulden subsidieerde tegen een lage rente. Pingeland betaalde ook eenderde van de maandelijkse aflossing van huiseigenaren. Schuld was goed, zoals Rekken Trent in *Eliteklas* had gezegd, zolang je maar stipt afbetaalde. Het idee dat ze daarin tekort zou schieten bezorgde Lisa June hoge bloeddruk. Het zou prachtig ironisch zijn als Rekken Trent zijn incassohonden op een van zijn eigen honden afstuurde!

'Ik zorg wel voor de thee. Ga jij Eugene Victors kantoor maar bellen.'

'Doe ik meteen,' zei ze terwijl ze wegvluchtte.

Ik voelde me in deze nodeloos ingewikkelde keuken niet op mijn gemak. Ik had zin de panelen met een hamer in te slaan om de machines aan het licht te brengen. Ik deed water in een pan die glom van nieuwigheid, goot er melk bij, voegde theeblaadjes toe en zette hem op een plat oppervlak. Ik miste het rituele afstrijken van de lucifer, de blauwe bloemblaadjes van de brander en de geur van het gas. Ik was overgeleverd aan machines en volgde als een robot de door computers gedicteerde bevelen op.

'Ik heb het kantoor gebeld,' berichtte Lisa June terwijl ze de keuken binnen stormde met een gezicht waaruit alle angst verdwenen was. 'Ze vroegen zich al af waar Victor bleef. Ik ben zo blij dat hij zijn baan nog heeft. Maar toch ben ik er niet gerust op wat er gebeurt als ze hem te lang vasthouden. Hij kan zich niet veroorloven die baan kwijt te raken. Dat kan gewoon niet.'

'Hij redt het wel,' zei ik terwijl ik de thee in twee mokken schonk. Het rook goed. 'Ik hoop dat je hiervan zult opknappen.'

'Dank je.'

We liepen uit de keuken naar de woonkamer. Ik wilde de video zien. 'Is het hier gebeurd?'

'Ja,' fluisterde ze. 'Ze hadden het hele huis bezet. Net een gedeeltelijke zonsverduistering.'

'Waar is de video?'

'Boven. Kom maar mee naar Victors werkkamer.'

Ze ging me voor de trap op, die ik afschuwelijk vond. De werkkamer bevond zich tegenover de trap. Er stonden een draaistoel, een grote tafel, een computer, een groot bedieningspaneel met microfoon, een joystick met een apart beeldscherm. Aan de muren hingen posters die de informatietechnologie en bedrijfskunde verheerlijkten.

'De cursussen die hij heeft gedaan,' zei ze, eerbiedig alsof ze een gebed prevelde.

'Hij is altijd ambitieus geweest. Ambitieus en slim.' Ik had het gevoel dat ik over een dode sprak, wiens geest voortleefde in de dingen die hij had verzameld, maar wiens lichaam voorgoed was verdwenen. Ik moest erdoor terugdenken aan wat ik de Schildpad zo graag over mijn moeder had horen zeggen nadat ik bij Kateta was geweest.

Lisa June zette de enige andere stoel in de kamer bij de computer en gebaarde dat ik moest gaan zitten. Zij ging op Eugene Victors stoel aan het bedieningspaneel zitten. Toen ze de joystick bewoog kregen we verschillende kanten van het huis te zien.

'Heb je ze binnen zien komen?'

'Nee. Ik was in de badkamer mijn zwemspullen bij elkaar aan het zoeken.'

Ze drukte toetsen in totdat het beeld dat we zochten op het scherm verscheen. Het arrestatieteam was in een grote bus met verduisterde ramen gekomen, die ze voor het huis hadden geparkeerd. Ik telde acht man: twee bleven buiten op wacht staan, de rest stond voor de deur, terwijl een van hen aanbelde. Eugene Victor deed open in een lichtkleurig trainingspak, met een tennisracket in zijn hand. De camera liet zijn gezichtsuitdrukking niet zien maar uit zijn lichaamstaal bleek dat hij schrok van wat hij zag.

'Hoorde jij ze in dit stadium?'

'Nee, ik was nog in de badkamer.'

De camera was op de mannen in de woonkamer gericht. Er stond er een vóór en een achter Eugene Victor. De een vroeg hem naar zijn naam en deelde toen mee: 'We zijn van de Grensbewaking. We hebben orders om u mee te nemen.'

'Dit is een grote vergissing.' Eugene Victor klonk heel kalm, als een man die zeker weet dat hij de wet aan zijn kant heeft en zijn rechten gewaarborgd zijn.

'Het zijn onze orders.'

'U begaat een vergissing.' Eugene Victors stem trilde, waarschijnlijk van angst en onzekerheid. Vergissing of niet, hij was tot de conclusie gekomen dat ze niet zonder hem zouden vertrekken.

'We hebben orders om u mee te nemen. De rest legt u daar maar uit.'

'Ik wil een advocaat. U kunt hier niet zomaar binnenvallen en me meenemen. Wat heb ik gedaan? Zeg me wat ik heb gedaan?' De hoffelijke, zelfverzekerde Eugene Victor had plaatsgemaakt voor een angstige, onzekere man. Hij keek van de een naar de ander, alsof hij op een wonder hoopte.

'We hebben onze orders. U gaat nu rustig mee anders moeten we geweld gebruiken.'

'Ik zal u mijn papieren laten zien. Mijn papieren zijn in orde. U kunt me niet meenemen zonder mijn papieren in te zien.'

'Meneer, we hebben orders om u mee te nemen. We vragen uw medewerking.'

Op dat moment keek Eugene Victor naar de trap die naar zijn slaapkamer voerde en schreeuwde: 'Lisa, bel de politie. Lisa, bel de politie. Lisa, breng mijn paspoort.' Toen Lisa June niet verscheen, schreeuwde hij: 'Ik ga mijn paspoort halen. Laat me mijn paspoort halen.'

Hij draaide zich om, waardoor het racket de arm van de man achter hem raakte. Het was geen klap, er zat geen kracht achter en er was geen reden voor. De man reageerde met een bliksemsnelle reflex, hij dook ineen en nam Eugene Victor in de heupzwaai. Eugene Victor die door de smak naar lucht hapte, liet het racket los en probeerde de man die hem op de grond had gegooid te grijpen. De tweede man schoot zijn collega te hulp en samen drukten ze Eugene Victor met hun volle gewicht tegen de grond.

Op dat moment begon een van de commando's te gillen. 'Hij heeft me gebeten! Hij heeft me gebeten!' Nog twee mannen wierpen zich in de strijd, de een concentreerde zich op Eugene Victors benen en de ander beukte op zijn lichaam in. De bewegingen van Eugene Victor verslapten, als een langzaam leeglopende luchtband, tot ze ophielden. De hele schermutseling had nog geen twee minuten geduurd. Twee mannen keerden hem op zijn buik en boeiden zijn handen, ook al vertoonden die geen enkel teken dat ze een tennisracket konden vasthouden.

De mannen kwamen langzaam overeind, met hun blik strak op Eugene Victor gericht, alsof ze verwachtten dat hij plotseling kon gaan schoppen. 'Hij heeft me gebeten! Die klootzak heeft…'

Op dat moment kwam de man die naar boven was gelopen met Lisa June naar beneden, die begon te gillen toen ze Eugene Victor in de boeien geslagen op de grond zag liggen.

De collega's van de gebeten man toonden zich niet al te bezorgd, waarschijnlijk omdat er geen wondje of bloed te zien was. Eugene Victor had onmogelijk in bloot vel kunnen bijten. Als je in zulke dikke stof beet was het of je in een vloerkleed hapte.

'Waarom laat je niet meteen een bloedtest doen?' De stem van de leider klonk sardonisch. Hij wist dat de man toneelspeelde, naar aandacht hengelde. Het was waarschijnlijk de aansteller van de brigade, de grappenmaker die ratten losliet terwijl de anderen zaten te eten of een verjaardagstaart meebracht waarop 'Gevaar! Tyfus!' stond gespoten. De stem van de leider veranderde bij de volgende zin: 'Zorg dat dat mens haar kop houdt.'

De man die Lisa June vasthield schreeuwde haar toe dat ze stil moest zijn en ze bond in, maar opeens begon ze weer met krijsende stem te vragen wat ze wilden, waarom ze hen lastigvielen, wat Eugene Victor had gedaan.

'Misschien moeten we haar ook meenemen,' stelde degene die haar vasthield voor.

'Nee, we hebben strikte orders. Ze is onze zaak niet.'

'Zorg dat hij bijkomt, dan gaan we.' De leider gebaarde naar een van zijn ondergeschikten.

'Ja, commandant,' antwoordde de man en begon Eugene Victor door elkaar te schudden, onder het geschreeuw van Lisa June dat iedereen het leven zuur maakte.

'Wat heeft hij gedaan? Waarom nemen jullie hem mee?' vroeg ze met uitpuilende ogen en haar vuisten tegen zich aan gedrukt. Ze had de tegenwoordigheid van geest om de man die haar in bedwang hield niet te stompen.

Eugene Victor kwam bij: versuft, alle vechtlust uit hem weggevloeid, zijn spieren niet de baas. Een van de soldaten hees hem overeind en bracht hem naar buiten.

Ondertussen werd Lisa June door haar bewaker losgelaten, voorzichtig, alsof hij een dolle hond losliet. Hij liep achterwaarts de kamer uit en riep dat ze zich koest moest houden. Ze hield een ogenblik haar mond, maar toen hij bij de deur was en naar buiten wilde gaan, stormde ze op hem af. Ze bofte dat ze geen ander wapen had dan haar blote handen, anders had hij haar misschien neergeslagen. Hij ving haar kracht met zijn vlakke hand op en voor ze het wist lag ze op haar rug.

De man deed de deur dicht en keerde zich toen pas van Lisa June af, die zo verstandig was om niet naar buiten te komen.

'Wat dapper van je.'

'Ik was heel boos en heel bang. Ik wilde dat ze me samen met Victor meenamen.'

'Ze zijn onderdeel van de Operatie Stalen Kaken.'

'Wat is dat?' De naam scheen haar nog meer angst in te boezemen dan de commando's.

'Het ministerie van Justitie werkt met andere landen samen om proteïnezoekers te deporteren. Heb je nooit van het charterproject gehoord?'

'Nee. Moet dat dan?'

'Lees je geen kranten? Kijk je geen televisie?'

'Ik heb het te druk met mijn taalcursus en mijn mannequinopleiding.'

Ik had zin haar met mijn vlakke hand een klinkende oorvijg te verkopen. 'Ik ben blij dat die mannen niet van de Drugsbrigade of de Vuurwapendivisie waren. Die zouden het hele huis ondersteboven hebben gehaald en jou ook hebben meegenomen.'

Het gezicht van Lisa June betrok en ze wilde iets zeggen, maar slikte haar woorden in.

'Je hebt explosief beeldmateriaal in handen. Als je het aan een van de commerciële zenders kunt slijten, word je beroemd. Waarom probeer je het niet bij RTL 55?'

'Hoe doe ik dat?'

'Heeft Eugene Victor een advocaat?'

'Ik geloof van wel.'

'Bel hem, vertel hem het verhaal en laat hem de beelden zien.'

'Wat kunnen we doen om Victor terug te krijgen?'

'Dat weet die advocaat wel.'

Ik stuurde Lisa June naar haar kamer om het telefoonnummer van de advocaat te zoeken. Ik had mijn twijfels over wat hij kon doen. Als Bogodisiba's groep al geen toegang kreeg tot de vrouwen en kinderen die op klaarlichte dag op de stoep van het stadhuis waren ontvoerd, wat voor kans had Eugene Victor dan, over wiens verblijfplaats ze zich van den domme konden houden? Het zag ernaar uit dat alleen de Neushoorn hem kon redden.

Het was bij enen, tijd om mijn medicijnen te nemen.

Ik ging naar beneden en liep de keuken in, maar vergat dat alleen de bazen de sleutelkennis ervan bezaten, net als in een gevangenis. Ik riep Lisa June te hulp.

'Het is een vreselijke keuken. Helemaal Victors idee,' legde ze met een verontschuldigende glimlach uit. Ze drukte op een paar knopjes en ik kon twee eieren, brood, maïsmeel en andere ingrediënten vinden die ik nodig had.

'Heb jij honger?' plaagde ik haar.

'Nee. Ik hoef niets. Ik eet maar een keer per dag. Wie mooi wil zijn moet pijn lijden.'

'Waarom ga je niet naar boven om de advocaat te bellen?'

Zonder nog iets te zeggen verliet ze de keuken.

Ik maakte een omelet en bakte hem tot hij bijna aanbrandde. Ik moest niets hebben van de zachtgekookte eitjes die Bogodisiba met kinderlijke overgave at.

Ik legde de omelet tussen twee sneden brood en nam een flinke hap. Ik vond het belangrijk om van eten te genieten, vooral als ik zelf de kok was. Ik zocht naar een stoel, maar er was er geen in deze keuken. Ik at staande, alsof ik haast had.

Daarna maakte ik pap van maïsmeel met koud water. Ik roerde en zette het mengsel op de kookplaat. Het duurde een minuut of twintig om gaar te worden. Ik goot de pap in een kom, deed er suiker bij en begon te eten.

Even moest ik terugdenken aan mijn politietijd, toen we iedere morgen pap aten. 'Geen wonder dat we gemeen waren als we zin hadden,' zei ik bij mezelf, louter om de stilte te verbreken, al wist ik best dat onze gewelddadigheid weinig met het dieet te maken had.

Het korte uitstapje naar mijn politietijd riep mijn haat op jegens de mannen die Eugene Victor hadden gearresteerd. Ik haatte de attributen van hun macht: de grote politiebus, de nieuwe uniformen, het vaste salaris met emolumenten. Wat had ik graag gezien dat ze in krotten sliepen, op vier maanden achterstallig salaris moesten wachten, om reserveonderdelen smeekten die nooit kwamen, moesten toezien hoe elk apparaat door roest werd opgevreten! Ik had die potige boerenknapen met genoegen in de corruptie zien wegzakken, langzaam als een huis dat op zand is gebouwd, totdat ze tot op hun ziel verrot waren.

Ik brak mijn gedachten af, omdat ik er de smaak van zure druiven in proefde. Ik richtte ze weer op Eugene Victor, van wie ik hoopte dat hij een lesje had geleerd en als een wijzer menselijk dier uit de mangel zou komen. Ik hoopte dat hij zou onthouden dat de Comafase niet het eind van de strijd betekende.

Terwijl ik mijn pap at hoorde ik Lisa June over de conferentietelefoon met de advocaat praten. Ze gebruikte een mooie gevoelige stem. Ik hoorde de advocaat naar haar achternaam vragen.

'Kamoesala.'

'Wilt u dat alstublieft herhalen?'

'Ka-moe-sa-la.'

'Neem me niet kwalijk. Kunt u dat even spellen?'

Ik vroeg me af waarom ze zich niet Lisa June Londen of Lisa June Goud had genoemd, namen die de autochtonen beter in het gehoor lagen. Ik hoorde haar stem tijdens het spellen van haar naam uitschieten. Eugene Victor, wiens carrièrekansen verbeterden toen hij zich Buzz ging noemen, had haar hetzelfde kunnen aanraden. Lisa June Kam zou perfect zijn geweest.

Ik concentreerde me op mijn pap. Ik stelde me voor dat Eugene Victor weer in Kampala op straat stond, met opgetrokken neus voor het lawaai, het verkeer, de hitte en vol schaamte over zijn gedwongen terugkeer met achterlating van Lisa June en Rok. Zonder een cent op zak, zonder mooie kleren, zonder iets waaraan zijn succes was af te lezen zou hij zich diep, diep ongelukkig voelen, bang dat hij voor een mislukkeling werd aangezien.

Ik was zo in gedachten verzonken dat ik Lisa June niet de trap af en de keuken in hoorde komen. Ze deed me denken aan de dokters en verpleegsters in het ziekenhuis van Bevert. Ze zuchtte diep om mijn aandacht te trekken. 'De advocaat heeft beloofd de zaak te bekijken en me terug te bellen.'

'Dat was te verwachten. Maak je geen zorgen. Eugene Victor heeft zijn baan nog. Het komt allemaal goed.'

'Ja,' zei ze met een luide zucht. Ze klonk te moe om aan de drang tot piekeren toe te geven.

'Volgens mij moet je iemand vragen vannacht bij je te blijven.'

De schrik stond in haar ogen, alsof ik haar in een donker bos achterliet. 'Ik kan niet tegen dit huis zonder Victor.'

'Bel een van je vrienden of vraag Amidakan.'

Ze aarzelde en er gleed een bijna wanhopige uitdrukking over haar gezicht. Zij en Eugene Victor hadden Amidakans macht zo openlijk aangevochten dat het een bittere pil was om met hangende pootjes in haar kamp terug te keren. Toch had ze weinig keus. Ik moest terug naar huis en dat huis met haar delen was uitgesloten.

'Ik begrijp het.'

'Waarom bel je Amidakan niet nu ik er nog ben?'

Ze liep de keuken uit en bleef lang weg. Amidakan was een drukbezette vrouw. Misschien was ze in het Akoegoba-huis. Misschien had ze ergens een vergadering met rijksambtenaren over de zoethouders voor het Akoegoba-huis. Ik stelde me voor dat ze Lisa June flink de les las voor ze zich verwaardigde haar te helpen.

'Dus je komt naar me toe nu je ten einde raad bent?'

'Ik heb uw hulp nodig, echt.'

'De vorige keer had je kennelijk geen hulp nodig. Hier even met bier en kapsones aankomen! Hoelang gaan jullie daarmee door?'

'Eugene Victor wilde alleen maar behulpzaam zijn. U doet zoveel voor de gemeenschap, iemand moest u toch een handje helpen? Het was goed bedoeld. Geloof me, het was goed bedoeld.'

'Ik zal morgen iemand voor je zoeken.'

'Het moet vanavond. Ik kan niet in mijn eentje in dit huis blijven.'

'Goed. Ik zal je helpen.'

'Daar ben ik dankbaar voor. Als Victor terugkomt zal ik hem zeggen wie zijn ware vrienden zijn.'

Lisa June kwam met een glimlach op haar gezicht de trap af. Ik wist meteen dat het tijd was om naar huis te gaan.

'Is het geregeld?'

'Ja. En bedankt dat je gekomen bent.'

'Het was me een genoegen.'

Ze bracht me naar de bushalte, meer om het huis uit te zijn dan uit bezorgdheid dat ik zou verdwalen. We liepen de klinkerstraat door, langs geparkeerde auto's, langs nieuwe struiken, langs huizen die er van buitenaf leeg uitzagen, maar waarin vrouwen stonden te gluren.

'Je bent zo stil dat ik er zenuwachtig van word,' merkte Lisa June op.

'Ik zag het dossier van Eugene Victor in een zee van dossiers zwemmen.'

'Ja.'

'Maar verlies de moed niet. We krijgen hem eruit.' Holle grootspraak, besefte ik, voor iemand zonder politieke connecties.

Op de bushalte wilde Lisa June per se wachten tot ik vertrok. Ze wilde die tien minuten voor de bus kwam genieten van de frisse lucht. We liepen zonder veel te zeggen wat heen en weer. Toen de bus zijn rode neus liet zien, bespaarde ik haar de beproeving van nog een knoflookbad door haar een hand te geven. Ze drukte hem gretig. Ik stapte in en liet haar met haar zorgen achter.

❧

Het werd steeds duidelijker dat Bogodisiba pas weer de vrolijke oude zou zijn als ze wist wat het lot van de Ethiopische vrouwen was. Door de arrestatie van Eugene Victor en de harde uitspraken van de Neushoorn wist ik dat we binnen enkele dagen of weken wel enig idee zouden krijgen.

Bogodisiba reageerde veel minder geschrokken op het nieuws van Eugene Victors arrestatie dan ik had verwacht. Even overviel me het gevoel dat haar idealisme misschien sleets of roestig begon te worden. Toen ik er later over nadacht, besefte ik dat ik een stommiteit had begaan: ik had haar niet moeten vertellen waar Eugene Victor woont.

Ik was vergeten dat ze vaak over de campagne voor het behoud van het Blauwmoeras had gesproken en actievoerders had aangemoedigd, die zich aan bomen hadden vastgeketend in de hoop de overheid te vermurwen het moeras ongemoeid te laten. Blauwmoeras had plaatsgemaakt voor de Klipspringerwijk, een buurt die ze te walgelijk vond om er nog een woord aan vuil te maken. Ze wist dat de meeste bewoners van Klipspringer zich schuldig hadden gemaakt aan steun voor de overheid bij het verwoesten van het milieu, en bovendien ook welgesteld waren. Ze gaf geen donder om hen, of ze nu zwart, wit of bruin waren.

Ze hoorde mijn verhaal over Eugene Victor rustig aan, zonder me te onderbreken met kreten, zuchten of gesnuif. Aan het eind vroeg ze: 'Wat doet hij?' Ze klonk als iemand die zich gedwongen voelde een greintje mededogen te tonen, maar jammerlijk faalde om haar onverschilligheid te verbergen. Het had geen zin nog tegen haar te liegen; ze zou nooit enige sympathie voor Eugene Victor kunnen opbrengen.

'Hij werkt voor Rekken Trent. Ik geloof dat hij computers verkoopt of de leiding heeft over incassoactiviteiten.'

'Dat zijn de klootzakken die de minima op de huid zitten om de stinkend rijke banken te betalen, luiwammesen die liever een darmspoeling nemen dan gewoon te poepen, zoals iedereen.'

Ik moest erom lachen, in mijn eentje, want zij bleef onbewogen als een hond die een wind had gelaten. Wie had haar verteld dat Rekken Trent aan darmspoelingen deed?

'Ik wist niet dat je verstand van darmspoelingen had. Maar wees nou eerlijk, verwacht je van zwarten dat ze altijd de rotbanen nemen?'

'Zo stom ben ik niet, Dismas. Ze zouden voor goede bedrijven moeten werken.'

'Zoals?'

'Dat weet ik niet en het kan me niet schelen ook.'

'Dus ze moeten gaan voetballen en...?'

'Geen geintjes, Dismas. We hebben het over iets ernstigs.'

'Ik weet niet wat jij goede of slechte bedrijven noemt. Omdat hij de rotbaantjes beu was, is Eugene Victor hard gaan studeren en heeft hij een dijk van een baan gekregen bij Pingelands computerkoning. Is dat een zonde?'

'Hij moet er maar van genieten voor zolang het duurt.'

Ik hield van Bogodisiba's rechtlijnigheid. Ze had hart voor de onderdrukten, of ze nu zwart, wit of bruin waren. Ze had een hartgrondige hekel aan de machtigen, of ze nu zwart, wit of bruin waren. Het kon haar niet schelen dat ze voorspelbaar was, als haar principes maar overeind bleven.

'De meeste mensen geven geen moer om principes. Waarom zou ik ze na-apen?' vroeg ze toen ik haar op dit punt aanviel.

'Wat doen jouw vrienden tegenwoordig? Hondengekken zullen wel meer geluk hebben. Het barst van de honden en...'

'Doe niet zo cynisch. Daar is geen reden toe. Wij willen die vrouwen vrij hebben. Als de overheid de fout in gaat, stappen we naar de rechter.'

'Juist, ja.'

'Ja, zo zit het.'

'En jij blijft narrig zolang de onzekerheid duurt.'

'Inderdaad.'

'Of tot ik een nieuw project voor je vind. Ik had een Congolese cliënt van wie we niet weten waar hij zich ophoudt…'

'Het klinkt of hij wel voor zichzelf kan zorgen. Als iedereen voor zichzelf kon zorgen, bleef ik met alle plezier thuis de hele dag hobo spelen. Helaas heeft iedereen een beetje hulp nodig, zelfs degenen die in de mythe van hun eigen macht zwemmen. We zijn allemaal zwakke plantjes die behoefte hebben aan een stevige stam.'

'Mmmmm. Eugene Victor is nu zo'n plantje.'

'Laten we niet in kringetjes ronddraaien. Eugene Victor is mijn zaak niet. Hij is rijk. Laat Rekken Trent zijn enorme macht maar gebruiken om hem te redden. Ik steek geen greintje energie in zijn zaak.'

We bespraken dit tijdens een maaltijd in een nieuw vegetarisch restaurant. Het lag twintig kilometer buiten Bevert; als het zo doorging zouden we binnenkort honderden kilometers moeten reizen om nieuwe restaurants te vinden. Binnen waren er geen mandala's of opzichtige kleuren. Je bespeurde een bewuste poging om méér dan voormalige hippies, yogi's en andere randfiguren aan te trekken. De eigenaars waren anders dan alle vegetarische restaurateurs die ik ooit had gezien. Ze droegen goed gesneden kleren en keken stuurs als rechters.

De muziek had een teken aan de wand moeten zijn. IJskoud, alsof hij gecomponeerd was door musici die aan chronische depressie en hallucinaties leden. Er was een hoge mate van masochisme of uitzonderlijke begaafdheid voor nodig om zulk pretentieus lawaai te kunnen waarderen. Bogodisiba was verbijsterd.

'We mogen van geluk spreken als we hier alleen met hoofdpijn vanaf komen,' merkte ze op. 'Als ik het had geweten hadden we niet gereserveerd.'

'Mmmmm,' humde ik instemmend, terwijl ik het mengelmoesje op mijn bord bestudeerde. Het had een Chinese naam. Het zou wonderen doen voor de lever. 'De Europeanen bereiden zich al voor op de Chinese overheersing van de planeet. Ze beginnen op de juiste plek: in de keuken.'

'Misschien zijn de Chinezen straks verstandiger. Ze moeten wel; er zijn er nogal wat. Misschien ook niet. Ze zullen er als veroveraars op gebrand zijn hun macht te laten voelen. Ik kan me er niet druk over maken. Tegen die tijd ben ik er niet meer.' Ze snoof.

De bediening was even kil en afstandelijk als in iedere andere te dure niet-vegetarische tent. De kelners leken zo verdiept in andere zaken dan de bestelde gerechten dat je ze nauwelijks durfde te storen. Maar ze waren een noodzakelijk kwaad, zonder wie niemand het beetje plezier of teleurstelling zou krijgen dat voor hem in de maak was. Voor Bogodisiba was het haar karaf bio-wijn die ergens uit Zuid-Europa afkomstig was.

'Op je volgende project,' proostte ik met mijn glas water.

'Op een gelukkige toekomst vol gezellige restaurants.'

'En vriendelijke bediening,' voegde ik eraan toe.

'En betere muziek.'

We dronken op dat alles en meer.

Zodra we ons eten op hadden gingen we weg en wandelden naar het station. We zagen opvallend veel honden dezelfde kant uit lopen.

'Bema,' zei ik, waarvan Bogodisiba opschrok. 'Bema is uitgeroepen tot Hond van het Jaar. RTL 99 wijdt de hele avond aan de plechtigheid.'

'Dat was ik vergeten.'

'Die mensen gaan zeker aan dat programma meedoen.'

'Dat zit erin.'

Een hond blafte heftig naar me en trok aan zijn lijn alsof hij me wilde bespringen om mijn gezicht open te rijten.

'Dat is een vegetarische hond. Daarom is hij zo chagrijnig. Hij heeft een te laag serotoninepeil. Hij wil iemand bijten. Blijf uit zijn buurt. Wie weet is het ook nog een racist.'

Bogodisiba trok me aan mijn elleboog en wilde dat ik aan haar andere zij ging lopen. Dat had ze nooit eerder gedaan, ook al had ze wel vaker meegemaakt dat honden naar me blaften.

'Hoe weet je dat? Hoe kun je het serotoninepeil van een hond meten door alleen maar naar hem te kijken?'

'Dat zie je als je lang genoeg met honden omgaat. Lage serotonine en depressie komen veel voor bij onderdanige honden; dominante honden krijgen zelfvertrouwen door hoge serotonine.'

'Net als bij mensen.'

'Honden zijn mensen in vermomming.'

'Chimpansees zijn voor achtennegentig procent menselijk. Hoe zit dat bij honden?'

Bogodisiba hief haar hand afhoudend op. 'Ik ben geen wiskundige en het kan me niet schelen.'

'Ik hoop dat je niet van plan bent om een hond te nemen.'

'Niet zolang jij er bent.'

'Gelukkig. Het doet me goed te weten dat er iemand is, zij het aan de harige kant, die je gezelschap houdt als ik er niet meer ben.'

'Ben je jaloers?'

'Wat denk je?'

We kwamen bij het station, dat weergalmde van het lawaai van honden op weg naar de studio. We wilden een deel van Bema's kroning zien. Elk nadeel heb zijn voordeel, mijmerde ik terwijl we de trein in gingen. De bom van Zandberg Hommerts had de hondenindustrie verjongd.

Op de dag dat Operatie Stalen Kaken van start ging, werd ik wakker met Bema's heiligverklaring in mijn hoofd. Wat een pracht Bevertenaar! Haar roem hield de naam van de stad in het nieuws. Zo vader, zo dochter. Rekken Trents dochter had de geruchtmakende plechtigheid bijgewoond, tot grote onvrede van andere getroffen hondenbezitters, die vonden dat het een eerbetoon was aan de macht van Rekken Trent, in plaats van aan de kwaliteit van de hond. Ze wezen op een hond die vier uur na de ramp uit een huis was gered, maar geen media-aandacht had gekregen.

Mededingers voor de grote prijs waren politiehonden die tientallen slachtoffers hadden gered, blindengeleidehonden die blinden voor ongelukken hadden behoed en andere soorten die kansloos bleken.

Bema was opgekomen in een met lovertjes bezette bodywarmer en een halsband met diamantjes. Tegen het eind van de zes uur durende plechtigheid nam Rekken Trents dochter deel aan een quiz over hondenrassen, kenmerken, trainingstechnieken en ze had alle tien vragen goed. Bema sleepte de hoofdprijs in de wacht. Die bestond uit een diploma, een grote geldprijs en een beker waar ze drie keer in kon.

De camera's waren terug in Bevert. En waarom niet? Rekken Trent had zijn fusie rond en hij sleepte een massa commerciële prijzen, bekroningen en eredoctoraten in de wacht. Hij was het middelpunt van zakenlobby's in zowel de VS van A als de VS van E, omdat hij de eerste miljardair in lange tijd was die het slachtoffer van bommenleggers was geworden. Iedereen wilde hem en plein public feliciteren.

In die zin was de lancering van Operatie Stalen Kaken een Bevertse aangelegenheid, nu majoor Aarssen klaarstond de stad nog meer roem te bezorgen.

Het geweld van live televisie had iets hypnotiserends: de

mooie kleuren, het volle geluid, het levensechte acteerwerk en de manier waarop je je deel voelde uitmaken van een gebeurtenis zonder iets te ruiken of enig fysiek gevaar te duchten. Het leek nog het meest op God spelen die kijkt hoe zijn apen optreden om Hem te vermaken. Het was het sublieme mensenoffer. Het bloed vloeide, zij het symbolisch, de loutering vond plaats, vermaningen werden afgegeven en de slachters keerden terug naar huis, dorstend naar de drank die een flinke dag werken moest bekronen.

Bogodisiba klopte om negen uur bij me aan. Ik was net klaar met mijn yoga en voelde me goed. Zij zag er daarentegen vermoeid uit, haar ogen waren gezwollen van slaapgebrek. Het levendigste deel van haar gezicht was de blonde snor. Er heerste een epidemie van blonde snorren onder vrouwen van alle leeftijden. Mijn conclusie was dat de pil zijn wraak opeiste. Of misschien voerde de gelijkheid van de seksen haar wonderen net iets ironischer door dan verwacht.

Persoonlijk verweet ik de mannen die behaarde bovenlippen. Als er meer waren die hun buisjes lieten doorsnijden en hun sperma lieten invriezen, hadden hun vrouwen geen last van baarden, tochtlatten, snorren en andere fysiologische veranderingen die de pil met zich meebracht.

Ik leerde Bogodisiba kennen toen het al te laat was; in die tijd was de ruige bovenlip al een integraal onderdeel van haar gezicht geworden. Het gaf haar een intellectueel voorkomen en soms kamde ik hem met mijn tandenborstel om haar te plagen en aan het lachen te maken.

Bogodisiba hulde me in een wolk van knoflook en mijn wereld draaide weer om zijn as; nu hoefde ik de beeldenlast niet alleen te dragen. In feite zou ze die helemaal dragen. Ik zou de cynicus spelen; zij de gevoelsmens. Om haar te belonen ging ik naar de keuken en maakte een kop muntthee voor haar.

Om halftien nam RTL 55 ons mee naar de luchthaven. Het asfalttapijt, de gulle zon, de opstijgende vliegtuigen deden ons hart sneller kloppen. We zagen de grote vogel met de besterde blauwe vlag van de Verenigde Staten van Europa, die de indruk wekte of hij kracht verzamelde voor de start. Ik dacht terug aan mijn reis naar Pingeland, die ook mijn luchtdoop was geweest.

We zagen de aankomst van majoor Aarssen, begeleid door vier commando's. Ze stonden aan de voet van de trap naar de eersteklas en even later stapte een regeringsdelegatie in beeld. Majoor Aarssen verwelkomde hen met een stevige handdruk en een ingestudeerde begroeting. Zich ervan bewust dat ze op de televisie waren, zette het twintigtal mannen en vrouwen hun gezicht in een gedistingeerde plooi. Ze stonden met hun armen achter hun rug en straalden zowel overheidsmacht als -bedrieglijkheid uit.

De muziekkapel van de Blonde Baretten, die ik voor het laatst op Prinsendag had gezien, deed omstandig zijn best iedereen in feeststemming te brengen. Het klonk stukken beter dan de georkestreerde boormachines in ons laatste vegetarische restaurant. De blonde uniformen, de witte handschoenen, de blinkende muziekinstrumenten zagen er smetteloos uit in het schitterende licht en symboliseerden een feestelijkheid waarvan we de ware vrucht elk moment konden gaan proeven. Pingeland had zijn uitschot nog nooit zo kleurrijk uitgezwaaid. De combinatie van humor en ceremonie deed zijn intrede in staatszaken. Een primeur.

De stroblonde journaliste liet ons weten dat de reis die dag via Brussel, Frankfurt en Parijs naar Nairobi zou gaan, waar de regeringen van Oeganda, Ethiopië en Congo hun afgekeurde onderdanen zouden ophalen in ruil voor kwijtschelding van een of andere schuld. Het bracht me Rekken Trents lofzang op schulden in herinnering.

In hun overmoed hadden de Blonde Baretten de camera's toegang gegeven tot de tunnel, ook wel Gouden Cloaca genoemd, die van de cellen naar het startplatform liep. Soldaten waren dol op camera's, misschien omdat het leger zelf de meest geavanceerde cameratechnologie bezat en het grappig vond om te zien hoe gewichtig de burgers liepen te pronken met achterlijke apparatuur.

In de Gouden Cloaca zagen we een geëscorteerde met de armen op zijn rug gebonden, gestoken in het beroemde Aarssenpak, zijn gezicht verborgen in een helm, langzaam en voorzichtig, alsof hij elke stap telde, naast een twee keer zo lange en brede commando lopen.

Het zonderlinge duo stapte in het licht en de fototoestellen klikten, terwijl de eerste acteurs in het drama het publiek tegemoettraden. De blonde journaliste duwde haar onafscheidelijke, donzen microfoon onder majoor Aarssens neus en vroeg waar hij de inspiratie voor het Aarssenpak had opgedaan.

'We kunnen in dit high-tech-tijdperk niet meer aankomen met middeleeuwse methoden.'

'Uw gevoelens over de manier waarop de lancering verloopt?'

'Tevreden.' Meer zei hij niet. De journaliste begreep de boodschap en deed een stapje opzij.

De geëscorteerde en zijn oppasser beklommen de trap naar het vliegtuig. De commando plantte zijn hand stevig in de rug van de man om te voorkomen dat hij zich van de trap stortte in een wanhopige poging beroemd te worden. Het gebaar zag er teder uit en een slimme fotograaf zou er een winnende voorpaginaprent mee kunnen scoren. Ik hoorde Bogodisiba op haar tanden zuigen, haar gezicht liep rood aan. Arme barbaar; de macht van Blaatpan zou door zulke zwakke gebaren geen krasje oplopen.

We kregen te zien hoe nog drie geëscorteerden samen met hun escorte de Gouden Cloaca verlieten. De soldaten marcheerden op de maat van het wijsje dat hun collega's speelden. Voor mannen die contraspionagewerk hadden gedaan, achter smokkelaars van bacillen en stoffen voor nucleaire en chemische wapens hadden aangezeten, die kogels en boobytraps te land en ter zee hadden overleefd, was dit soort werk een gruwelijke vernedering. Voor kerels gespecialiseerd in elke vorm van moord, die – anders dan piloten – de kots hadden geroken van de mannen die ze wurgden en hun ogen hadden zien verfletsen, was dit soort werk beneden hun waardigheid. Maar een bevel is voor een soldatenhond zijn kluif. Vandaag zaten ze in deze farce, morgen in die klucht.

Als chirurgen die naar popmuziek luisteren terwijl ze in de buik van een patiënt doordringen, zo liepen de commando's onder begeleiding van marsmuziek de buik van het vliegtuig in. Hun albasten gezichten vertoonden geen spoor van emotie. De superieuren van de wereld acteerden met uitgestreken gezicht.

Er begon iets van voyeurssadisme de gebeurtenissen binnen te sluipen. De opwinding was geluwd en mijn vingers jeukten om te zappen, al was het maar om het zakkende voorhangsel van verveling te scheuren. Bogodisiba zou aan een kant opgelucht zijn als ik het deed. Ze was haar hele leven al bezig met het plan om in één klap een ander beeld te geven van het dikke, gierige Europa, dat bol stond van de ingesleten overconsumptie, de hang naar zelfdestructie door het vergiftige lichaam te veel eten, te veel drank en te veel drugs toe te dienen. Een continent met het gouden vomitorium als symbool: te veel voedsel, te veel narcotica, te veel projectielen, te veel zoethouders en te veel nutteloze kennis. Haar inspanningen waren niet rijkelijk beloond; ze zou als een mislukking haar graf ingaan.

Ik hield de afstandsbediening in mijn hand, betastte de harde toetsen. Juist voor ik naar een ander net wilde zappen, werden we mee teruggenomen naar de Gouden Cloaca. De rijzige gestalte van Sam Matete, achtervolgd door twee commando's sloeg als een bom bij me in. Hij was ontkleed op een bikinibroekje na, wat ideaal was voor zijn aërodynamiek. Zijn gezicht drukte pure haat en diepe concentratie uit.

'Daar heb je hem! Dat is Sam Matete,' bracht ik uit toen Bogodisiba me opzij duwde omdat ik voor haar beeld zat. Waar hadden ze hem gevonden? Hadden de zo door hem geprezen goede dokters en zusters genoeg gekregen van die onverzekerde patiënt met zijn trucs, en de politie gebeld? Hij had zijn tijd in bed welbesteed. Hij zag er goed uit en zijn demonstratie liet zien hoe sterk hij was.

Sam Matete had enig talent als hardloper. De commando's staken miserabel bij hem af met hun logge, trage, en omslachtige bewegingen. Ze schreeuwden dat hij moest blijven staan. De journalisten hadden lucht van het drama gekregen en begaven zich met hun camera's in de aanslag naar de mond van de Gouden Cloaca.

Sam Matete stormde het licht in als een atleet die naar de eindstreep hunkert. De cameramensen begonnen bijna in koor te roepen en gingen aan het werk. Ze trokken en duwden elkaar, realiseerden zich hoe dom het was dat ze op een kluitje stonden in plaats van verspreid.

Een gevoel van zinloosheid overschaduwde de inspanningen van de man in het slipje. Hij was zijn achtervolgers wel te slim af geweest, maar ze zouden hem onherroepelijk te pakken krijgen, terughalen, boeien en op het vliegtuig zetten. Ik nam aan dat zoiets ook door de hoofden van de regeringsdelegatie ging, mannen en vrouwen die trots waren op hun nuchterheid en verknocht aan orde. Ze stonden er allemaal even wezenloos bij, als reproducties van een en hetzelfde borstbeeld.

Ze verroerden zich zelfs niet toen Sam Matete, met uiterste krachtsinspanning en raspende ademhaling, hen tot op tien meter was genaderd. Toen het vijf meter werd, gingen de mannelijk functionarissen voor hun vrouwelijke collega's staan, klaar om de klap en de lof te incasseren in het geval de commando's hun plicht verzaakten. Om de spanning te verhogen draaide de camera naar het gezicht van majoor Aarssen, dat wit zag als melk die uit een uier spuit.

Sam Matete kwam tot op twee meter van de functionarissen, bleef staan, stopte iets in zijn mond en viel op de grond. Het bloed stroomde uit zijn mond, zijn lichaam kronkelde en zijn benen trappelden. De twee commando's bogen zich over hem heen, klaar om de gek onder handen te nemen die hun een slechte naam wilde bezorgen. De pestilente wind beslechtte het pleit. Die trof hen zo hard dat ze bijna tegelijk wegsprongen. Ze hadden braaksel, ontbindende lijken, allerlei strijdgassen geroken, maar deze stank was een klasse apart. Als acteurs in een toneelstuk bogen ze zich beiden kokhalzend naar het asfalt. Sam Matete voerde zijn eigen chemische oorlog en beheerste het toneel.

De wind bereikte de delegatie, zodat veel functionarissen met knipperende ogen hun neus en mond afschermden voordat ze het voorbeeld van de commando's volgden. Ze kotsten, nogal luidruchtig, om hun opspelende maag te kalmeren. De camera was zo sadistisch om in te zoomen op de gezichten van de jongere vrouwen die hun dure ontbijt over hun schoenen uitbraakten.

Verslaggevers, veteranen van bloedbaden en verrotting, drongen met minachtende blik op naar de teergevoelige functionarissen, maar ook zij werden teruggeslagen.

Sam Matete lag in zijn eigen cirkel met de cameralenzen als enig gezelschap. Hij bleef als een op hol geslagen machine de kwalijke wind uitstoten. Helaas waren de geursporen niet op film vast te leggen. Ik herinnerde me zijn verhaal dat hij scheikundige was en de kunst verstond reacties teweeg te brengen. Hij had me verteld dat er driehonderdvijftig gassen in de maag aanwezig waren. Ik vroeg me af hoeveel hij er had ingezet.

De camera ging steeds terug naar majoor Aarssen, die eruit zag als een man op de operatietafel, met verlamde wil en nietsziende ogen, wiens lot in vreemde handen lag. Deze absurde wending werkte onvermijdelijk op de lachspieren. Bogodisiba zat te schudden, vooral omdat de kapel met blazen was gestopt.

Na vele lange minuten verdween een van de commando's in de tunnel en kwam terug met een brancard. Hij en zijn collega bonden operatiemaskers voor en tilden de nu roerloze, slappe Sam Matete op de brancard. Hij zag er levenloos uit. De journalisten waagden zich naar voren om wat plaatjes te schieten en de functionarissen hergroepeerden zich, al waren sommigen nog bezig hun schoenen schoon te vegen.

Er werden nog twee man naar het vliegtuig geëscorteerd. Er verscheen een opgeluchte trek op de gezichten van de regeringsdelegatie. Ze beseften dat de commando's hun taak hadden onderschat, maar dat dit niet het moment was om daarop in te gaan. Ze wilden de inscheping afgehandeld hebben, want ze hadden nog een lange reis voor de boeg.

Net toen alles weer normaal leek, sneed er een luid gegil door de ochtendlucht die alle blikken naar de Gouden Cloaca trok. Je zou hebben gedacht dat de commando's onderhand bewakers hadden neergezet om verdere vluchtpogingen te beletten, maar misschien hadden ze daar bevelen voor nodig en niet gekregen. Het gekrijs van een vrouw werd zo luid dat al het andere leek te verstillen. Ik verbaasde me over de kracht van haar longen.

De stem kreeg fysieke vorm toen we een vrouw in bh en slipje zagen rennen alsof ze achterna werd gezeten door moordenaars met machetes. Toen het licht haar met schittering omhulde, – volgens mij weer een unieke kans op de Persfoto van het Jaar voor een van de fotografen – kwam er een commando in beeld.

Hij had klaarblijkelijk ernstig letsel opgelopen, want superieure mensen zoals hij lieten hun minderen gewoonlijk niet merken dat ze pijn hadden. Hij hinkte als een man wiens ballen niet erg zachtzinnig waren bejegend. Zijn gezicht wisselde voortdurende tussen versteend en vertrokken.

Het was alsof de vrouw door een onzichtbare machine werd voortgestuwd. Pas toen ze in de camera keek, zagen we dat zij ook gewond was. Ze bloedde hevig, maar trok zich niets van haar toestand aan. De journalisten waren opgetogen, verdrongen elkaar en werkten als bezetenen.

De vrouw rende naar de delegatie, alsof ze er onweerstaanbaar naartoe werd getrokken. Ze kwam tot op een paar meter van de groep, maar niemand verroerde zich. Ik had de indruk dat ze aan de voeten van een van hen zou neervallen en om genade zou gaan smeken. Maar aan de mannen in pak scheen ze iets te zien dat haar van gedachten deed veranderen. Ze zwenkte om hen heen en begon de trap naar de eersteklas cabine op te lopen.

Het gegil van de vrouw en het gesteun van de commando werden opgeslokt door het gecapitonneerde interieur. De delegatieleden en verslaggevers schenen verlegen te zijn met de plotselinge afwezigheid van actie. Ze keken elkaar aan alsof ze zich afvroegen wat er gebeurde. RTL 55 zoomde in op de gezichten van de functionarissen en wisselde dat snel af met close-ups van majoor Aarssen.

Ik dacht opeens aan de Neushoorn. Hij was niet komen opdagen, alsof hij vooraf was gewaarschuwd. Misschien was hij te druk bezig met achter de schermen aan de touwtjes te trekken. Wat had ik graag zijn gezicht gezien! Het zou vermakelijk zijn geweest te zien hoe hij probeerde te bukken om over te geven toen Sam Matetes rectum zo tekeerging.

Na eindeloze minuten kwam de hinkende commando vanuit de laadruimte voor de geëscorteerden de trap af met een lichaam in zijn armen dat in een witte doek was gewikkeld waarop sijpelend bloed landkaarten tekende. De vrouw bewoog niet. Een brancard bracht haar naar de Gouden Cloaca.

Bogodisiba zei geen woord. Daardoor duurden de minuten waarin niets gebeurde een eeuwigheid. Ik ging thee zetten, treuzelde in de keuken en hoopte dat er iets dramatisch zou gebeuren om de stilte te verbreken. We dronken de thee zwijgend. Het was alsof iets in de kamer ons intimideerde.

Toen de camera naar de Gouden Cloaca terugkeerde, bleek er een rij brancards bij de uitgang te staan. Op elk was met brede leren riemen een gedaante vastgebonden, de rest van het lichaam omwonden met industrie-tape. De gezichten waren moeilijk te onderscheiden, want de camera zoomde er niet op in. Die zwenkte tussen de brancards en majoor Aarssen heen en weer.

Alles bij elkaar rolden er zes brancards tot onder aan de trap, waar een commando het hoofdeind pakte en achteruit de buik van het vliegtuig in klauterde, terwijl een collega het voeteneind droeg. Er was geen gevaar dat de lijven eraf schoven; ze waren zo stevig vastgesjord dat ze, net als de doden in Selangor, rechtop hadden kunnen staan.

Tussen de mummies meende ik een deel van het gezicht van Eugene Victor te herkennen. Een vlam van woede sloeg door me heen. Er kwam een waas voor mijn ogen. Ik schudde mijn hoofd en wreef in mijn ogen om tot bedaren te komen.

'Wat is er, Dismas?' vroeg Bogodisiba ongerust.

'Ik zag Eugene Victor.' De Neushoorn had me gevloerd. Ik wilde niet meer kijken. Ik wilde naar buiten: wandelen, naar bomen kijken, naar de muziek van vogels en vliegtuigen luisteren. Eugene Victor was geen wapensmokkelaar of drugsdealer; hij was gewoon het slachtoffer van een vergissing of een complot.

'Hoe weet je dat zo zeker?'

'Hij was het. Ik ken hem goed.'

'Het spijt me.'

'Jij kunt er niets aan doen.'

De rest van de ceremonie verliep volgens plan. De vlucht was verlaat, wat niet ongewoon was, want de lucht krioelde van vertraagde vliegtuigen.

Ik zette mijn beste vriend uit en er viel een diepe stilte, die ons de ruimte gaf om met onze eigen gedachten te worstelen. Behoorden de drie vrouwen in Aarssenpak tot Bogodisiba's groep? Zaten er bekenden van haar bij? En waar was de rest?

Ik overwoog Lisa June te bellen om uit te vinden of zij Eugene Victor ook had gezien. Ze moest het weten, hoe dan ook.

Ondertussen stelde ik voor wat te gaan wandelen. Bogodisiba wees het zwijgend, met een kort hoofdschudden af.

De telefoon begon zo hard te rinkelen dat ik ervan schrok. Bogodisiba zoog op haar tanden. Ik keek de andere kant op en wachtte af tot de beller begon te spreken.

'Meneer Dismas.'

'Hallo.'

'Heb je het programma gezien?'

'Ja.'

'Ik geloof dat ik Victor heb gezien.'

'Dat kan niet.'

'Hij was een van die mummies.'

'Dat heb ik absoluut niet gezien, en ik mag hopen dat hij daar niet bij was. Dat kan toch niet? Hij is een ingezetene van dit land.' Met enig genoegen dikte ik het aan, speelde ik de vermoorde onschuld, iets dat westerse burgers tot kunstvorm hadden verheven. Ik deed ook de bijpassende stem, waarvan zelfs ik vond dat het een beetje te ver ging. Bogodisiba trok haar wenkbrauwen in stil protest op.

'Ja, hij was er wel bij. Ik ken mijn Victor.' Lisa June Kam, zoals ik nu aan haar dacht, was heel kalm.

'Het spijt me erg. Eugene Victor...'

'Ik ga die videoband aan RTL 55 geven. Ik hoop dat het helpt.'

'Dat lijkt me een goed idee. Heb je de advocaat gebeld?'

'Die ga ik nu bellen. Ik wilde het jou alleen even laten weten.'

'Ik wens je veel succes. Als je hulp nodig hebt...'

'Ze hebben Victor meegenomen, vastgebonden als een...'

Ik had gehoopt dat Lisa June zich flink zou houden, maar haar stem was nat van tranen, haar ademhaling gejaagd en haar zinnen liepen hortend als op verwrongen spoorrails. De angst voor een leven zonder Eugene Victor met de rekeningen, de buren en het lege huis, moest fenomenaal zijn.

Ik toonde het povere medeleven dat ik kon opbrengen, kwam met de afgezaagde woorden die mensen in zulke omstandigheden opdissen en geleidelijk aan hervond Lisa June haar zelfbeheersing. Tegen de tijd dat ze ophing klonk ze een stuk beter.

Ik overwoog Amidakan te bellen, maar ik wilde niet bij roddels over Eugene Victor betrokken raken of partij kiezen, wat in dergelijke omstandigheden moeilijk te vermijden was. Ik zou het naar vinden als ik een zweem van zelfvoldaanheid of zelfrechtvaardiging in Amidakans woorden zou bespeuren. Zwijgen was beter.

's Avonds zond RTL 55 flitsen uit van de reportages die ze in de Gouden Cloaca en het cellenblok hadden gemaakt. Het was een chaos van schreeuwende commando's die de geëscorteerden sloegen en meetrokken. Het opmerkelijke was dat zoveel geweld geen indruk meer maakte. We waren verdoofd door Sam Matete, de halfnaakte vrouw en de brancards.

De volgende dag werden de namen vrijgegeven van de geëscorteerden, waaronder Eugene Victor, die in het ziekenhuis lag te herstellen van de nawerking van de kalmeringsmiddelen die hem waren ingespoten. Diezelfde dag zond RTL 55 de Victor-video uit, zoals die inmiddels werd genoemd. Het werd een hit bij mensenrechtenactivisten, linkse televisiestations en anderen die met de regeringshonden om een brok macht vochten.

Lisa June werd een ster die in televisiestudio's werd uitgenodigd om haar visie op het gebeurde te geven of de kijker van commentaar bij de grimmige beelden te voorzien. Ik kreeg zo'n vermoeden dat haar uiterlijk daar erg bij hielp. Dat was te zien aan de manier waarop ze werd gefilmd. De camera bleef nogal eens bij haar gezicht en lichaam stilstaan. Het Lisa-loopje werd uitgebreid in beeld gebracht. Ze droeg haar rode blouse, witte spijkerbroek en Texaanse laarzen, die haar handelsmerk werden.

Vrouwengroepen namen haar onder hun hoede, want door haar broodmagere gestalte zag ze er behoeftiger uit dan ze was. Ze nodigden haar uit voor praatprogramma's en informele bijeenkomsten. Haar interviews en foto's werden breed uitgemeten in vrouwenbladen die hongerden naar een ster, vooral een uit de minderheden, om te laten zien dat ze niet aan rassendiscriminatie deden.

Ik zag haar twee keer op de televisie, waar de studiolampen haar gezicht nog magerder, bijna wanhopig maakten. Ze gebruikte haar glimlach en haar prachtige stem om de aandacht te richten op wat ze maar wilde. Haar was duidelijk aangeraden niet bitter te klinken, wat de vrouwen uit de hogere middenklasse met macht en invloed zou aanspreken.

Nadat Eugene Victor vier dagen in het ziekenhuis had doorgebracht, stond zijn naam in het geheugen van allerlei actiegroepen en belangenorganisaties gegrift. Zijn partijvoorzitter speelde op de hype in, ging bij hem op bezoek en had tegenover de pers alleen lovende woorden voor hem. Zijn foto verscheen in bijna alle kranten.

'Ik vond het heerlijk,' zei Eugene Victor toen we elkaar zagen nadat hij uit het ziekenhuis was. 'Ik had niet voor niets twaalfduizend kilometer in mijn eigen stront gelegen. Ik wist dat het mijn weg naar het Parlementscomplex effende. Ze hebben me een nieuwe identiteit en naamsbekendheid opgeleverd.'

'Op naar de poorten van het Complex in een spoor van stront.' Ik kon het niet laten hem te stangen.

'Het was niet leuk, maar er zal wel een reden voor zijn geweest.'

Ik stond versteld van zijn kalmte. Twaalfduizend kilometer stronthete hel en hij sprak erover alsof het iemand anders was overkomen! Ik had verwacht dat hij razend zou zijn, ophef zou maken, zich beledigd zou voelen door de schending van zijn rechten, maar hij sprak alsof hij niet wist wat zijn rechten waren.

'Die lui willen ons in vakjes stoppen. Ik weiger in hun vakje te passen.'

Toen hij door de televisie werd uitgenodigd om voor de camera een rondleiding door zijn huis te geven, uit te leggen wat hij deed, wat hij voelde toen hij werd gearresteerd, deed hij dat op de kalme, bedachtzame toon van een doorgewinterd politicus of acteur. Ik vroeg me af of Lisa June en haar adviseurs er de hand in hadden gehad, maar nam niet de moeite het te checken. Misschien was hij de dingen pragmatischer gaan bekijken door in zijn stront te liggen. Het viel me op dat zijn Amerikaanse accent zo goed als verdwenen was. Hij sprak nu als een Afrikaan die zijn afkomst juist wilde benadrukken. Tot mijn grote genoegen zong hij niet langer om de haverklap het woord 'mén.' Er vielen stiltes aan het eind van zijn zinnen. Daardoor ontstond de indruk dat hij wijzer was geworden, steeds op het punt stond een nieuw idee te verwoorden.

'Ik ben nu een ander mens,' bekende hij toen ik ernaar vroeg. 'Ik ben wie ik ben.'

'Ga je je naam weer in Boeziga veranderen?'

'Weet je hoeveel het kost om je naam te veranderen?'

'Vertel eens wat er is gebeurd na je arrestatie.'

'Ik vind het moeilijk om erover te praten.'

Het was lekker weer en we zaten op het terras van een restaurant in Haarlem. Eugene Victor zweeg een hele tijd. Het was of hij opgesloten zat in een luchtbel, die steeds verder van me af zweefde. Ik wachtte geduldig; ik was niet van plan hem te laten gaan.

Hij wreef zijn handen tegen elkaar, floot en begon te praten. 'Ik had op de zaak een normale dag achter de rug. We hadden een hoop computers verkocht en ik ging in een goede bui naar huis, had zin om op de tennisbaan wat meppen uit te delen. Terwijl ik mijn spullen aan het pakken was hoorde ik de bel en toen ik beneden kwam zag ik die kerels. Ik schrok, maar omdat ik niets te verbergen had probeerde ik met ze te praten. Ik herinner me weinig van wat er is gebeurd nadat ze me gevloerd hadden.

Toen we in de luchthavengevangenis aankwamen, werd ik overgedragen aan twee commando's, die me bevalen hen te volgen. Ze namen me mee naar een kamertje, lazen de huisregels voor, waarschuwden dat ik me moest gedragen, deden mijn handboeien af, waarna ik mijn zakken moest legen en mijn tennisschoenen uittrekken. Ze brachten me naar een doucheruimte, waar ik me helemaal moest uitkleden. Ze pakten mijn kleren met handschoenen aan, alsof er drek aan zat. Ze onderzochten mijn mond met een rubber spatel die bitter op mijn tong proefde. Ze schenen met een lampje tot diep in mijn keel, zeker om te zien of ik daar geen drugs of scheermesjes had verstopt. Ik moest bukken en mijn billen ver uit elkaar trekken, zodat een commando zijn vinger in me kon steken om te controleren of ik geen geld, drugs of wapens in mijn reet had. Een keer of tien moest ik staan, hurken en hoesten, staan, hurken en hoesten, om te zien of ik werkelijk niets in mijn maag had.

Daarna moest ik een douche nemen, terwijl zij de ingang bewaakten alsof ik vluchtgevaarlijk was. Ze gaven me een handdoek en witte gevangeniskleren met een elektronische naamchip op de borstzak. Ze brachten me weer naar een kamer waar ze een röntgenfoto van mijn maag en afdrukken van al mijn vingers namen. Ze begeleidden me naar mijn cel met een bed, toilet, cameralens, rookdetectors en andere apparaatjes die ik niet thuis kon brengen. Het licht bleef de hele nacht aan. Om de twaalf uur werd ik van top tot teen gefouilleerd. Voor het eerst van mijn leven wilde ik iemand vermoorden, met mijn blote handen, langzaam en pijnlijk.'

'Jij ook al, Eugene Victor,' zei ik berispend.

'Ja, ik,' zei hij en keek me woedend aan, alsof ik een commando was. 'Met deze handen. Ik werd bijna gek. Alles wat ze me eerder hadden aangedaan kwam weer boven. Ik wilde dat ik naar Amerika was gegaan. Ik bedacht hoe hard ik had geploeterd voor een beetje respect. De twaalf-urige werkdagen op de zaak en al die cursussen om bij te blijven. Ik was het zat. Ik had

elk gevoel van schaamte verloren. Het kon me niet meer schelen wat iemand van me dacht. Op dat moment besefte ik dat ik
een ander mens was geworden.'

Hij zuchtte diep en ontweek mijn blik. 'Op de grote dag
werden we heel vroeg gewekt, gefouilleerd, naar de douches en
weer terug naar onze cellen gebracht. Voor elke cel stond een
bewaker, die je bevel gaf je uit te kleden, plastic ondergoed en
het Aarssenpak aan te trekken. Sam Matete moet een hartaanval
hebben gesimuleerd, zijn bewaker naar binnen hebben gelokt
en langs hem heen zijn geglipt om zijn paar minuten roem op te
eisen. Ik hoorde een vrouw krijsen alsof ze verschrikkelijke
buikkramp had. Toen haar bewaker ging kijken, schopte ze
hem in zijn ballen en probeerde te ontsnappen, maar kreeg eerst
een zware dreun in haar maag. Ze zat al drie maanden vast onder bedreiging dat haar kind van haar zou worden afgenomen.

Na die twee gevallen kregen we allemaal drie commando's,
die ons tegen de grond drukten, kalmeringsmiddelen inspoten
en met tape omwonden voor de lange reis. Ik heb het hele stuk
naar Naïrobi geslapen en werd wakker toen we aan de landing
begonnen. Mijn billen brandden van de aangekoekte stront. Ik
hoorde stemmen. Ik hoorde het bonzen van de wielen. Ik
hoorde geschreeuw en gegil. Ik hoorde zenuwachtige activi-
teit, maar kon niets zien of zeggen. Ze reden ons op brancards
het luchthavengebouw in en daar weigerden de Kenianen me
de toegang. Ze wilden me niet hebben. Ik werd teruggebracht
naar het vliegtuig. Voor de terugreis spoten ze me weer plat en
ik werd pas een paar dagen later wakker.'

Ik schudde vol medeleven mijn hoofd. Ik mocht de nieuwe
Eugene Victor wel. Al viel nog te bezien wat hij zou doen wanneer zijn dromen uitkwamen.

De Neushoorn verscheen iedere dag op de televisie. Anders

dan zijn afgezanten was hem de vernedering van kots op zijn schoenen bespaard gebleven en hij denderde onbehouwen als altijd over elke kritiek heen. Hij noemde de operatie een onverdeeld succes en zei dat Sam Matete en Ajia Lagoeti uitzonderingen waren die de regel bevestigden. Voor mij werd kijken tijdverspilling. Met Blaatpan en het land achter zich was de Neushoorn onaantastbaar. Zo mogelijk hadden de sensatiefoto's van Sam Matete en Ajia Lagoeti in veel kranten en de uitzending van de Victor-video de positie van de regering alleen maar versterkt. De boodschap was dat ze tegenover uiterst wanhopige individuen stond en alle inzet nodig had die ze kon mobiliseren.

De enige die de Neushoorn zenuwachtig kon maken was de advocaat van Eugene Victor. Hij had een goede zaak, want Eugene Victor was ten onrechte gearresteerd. Door een bureaucratische vergissing was zijn naam in het dossier 'Bestemming onbekend' blijven zitten. Dat dossier bevatte de namen van proteïnezoekers die om een of andere reden spoorloos waren verdwenen. Het was een handig instrument, want men kon er een teveel aan aanvragers tijdelijk in wegmoffelen om de oerconservatieve vleugel te sussen, als die moord en brand schreeuwde in de begrotingstijd. Om een duistere reden was Eugene Victors naam in dat dossier blijven zitten en het ministerie van Justitie moest zich verantwoorden.

'Ik heb geen belang bij een rechtszaak,' vertelde Eugene Victor me aan de telefoon. 'Ik wil een deal. In ruil voor het intrekken van de aanklacht wil ik een zetel in een van de partijcommissies.'

'Krijg je die?'

'De voorzitter heeft dat liever dan een proces.'

'Veel succes.'

De vrouwen van Bogodisiba hadden geen onderhandelingstroef en stonden op de nominatie voor de volgende vlucht. Dat was al bevestigd. Dit keer zou er geen televisie bij zijn. De democratie werkte voortaan achter gesloten deuren. Dat maakte Bogodisiba nog ongelukkiger.

'Waarom juist die vrouwen?' vroeg ik ten slotte omdat ik niet begreep waarom ze zich zo aan deze groep hechtte, terwijl ze er al zoveel had zien gaan.

'Ik weet het niet.'

'Maar waarom nu?'

'Kun jij alles uitleggen? Het leven zit niet logisch in elkaar.'

Ik werd steeds ongeruster. Het leek wel of iedereen veranderde. Waarom? Door Operatie Stalen Kaken? Hing er iets in de lucht? Ik begon me steeds onbehaaglijker te voelen. Mijn rusteloosheid zorgde, samen met Bogodisiba's gevoel van nutteloosheid, voor een geladen sfeer. De worm van de wanhoop vrat aan Bogodisiba. Ze had iets dramatisch nodig om van zichzelf los te komen. Kennelijk gold dat voor mij ook. We zaten vast in een lijmtrog, waar het voornemen om een voet op te tillen en te verzetten al bijna te veel energie kostte om het te proberen. Toch moest het gebeuren.

Op een avond werd ik door mijn tante gebeld. De Schildpad lag in coma en was al vier dagen buiten kennis. Ik was een tijdje stil en stelde me het leven zonder haar schuttingtaal en fratsen voor. Ik voelde me opeens heel eenzaam, van mijn anker geslagen, een overblijfsel uit een vergeten tijdperk. Ik kreeg enorme hoofdpijn, voelde pijn in mijn borst en een gat in mijn leven.

Ik kon mijn tante niets zinnigs zeggen, het waren voornamelijk gemeenplaatsen: dat de Schildpad wel weer bij zou komen en als vanouds haar scherpe tong zou roeren, dat ze zich geen zorgen moest maken en flink moest zijn. Het hielp tante niet, ik hoorde het aan haar gesnif. Wat ik gedurende dit hele gesprek voor me zag was niet het gezicht van de Schildpad, maar waren de koffiebomen met de glanzende bladeren, de witte bloemen, de rode rijpe bonen. Stuk voor stuk verdorden en stierven de bomen.

Het telefoontje liet me in verwarring achter. Ik fietste naar het Wierookhuis om het Bogodisiba te vertellen, en ze deed iets wat ze zelden deed. Ze haalde een oude gitaar uit de koffer onder haar bed en speelde 'Many Rivers to Cross' voor me. Ze stopte de gitaar weg zodra het lied uit was. We bleven uren op om haar keuken vol vuile vaat uit te mesten en haar vloer te schrobben. Ik poetste haar toilet tot de porseleinen pot blonk als mijn troon. Ik was blij met al dat werk en de slaap die erop volgde.

De afwezigheid van de Schildpad bracht een gevoel van urgentie in mijn leven. Ik besteedde veel tijd aan lezen en denken over de betekenis van kunst. Ik kwam tot de slotsom dat de godin Bacterie de grootste kunstenaar was die ooit had bestaan, onvermoeibaar in haar streven haar scheppingen te vernietigen en te vervolmaken. De Schildpad was deel geworden van haar afbraakproject en ik was bang dat ik daarna aan de beurt zou zijn.

Ik ontdekte dat orde de alfa en omega van de kunst was, niet de sierlijke penseelstreek of het weergeven van gezichten, landschappen en voorwerpen. Ik moest mijn orde opleggen aan mijn artistieke onderwerpen of slachtoffers. Wat voor materiaal had ik voorhanden? Hopen al te vluchtige stront. Ik ontdekte dat misdaad voor de kunst is wat wreedheid is voor de politiek: het kloppende hart van het beest. Welke misdaad kon ik in naam van de kunst begaan?

Ik besefte ineens dat de Blonde Baretten ook betrokken waren bij een kunstproject. Wat konden ze mensen als Bogodisiba aan het piepen en het denken krijgen! Voor hun moeite hadden ze van de media een tik op de vingers en van de overheid nog meer bevoegdheden gekregen. De Neushoorn was ook een kunstenaar. Die vertegenwoordigde pas een strenge orde! Blaatpan was de leider van de kunstbende. Hij liet de zweep flink knallen en het volk dansen! Sam Matete, die uit het ziekenhuis was ontsnapt en was ondergedoken, was ook druk met zijn kunst bezig.

Toen Bogodisiba me kwam troosten, zag ik dat ze bereid was slachtoffer van mijn kunst te worden, want de wereld van de kunst was een wereld van opoffering. De kunst offerde de kunstenaar op en op zijn beurt offerde de kunstenaar anderen op zijn altaar.

Ik zag mezelf op een plek die ontdaan was van alle luxe, behalve mijn boeken en meer tijd om mijn yoga te vervolmaken. De oude yogi's stonden drie uur per dag op hun hoofd. Dat wilde ik ook proberen. Diezelfde yogi's brachten dagen in de boomstand door, balancerend op één been. Na een periode van afzondering zag ik mezelf in de wereld terugkeren als een goeroe die yogales gaf, impotentie en reumatiek genas en ook stijfheid, de grootste kwaal in Pingeland.

Uit de dichte mist van dagen die volgden, af en toe doorbroken door telefoontjes van Eugene Victor die me uitnodigde voor een feest ter ere van zijn benoeming in de commissie Interraciale Betrekkingen van de Conservatieve Partij in Haarlem, dook professor Best weer op.

Hij had de magische leeftijd van zeventig bereikt, en reeds gewend aan de heiligverklaring van Bema en de bekroningsplechtigheden van Rekken Trent, greep het land dit excuus aan om iets te vieren. Professor Best werd bedolven onder eerbetuigingen. De koningin verhief hem tot Commandeur, de meest exclusieve ridderorde. Een van de grootste kranten riep hem uit tot 'nationaal juweel'. Die term was uit Amerika overgewaaid en werd al gauw door de meeste kranten gebezigd. Er verschenen lange artikelen in alle dagbladen en uitklapplaten in tijdschriften. Ze brachten zijn gezicht met de levervlekken, de waterige oogjes en de donkerbruine tanden zo verlekkerd dat het bijna uitgelegd kon worden als een aanval op de allesoverheersende jeugdcultuur.

De televisie was vriendelijker: kunstzinnige grimeurs wisten zijn aftakeling fantastisch te verdoezelen. Hij deed me denken aan keizer Augustus, die zelfs toen hij een lelijke oude man met rotte tandjes was, afbeeldingen van zichzelf als jongeman de wereld in stuurde. Duizenden foto's van professor Best in vroeger tijden werden gepubliceerd als beeldverhaal van zijn opgang naar de wereldelite, waarmee een beroemdheidscultuur werd aangewakkerd die in de buurt van zijn Amerikaanse moeder probeerde te komen.

Als professor Best in *Eliteklas* of een ander praatprogramma optrad, was de onderdanigheid van de presentatoren gênant om te zien. Die drang om lof te tuiten! Die drang om niet de kwaaie pier te zijn! Die drang om kijkers te trekken door te doen wat iedereen deed! Door de wildgroei van stations keek ieder deel van de samenleving naar zijn eigen net. Professor Best, die iedereen aansprak, was op allemaal te zien.

Het toeval wilde dat tegen het eind van de feestelijkheden de herdenkingsdag plaatsvond voor de slachtoffers van de Regelaar, het beroemdste, wetenschappelijk ontwikkelde biologisch-etnische wapen. Het was een geweldige gelegenheid om geld in te zamelen. Bedelarij was een gigantische industrie in de Verenigde Staten van Europa, met grootmeesters en adviseurs die bedrijven en hulporganisaties de kneepjes bijbrachten om zowel geld van de overheid als van een cynisch publiek binnen te halen. In dit miljardenbedrijf stonden hulporganisaties voor arme landen en volken zonder wereldinvloed onder aan de ladder en kregen het etiket 'bedelaar' opgeplakt. Dat deed pijn, maar niet al te veel, want ze zaten in een gouden kooi.

De organisaties die van de Regelaar leefden gingen met ongekende agressie te werk omdat ze met de apotheose van professor Best hun kans schoon zagen een paar van de dingen die hij had gezegd of gezegd zou hebben te verdraaien ten behoeve van de broodnodige publiciteit. Het was een volle leeuwenkuil en de leeuw die het hardst brulde kreeg de vetste kluiven. Ze huurden gigantische billboards, afficheerden in alle steden en maakten televisiespotjes die allemaal dezelfde boodschap uitschreeuwden: STOP DE REGELAAR. NU. Het was een boodschap die door zijn ernst en zijn blindheid voor realpolitik bijna lachwekkend was. Ik zou erom hebben gelachen als ik niet zelf een lijfeigene was geweest.

Ze hadden succes in de bedrijvensector. Het was sexy om donor te zijn. Het streelde het ego en kweekte goodwill voor de onderneming. Het kon de algemeen directeur zelfs een koninklijke onderscheiding opleveren. Het aantrekkelijke donorspel was een trend die door het IMF en de Wereldbank was ingezet toen ze Europa kort na de Tweede Wereldoorlog hadden overgenomen. De vroegere begunstigden hadden het nu vervolmaakt en gebruikten het om regeringen in de derde wereld met strategische hulp in het gareel te houden. Tijdens de jaren tachtig, toen de grondstoffenmarkten werden afgebroken, waardoor bedrijven en hun regeringen grotere macht over de derde wereld kregen, werd donatie een populair instrument, een aanvulling op de zogeheten Koude Oorlog. De strijd tegen de Regelaar, een product van die oorlog, viel goed bij bedrijven en individuen die sexy wilden overkomen.

De zaak van de bedelaars kreeg een enorme stimulans toen een tv-interviewer het boek van Pingelands vuilspuiter nummer één had opgediept en professor Best vroeg of het niet misdadig was om de verspreiding van epidemieën aan de aap te wijten, terwijl het de wetenschappers waren die tientallen miljoenen primaten hadden afgeslacht om een Nobelprijs in de wacht te slepen.

'Ik ben hier niet om vraagtekens te zetten bij de wetenschappelijke orthodoxie,' antwoordde de professor met de grandeur die vergrijsde politici en generaals zo eigen is.

'Waarom weigert u de auteur te ontmoeten die u heeft beschuldigd van medeplichtigheid aan de verspreiding van de Regelaar? Behalve dat u er uw naam mee zuivert zou het geweldige televisie opleveren.'

'Op dit punt in mijn leven heb ik geen tijd voor puberale wetenschappers die hun gram willen halen en niet de verschuldigde dankbaarheid tonen jegens de wetenschap en de westerse wereld, die zo goed voor hen zijn geweest.'

'Maar u wilt uw naam toch wel van zo'n smet zuiveren?'

'Als ik op al mijn critici moest reageren, zou ik geen tijd hebben gehad om zo succesvol te zijn in wat ik doe.'

'Wilt u als 's lands grootste wetenschapper geen smetteloze erfenis nalaten?'

'De Regelaar is maar een van de vele ziekten in de arme landen. Die volken bezitten buitengewone veerkracht; ze hebben geleerd ermee te leven. Ik kan mijn tijd niet met zulke zaken verdoen wanneer het nationale belang verdedigd moet worden.'

'Maar als iemand uit die contreien ervan werd beschuldigd hier een epidemie te verspreiden, zou u dan niet de eerste zijn om dat te onderzoeken en aan te pakken?'

'Uiteraard. Ik word door de bevolking van dit fantastische land betaald en ik ben alleen verantwoordelijk voor hen.'

'Hoe ziet u de rol die u in de afgelopen decennia heeft gespeeld?'

'Ik ben er heel trots op dat ik aan de opbouw van het grootste imperium in de geschiedenis heb meegeholpen. Ik herinner u eraan dat ik de Romeinen altijd als de grootsten heb beschouwd. We hebben ze nu op alle terreinen overtroffen: militair, technologisch, biomedisch, juridisch, politiek enzovoort, enzovoort. Net als George Bush, zal ik me nooit verontschuldigen voor mijn bijdrage, wat de linkse windbuilen ook mogen zeggen. Wij hebben een nobel imperium. We betalen al onze schulden. We hebben het leed uitgebannen, want als mensen het tegenwoordig over leed of onrecht hebben, dan zijn ze uit op compensatie. Wij zijn kampioen in het compenseren, want we willen met niemand ruzie. Zo loopt onze steun aan landen die door de Regelaar worden geterroriseerd op tot vijftig procent van hun jaarbegroting. Geen enkel rijk is ooit zo gul geweest. En wat hebben de Russen gedaan? Die hebben nooit één schuld afbetaald. Dat maakt me zo trots op wie we zijn en wat we hebben gedaan.'

'Maar toch niet alles is te koop?'

'Ik zou niet weten wat niet. Zelfs in uw geliefde Rusland.'

Dat lokte grote verontwaardiging en de geijkte paneldiscussies uit, die professor Best met een schouderophalen afdeed.

Ik was er door dit alles nog meer op gebrand de man te ontmoeten. Ik vertelde Bogodisiba niet van mijn plan om bij hem op bezoek te gaan. Ik kon me de spotternij voorstellen waarmee ze zo'n verlate heldenverering zou overladen.

Ik koos een kleine tas uit de chaos van tassen op mijn bed en pakte een paar boeken in. Ik kocht een donkergrijs pak en hing dat uit op de rechte stoel waarop Zandberg altijd ging zitten. Ik keek er graag naar, want het was als een voertuig dat klaar stond om me mee te nemen op een langverhoopte reis.

Bogodisiba merkte dat er iets in de lucht hing, maar ze kon er de vinger niet op leggen. En ik wilde haar ook niet helpen. Ik jokte toen ze over het pak begon.

'Voor het feest van Eugene Victor. Hij gaat een groot feest geven. Ik kan niet wegblijven, ook al zou ik willen.'

'Lieg niet tegen me, Dismas.'

'Heb ik ooit tegen je gelogen, lief?'

'Ik heb je nog nooit een pak zien dragen. Waar is dat voor?'

'Het feest, ma. Dat is het enige. En jij bent ook uitgenodigd.'

'Ik klink niet met toekomstige conservatieve parlementsleden.'

'Ik kan je geen ongelijk geven.'

'Breng jezelf niet in moeilijkheden waar je niet meer uitkomt.'

'Op mijn vijftigste kies ik zelf mijn oorlogen, in plaats van me door anderen in moeilijkheden te laten brengen, oma.'

'Noem me geen oma, Dismas. Dat doe je altijd wanneer je me voor de gek wilt houden of af wilt leiden.'

'Nu de Schildpad dood is, benoem ik jou tot haar erfgename. Zo gaat dat in Afrika.'

'In plaats van me te vertellen wat er aan de hand is, maak je me de opvolgster van een vrouw die ik nooit heb ontmoet!'

'Ja, en binnenkort ben je even berucht.'

'Ik geef het op.'

De feestvreugde om professor Bests zeventigste verjaardag was nog niet geluwd. Er kwamen video's uit waarin de cruciale momenten uit zijn leven werden belicht. Er waren lofdichten geschreven door beroemde bewonderaars en vooraanstaande partijleden. Er werd een selectie uit zijn artikelen en beschouwingen gebundeld in een prachtig paarse band met gouden opdruk. Zijn publiciteitsteam had een grote lezingentournee georganiseerd, die totaal uitverkocht was.

Ik keek uit naar een hernieuwd bezoek aan zijn huis met de eendenvijver, het fantastische uitzicht en de stilte. Ik herinnerde me nog de lichte tabaksgeur in zijn studeerkamer. Het zou de ideale plek zijn om hem te ontmoeten, na het eten, met een glas wijn in zijn buik en mooie gedachten in zijn hoofd. Ver van de journalisten, lofzangers en bewonderende blikken. De huiselijke man, die het grootste plezier beleefde aan boeken, dure snuisterijen, de aanblik van zijn beroemde bunsenbrander en de krachtige microscoop. Hij was inderdaad iemand die zich in veel werelden thuis voelde: de aardse wereld van de politiek en de geheimzinnige wereld van de micro-organismen.

Voor onze ontmoeting koos ik een dag waarop hij een lezing in een naburige stad gaf. Ik maakte me geen zorgen over sloten, want ik had de alarmontregelaar en de deuropener nog die ik na ons eerste bezoek van Zandberg had gekregen. Ik leende een witte Volvo van een oud echtpaar uit de buurt van de Rectumtempel en reed voorzichtig. Ik kwam veilig en wel aan en parkeerde honderd meter van het huis van de professor. Het liep tegen elven, de wegen waren verlaten, iedereen was thuis. Het was heerlijk om de stille lucht in te ademen en te genieten van de rust om me heen.

Ik liep naar het huis van de grote man, keek door het raam en zag dat hij alleen in zijn studeerkamer zat. Het was een genot om naar die houten vloer te kijken, die glom als een spiegel waarop plassen van licht lagen.

Professor Best droeg een wit T-shirt, een grijze katoenen broek en had zijden slippers aan zijn voeten. Hij rookte een houten pijp met de kromste kop die ik ooit had gezien. Hij zag dat ik de achterdeur openmaakte en zijn heilige der heiligen binnen ging, maar hij zei niets.

Door zijn kalmte, die aan berusting grensde, bedacht ik dat zijn lieve vrouw misschien dromen had uitgebroed waarvan ik de belichaming was. Ik herinnerde me dat het leven van de Romeinse keizers beheerst werd door zieners en voortekenen. Het zwaard van deze ridder kwam af en toe misschien met het irrationele in aanraking via de beelden die zijn vrouw in haar slaap zag, die hij meestal weglachte, een enkele keer rechtvaardigde en haar vergaf. Veertig jaar huwelijk vereiste een evenwicht van vele krachten; rationaliteit alleen kon twee mensen niet zo lang bij elkaar houden. In elk geval bleef professor Best kalm, en hij deed me denken aan de schoolmeester uit het begin van mijn brandstichtingscampagne.

'Kan ik u helpen?' Een kille bureaucratenstem.

'Misschien,' antwoordde ik, en vergat in mijn groeiende opwinding de toespraak die ik had ingestudeerd. Ik bevond me in de aanwezigheid van een van Gods engelen. Ik keek naar de microscoop, de banier van de uitverkorene, me bewust van zijn geweldige macht.

'Wat kan ik voor u doen?'

'Vraag wat ik voor u kan doen.'

'Wat kunt u voor mij doen?' Er gloeide even een pretlichtje in zijn ogen op.

'Gelooft u dat de Regelaar de wraak van de aap is voor de miljoenen die bij wetenschappelijke experimenten zijn vermoord?'

'Ik weet niet of ik u kan volgen.'

Ik luisterde scherp of hij geen codewoorden gebruikte om stemgestuurde apparatuur in werking te stellen die de onderneming zou kunnen torpederen. Het was een beetje paranoïde van me, want de meeste politici leefden nog in een natuurlijke staat en waren nieuwelingen in de wereld van de persoonsbewaking. Als Rekken Trent tijdens zijn dutje door Zandberg en de nauwelijks bekende Bomplanten verrast kon worden, bewees dat hoe slaperig deze honden waren.

'Toen u minister van Gezondheid was heeft u de levens van veel dieren, zowel wilde als menselijke, opgeofferd. Dat gaf niet omdat u vrijstelling van God had.'

'Ik begrijp het niet.'

'Werkelijk niet?'

'Wilt u niet gaan zitten?' Met zijn ogen op mij gericht stak hij zijn pijp opnieuw aan.

'U wordt de kampioen van de vrije meningsuiting genoemd. Wat een oplichterij! U zegt alleen wat u van God mag zeggen. U bent een goede engel. Ik weet zeker dat de Almachtige blij is met uw uitleg dat ontwikkelingshulp niets anders is dan compensatie voor de slachtoffers van de Regelaar en andere experimenten.'

'Kan ik u iets te drinken aanbieden?'

'Toen ik nog bij de politie zat heb ik twee kleine misdadigers doodgeschoten. Om het laatste restje schuld uit te wissen droomde ik ervan één grote vis te vangen. Er zijn geen grotere dan u, de manipulator van bacteriën en virussen.'

Hij bleef beheerst, als iemand die verwacht dat hogere machten hem zullen redden. Ik wilde niet dat iemand ook maar een vinger uitstak om ons te storen. Ik wilde mijn missie voltooien en wegwezen. 'Van bacterie tot bacterie,' zei ik plechtig, terwijl ik over mijn hele lichaam kippenvel kreeg.

'Ik…'

De vier meter die ons scheidden zinderden van onze strak beteugelde gevoelens. Ik voelde geen enkele haat. Kunst vereist distillatie en mijn woede en haat waren overgeheveld zodat er een zuiver maar koud extract was achtergebleven. Ik was kleiner en sneller. Het probleem van de meeste vooraanstaande politici is dat ze bijna nooit conditie hebben, ze spelen voor de ca-

340

mera een symbolisch partijtje squash, drinken en roken alsof ze een lichaam van staal hebben en vergeten dat gezondheid voor je veertigste een geschenk en daarna een dure lening is.

In mijn tas zat een mes, tien centimeter roestvrij staal, dat zijn doel net onder de navel trof, waar de vitale energie van een man huist. De kille rationaliteit van het staal doorboorde de zetel van mystieke energie en de oerbron van de godin Bacterie. De pijp van professor Best kletterde op de grond, zijn lange armen klauwden in mijn rug, zijn braaksel bevochtigde mijn nek.

Het was een heel intieme omhelzing, zoals ik met mijn vader of oom nooit had meegemaakt. Hij wilde kennelijk dat ik hem droeg. Dat deed ik, terwijl ik naar de kronkelzinnen van zijn anus luisterde en de stank van zijn stront en urine in me opnam. Hij werd per seconde zwaarder. Ik hield hem zorgzaam vast, absorbeerde zijn kracht, zorgde dat hij niet viel en zijn hoofd zou bezeren. Ik legde hem op de glanzende vloer en keek hoe hij die bevlekte met het vuil waar dokters van leven. Ik was blij dat hij, afgezien van wat gesis, geen enkel geluid maakte, alsof hij onze ontmoeting liever intiem wilde houden.

Veel van zijn energie was in mij overgegaan. Ik had een flinke erectie, zoals piloten krijgen als ze dorpen plat bombarderen. Als ik homoseksueel was, zou dit het moment zijn geweest om mijn lid te masseren en op zijn gezicht te ejaculeren, zodat iets van mijn zaad in zijn keel terecht kwam. Jammer genoeg was dit een steriele erectie, verstoken van zinnelijk genot. Ik liet hem wegtrekken terwijl ik in de dovende ogen van de professor keek. Zijn lippen bewogen, alsof hij me een geheim wilde vertellen.

Ik veegde het mes niet schoon. Ik stopte het in een plastic tas waarin een paar dagen geleden tomaten en knoflook hadden gezeten. Ik wilde de politieagenten van Eugene Victor vele manuren speurwerk besparen. Misschien beroofde ik RTL55 van de gelegenheid om wereldnieuws te scoren, maar ik koos de kant van de politie.

Het werd tijd om professor Best met zijn stront en braaksel alleen te laten. Misschien zou iemand een ziekenwagen bellen. Er was een grote kans dat hij zou blijven leven. De chirurgen zouden de schade makkelijk kunnen herstellen. Al zouden ze moeite hebben met de blaas.

Toen ik weg wilde lopen, schoot me te binnen dat de professor mijn naam niet had gevraagd. En omdat zijn lippen nog steeds bewogen, veronderstelde ik dat hij daar naar vroeg.

'Ze noemen me de Hollander, de zoon van de Godsdoder,' zei ik, terwijl ik me naar zijn oor boog en bedacht dat mijn vader 'de Fransman' werd genoemd vanwege zijn daden in de oorlog. De professor leefde nog. Hij kon nog worden gered. Kunstmisdaden hoefden niet altijd op de dood uit te lopen. Geveinsde dood was even goed. De hoop op een wederopstanding zou het verhaal alleen maar fantastischer maken. Het zou de man heldhaftiger maken, en dubbel zo geliefd in het land.

Ik keek op mijn plastic horloge, een cadeautje van Bogodisiba. Er stond een wereldkaart op in rood, blauw en geel, met tijdzones bovenin en lengtegraden onderin. Het was halftwaalf op deze mooie avond vol stilte, die ten onrechte een slapende wereld suggereerde. De wereld sliep nooit; in ieder geval sliep de Godin nooit.

Ik was de enige in de met bomen omzoomde laan met zijn zachte straatverlichting en gladde wegdek. Zo'n eenzame plek, waar je niemand te hulp kon roepen, behalve de overbelaste politie. Maar mevrouw Best zou wel weten wat ze doen moest. Misschien worstelde ze op dat zelfde moment met een droom die haar naar de studeerkamer van haar man wenkte.

Ik ging het bos in, deed het pak uit en trok mijn gewone kleren aan. Ik veegde professor Bests bloed, braaksel en urine van mijn schoenen. Ik liet het pak als een afgeworpen huid in het gras liggen.

Toen ik in de witte Volvo zat bekeek ik mezelf in het spiegeltje en veegde bloed en braaksel uit mijn haar. Ik voelde me een groot kunstenaar, wiens kracht lag in zijn enorme aandacht voor detail. Ik had de belangrijke lieden van Blaricum niet gewekt met barbaarse vuurwapens. Ik had de sluimer van mevrouw Best niet wreed verstoord. Ik had een overal verkrijgbaar stuk gereedschap veranderd in een penseel om de naam van professor Best tegen de hemel van Pingeland, op satellietschotels, op wegen, op plaza's, op ziekenhuizen te schilderen.

Ik reed langzaam, om het leven van medeweggebruikers niet in gevaar te brengen. Het was een voorrecht over zulke gladde wegen te mogen rijden. Het was een zegen als je een bestemming had en verzekerd was van een bed.

Ik stopte ergens bij een beek en waste mijn hoofd om alle sporen van mijn bezoek aan professor Bests tempel te verwijderen. Terug op de weg verscheen er een politieauto in mijn spiegels. Ik was ervan overtuigd dat ze het kenteken van de Volvo in hun computer opvroegen om te zien of hij was gestolen of bij een recente misdaad was betrokken. Ik bleef rustig, want er viel niets op de auto aan te merken. Vijf minuten later haalden ze me in en reden door. Ik weet niet of ze ooit spijt van hun beslissing hebben gekregen. Ik hoopte van wel.

Ik parkeerde de auto honderd meter van mijn bestemming en liep de rest. De deur was blauw met een boog en een zilverkleurige stang. Er was maar één verlichte kamer in het hele gebouw, dat baadde in het halfduister van veiligheidsverlichting gedempt door een bomendak. Ik trok met mijn zwetende rechterhand de stang naar me toe. Er was een wachtkamer met banken en een raam waardoor ik een politieman naar een computerscherm zag staren. Hij was van middelbare leeftijd, zwart en kalend. Was het een Surinamer? Een Antilliaan? Of een geslaagde proteïnezoeker? Had hij duizenden kilometers gereisd, alleen maar om tussen die duffe muren te zitten? Als gevangene van wetsovertreders! Niet goed genoeg om bij de echte aristocraten van de wereld te horen? Was dit alles wat zijn vaginanijd voor hem kon doen?

Na ongeveer vijf minuten hief hij zijn blik met koude ogen naar me op en vroeg wat hij voor me kon doen. Het was heel lang geleden dat iemand op die manier iets voor me wilde doen. Ik vroeg me af waarom hij niet besefte wat voor roem ik op zijn drempel legde. Had hij er nooit van gedroomd net zo beroemd te worden als Danny Glover? Dacht hij dat alleen blanken de macht hadden om zwarten beroemd te maken? Meteen moest ik aan Kateta denken, die me blank had genoemd, hetgeen betekende dat deze politieman nog steeds een gevangene van zijn huidskleur was.

'Ik heb iets waar u misschien belangstelling voor heeft, agent.' Ik probeerde niet al te sarcastisch te klinken. Sommige van die zwarte smerissen waren erger dan hun blanke collega's, moesten zo nodig bewijzen dat ze gezag en orde, normen en waarden vertegenwoordigden.

Hij keek alsof hij een mobieltje verwachtte dat op een bank in het park was gevonden. Er gebeurde niet veel in dit soort stadjes.

'Ja?'

Ik overhandigde hem het bebloede mes, verpakt in de Addaxtas. 'De vingerafdrukken zijn van mij.'

'U komt uzelf aangeven?' Aan zijn stem te horen dacht hij iemand tegenover zich te hebben met wie de betrekkingen koel waren. De betrekkingen tussen politiemensen en criminelen waren onnodig koel, ze hielden elkaar immers aan het werk.

'Ja. Ik ben ongewapend. Dit hier is mijn huis.' Ik liet hem de boeken zien.

Elke week kwamen geestelijk gestoorden zich aangeven voor misdaden die ze niet hadden gepleegd en verspilden daarmee politietijd en belastinggeld. De truc was om met ze mee te praten alvorens verdere maatregelen te nemen. De ernstig gestoorden werden naar het ziekenhuis gebracht en de rest naar huis gestuurd met de waarschuwing niet meer te zondigen. Hij scheen te denken dat ik het mes in het bloed van een koe had gedoopt en zo aandacht probeerde te trekken. Hij vroeg me even te wachten. Hij riep een collega die ergens in het donker zat.

Politieprocedures konden onvoorstelbaar vervelend zijn en de zojuist gewekte man met zijn volkomen lege gezicht, keek alsof hij tientallen jaren verveling kon doorstaan zonder met zijn ogen te knipperen.

Ze brachten me naar een cel en checkten hun netwerk. Toen pas geloofden ze mijn verhaal. Ze waren opgelucht dat ik niet hysterisch of gewelddadig was. Ik wachtte terwijl zij de verschillende procedures volgden die nodig waren om me van deze plek naar een passender omgeving over te brengen.

Ik betrad de wereld van advocaten, openbare aanklagers, detectives, voorpagina's, televisiecamera's en landelijk voyeurisme. De economie bloeide omdat televisie, radio, dag- en weekbladen, Kleenex, make-up, alarmsystemen en nog veel meer dingen buitengewoon goed lopen als er een martelaar is gecreëerd. Ik betaalde het geld terug dat de BV Zoethouderij me vele jaren met tegenzin had gegeven. Nu was ik een officiële gast van Hare Majesteit de Koningin en verdiende het beste. Vierentwintig uur per dag bleef het licht aan en hoog gekwalificeerde mannen veranderden in de Schildpad om toezicht te houden op mijn pis- en schijtsessies. Alles aan me was hoogstbelangrijk geworden. Elk woord dat ik sprak kon grote advocaten en aanklagers of beroemde journalisten aan het werk zetten.

Alles was duidelijk geworden. Er zouden geen legers van lijfeigenen door de straten marcheren. Het was altijd aan mij geweest om dingen te laten gebeuren. Ik was blij dat ik het gedaan had. Ik was per slot van rekening de zoon van de Godsdoder.

Wat werd er om Pingelands eerste politieke martelaar gerouwd! Ik zag het in de ogen van de bewakers en hoorde het in de gangen. Het land bevond zich in een shocktoestand. Zwarten konden, in hun gezagsgetrouwe passiviteit, hun ogen niet geloven; hun blanke tegenhangers al evenmin. Ik had het sjabloon gebroken, want de beroemdste moordenaars ter wereld waren immers wit.

RTL 55 kreeg concurrentie te verduren van alle andere netten die, hoorde ik later, ook stroblonde vrouwen hadden ingezet om de harten en hoofden van de treurende natie te winnen. Zo veel hysterie was sinds de dood van kameraad Kim Il Sung niet meer vertoond. Dat was overdreven. De mensen trokken geen spoor van snot en tranen wanneer ze over straat liepen en ook beukten ze niet eindeloos met hun hoofd op het wegdek onder het uitroepen van de naam van de martelaar. Dat was niets voor deze noorderlingen, maar door hun gedrag toonden ze aan dat het mediterrane melodrama en populaire talkshowsentiment in hun aderen waren gesijpeld, waardoorheen tientallen jaren eerder slechts gletsjerijs had gekropen.

Bevende oude vrouwtjes stalen de show. Ze dromden voor het Parlementscomplex samen, zwaaiden met het paarse boek en spandoeken met kreten als: 'Professor Best, we houden van U!' 'Professor Best, de Bovenste Beste.' 'Professor Best Leeft.'

Te oordelen naar de opschudding toen de kogelvrije bus, waarin ik het genoegen had te reizen, voor het gerechtsgebouw stopte, zou je denken dat ik in Den Haag een primitieve kernbom had laten ontploffen en het paleis van Hare Majesteit en het Parlementscomplex haastig waren ontruimd. Ik was niet langer een gewone lijfeigene, iemands proefkonijn, die langzaam in de onderbuik van Pingeland wegrotte. Ik was niet langer de zoveelste bijstandsrat op wie mensen als Groenoog konden spugen. Ik was iemand. Ik telde mee. Ik bracht de harten van mensen in beroering en prikkelde hun geest.

Bogodisiba kreeg eindelijk haar project en werd op de koop toe in de schijnwerpers getrokken. Het lag voor de hand. De offers van de kunst, het moederschap, de liefde! Hij die liefheeft, lijdt veel. Hij die verwekt, hoe symbolisch ook, heeft veel op zijn geweten. De verantwoordelijkheid woog zwaar op haar schouders, maar ze droeg hem waardig.

De brief die ik had achtergelaten – waarin ik haar onder andere aanraadde een hond te kopen – hielp, al zou het beest haar niet aan zijn pik kunnen zogen. De woorden waren het herhalen niet waard, want ik was geen dichter, maar ze bewezen haar dat ik een man van mijn woord was, met het hart op de goede plaats. Ik hoopte dat ik haar aan haar vroegere helden deed denken, aan de Rode Brigade en Baader-Meinhof, mensen die bereid waren voor hun overtuigingen te lijden. Toen ze me kwam bezoeken zag ik de trots in haar ogen.

Ze bracht veel rationele burgers in verwarring. 'En dat mes dan?' vroegen ze met vlammende ogen. Ze konden niet geloven dat ze zei dat ik onschuldig was. Ze zei niet dat het mes als vals bewijs tegen me werd gebruikt, zoals velen dolgraag hadden willen horen. Ze wilde me vooral uit mijn huidige verblijfplaats hebben om de simpele reden dat mijn inquisiteurs niet het morele gezag hadden om iemand te berechten en aan het kruis te nagelen. Ze gebruikte het ideale-wereldscenario, waarvan de meeste van deze brave, belastingbetalende burgers niets moesten hebben. Moraal had al honderden jaren geleden plaatsgemaakt voor rationaliteit en realpolitik; ze geloofden niet in het herstel ervan.

De enige bewoner van de Rectumtempel die ik miste en waaraan ik terugdacht was de kat. Opgesloten in haar wereld, uren in gedachten verzonken, met haar staart tegen de ruit gedrukt, al het andere overbodig.

Wat herinnerde ik me nog van mijn beste vriend? De documentaire op RTL 55 over de Katman, een Amerikaanse kernfysicus die zich zo met katten identificeerde dat hij op zijn hele lichaam tijgerstrepen liet tatoeëren, zijn tanden liet trekken en vervangen door het gebit van een katachtige, zijn bovenlip liet perforeren om er stugge snorharen in te planten en nu pogingen ondernam om zich een staart te laten aanmeten. Hij betaalde voor al die operaties door computers te repareren.

Ik streelde me met de gedachte dat ik Eugene Victor een goede uitdaging had bezorgd; hij zou nu op zijn parlementszetel jagen met als enige doel mij als de zwarte koning van Pingeland te onttronen.

In Pingeland kwamen rampen nooit voor; als er toch iets gebeurde, veranderden Pingelands ontzagwekkende reserves het in een gelegenheid om de economie te verbeteren. Op die gedachte kon ik 's nachts goed slapen.

★★★★